Николай ЛЕОНОВ

Алексей МАКЕЕВ

ДЕНЬ ЗАКРЫТЫХ ДВЕРЕЙ

Москва

2019

УДК 821.161.1-312.4
ББК 84(2Рос=Рус)6-44
Л47

Оформление серии художников
В. Щербакова, Г. Саукова

Иллюстрация художника *И. Варавина*

Леонов, Николай Иванович.

Л47   **День закрытых дверей** / Николай Леонов, Алексей Макеев. — Москва : Эксмо, 2019. — 384 с.— (Черная кошка).

ISBN 978-5-04-099560-8

В Москве совершено несколько крупных ограблений. Последней добычей преступников стала уникальная коллекция антиквариата. Ее хозяин, Игорь Развалов, погиб от рук налетчиков. Полковники МУРа Гуров и Крячко обследуют дачу коллекционера и убеждаются, что проникнуть на хорошо охраняемую территорию незамеченным нельзя. Выходит, преступление совершил кто-то из персонала? Собираясь отработать эту версию, Гуров неожиданно обращает внимание на неприметную дверь, ведущую на чердак злополучного дома...

УДК 821.161.1-312.4
ББК 84(2Рос=Рус)6-44

ISBN 978-5-04-099560-8

День закрытых дверей

ПОВЕСТЬ

Глава 1

В просторной, роскошно обставленной комнате, затененной тяжелыми портьерами, беседовали два человека. Один, очень грузный, с темными волосами и азиатскими чертами лица, сидел, вальяжно развалившись в необъятном кресле, и курил сигару. Другой, худощавый высокий блондин, нервно ходил из стороны в сторону, как цапля переставляя голенастые ноги.

— Лучше верни, Артур, — взволнованно говорил он. — Этот Развалов — такая... С ним лучше не связываться. Так подставит — не оберешься потом. И не икнет даже.

— Как я верну, Владик? — выпуская облако дыма, отвечал темноволосый толстяк. — Сам знаешь, все давно уже за границей.

— Ну, еще не все, — выразительно взглянул на него блондин.

— Ну, не все, так половина, — досадливо сморщился толстяк. — Испанцы уже заплатили, с немцами договоренность железная, не сегодня завтра деньги переведут. Как, по-твоему, я все это в обратную отыграю? Никак.

— Ой, не знаю, — сокрушенно вздохнул блондин. — Не знаю, не знаю, не знаю. Мое дело предупредить, Артур. А ты уж решай. Только если ты меня спросишь, я тебе сразу скажу, с этим жуком связываться — себе дороже. Послушай, — вдруг оживился он, будто осененный удачной идеей. — А может, поговорить с ним? Дать раскладку, объяснить ситуацию. Деньгами отдать, в конце концов. Что осталось, вернешь ему, а остальное...

— Думаешь, он возьмет деньгами? — с сомнением покачал головой толстяк.

— Ну, поговорим. Объясним. Какие-никакие, мозги-то у него есть. С таким-то текущим счетом. Поймет. Я вон Мишеньку позову, он кого хочешь уболтает, — усмехнулся блондин.

— Вот еще только Мишеньки здесь не хватало, — презрительно скривился толстяк. — Нет, Владик, переговорами тут не решишь. Он, похоже, обиделся, в позу встал. Ты слышал, он ведь чего-то там угрожать даже пытался? Мне! Нет, Владик, здесь придется решать по-другому.

— Как по-другому? — В голосе блондина прозвучали тревожные нотки.

— Как-нибудь... по-другому.

— Эх, Иваныч, сколько все-таки несправедливости в мире!

Стас Крячко, только что плотно пообедавший в соседнем ресторане, лениво потянулся и, подперев рукой щеку, грустно уставился в экран монитора.

— Почему именно я? А? Почему? Почему не подсунуть это паршивое дельце, например, тебе? Ты у нас опытный, бывалый, любого самого глухого «глухаря» раскалываешь на раз. Вот и брал бы это ограбление. Расследовал бы. Успешно. Так нет! Нужно всучить Стасу. Он крайний. А, Иваныч? Чего молчишь? Неужели тебя не возмущает такая вопиющая дискриминация в отношении меня?

— В бессмысленных словопрениях участвовать не желаю, — отрезал Гуров. — Ты налопался от пуза, теперь тебе, вместо того чтобы делом заниматься, поговорить хочется. А я, между прочим, не обедал еще. Так что отстань! Голодный пролетарий объевшемуся буржуину не товарищ.

— Так пообедай! Пообедай уже и искорени в себе озлобленность. Я ведь тебя звал. Чего не пошел?

— Некогда. Хочу добить все эти бумажки да сдать наконец дело. Все уж закончил, только формальности остались. Не хочу, чтобы висело. И так почти три месяца возился. Одних протоколов полсейфа. Хоть библиотеку открывай.

— Ага! Так у тебя, значит, очередное раскрытие нарисовалось? А я-то думаю, чего это он стахановца из себя корчит? Не ест, не пьет, все бумажки пишет. А оно вон что. Хм! Так тогда тем более нужно было это ограбление именно тебе назначить. Бессовестный этот Орлов, вот что я тебе скажу. Несправедливый. У меня и без того сто дел в работе, так он мне еще сто первое решил подвалить. А другим некоторым, которые уже все дела позакрывали, им — ничего. Отдыхайте, товарищ полковник, празднуйте.

— Ну да. У меня ведь, кроме этого дела, других-то нет. Это только ты у нас по сто дел зараз ведешь. Один на все Управление. Остальные — так, покурить заходят.

— Черствый ты, Иваныч, вот что я тебе скажу. Никакого сочувствия от тебя не дождешься. Человек перед тобой, можно сказать, душу раскрыл, а ты...

— У тебя когда в следующий раз словесное недержание случится, ты заранее предупреди, я пойду погуляю. А то мало того, что со всяким вздором на уши приседают, так еще и в черствые попадешь. Нежданно-негаданно.

В этот момент открылась дверь, и в кабинет заглянул генерал Орлов.

— О, Лева! Ты здесь? Отлично! Зайди ко мне, разговор есть.

— Слушаюсь, товарищ генерал, — недовольно пробубнил Гуров вслед начальству, которое исчезло так же молниеносно, как и появилось.

— Ага! — злорадно улыбаясь, потер руки Стас. — Не иначе, он и тебе сюрпризец приготовил. Вот помяни мое слово — не пустым вернешься с аудиенции. Сто против одного ставлю, что новый «глухарь» у Пети в загашнике припрятан. Специально для тебя. Так что не одному мне фортуна улыбнулась. Все-таки есть в мире справедливость!

— Угу, — угрюмо буркнул Лев. — У меня и так четыре «глухаря» несколько месяцев уже висят. Один еще с прошлого года тянется. Так нет, надо еще добавить.

В сердцах стуча по клавишам, он закончил печатать документ и, выключив компьютер, вышел из кабинета, догадываясь и без злорадных намеков Стаса, что в разгар рабочего дня за хорошим Орлов не позовет.

— У себя? — кивнув на начальственную дверь, спросил Гуров у секретарши, дежурившей в «предбаннике».

— Да. Ждет вас, — лаконично ответила та.

Приоткрыв дверь, Лев заглянул в кабинет, как бы раздумывая, стоит ли заходить туда. Но отступать было поздно.

— Проходи, Лев, присаживайся, — заметив его, проговорил Орлов, перебирая бумаги на столе. Хмурое и озабоченное выражение лица генерала не сулило ничего хорошего.

— Что-то стряслось? — осторожно спросил Гуров.

— Да как тебе сказать, — медленно, как бы раздумывая о чем-то, ответил друг и начальник. — Непонятное что-то творится. С начала года четыре громких ограбления, и ни одно не раскрыто. Везде важные и очень небедные люди, везде крупные суммы, драгоценности, антиквариат. И везде — полный ноль в плане улик. Четыре человека у меня уже почти полгода над этой загадкой бьются, и ни один до сих пор ничего внятного по теме сказать не может.

— Погоди, я угадаю. Поскольку у тех четырех ничего не вышло, ты решил все эти дела собрать в кучу и повесить мне на шею?

— Ну, ты меня уж совсем в монстры-то не записывай, — обиженно проговорил Орлов. — Зачем я тебе буду вешать? Люди занимаются, работают. Как знать, может, со временем чего и накопают. Не один ты у нас в Управлении умеешь преступления раскрывать, в других кабинетах тоже не дураки сидят.

— Да в этом никто и не сомневается, — заверил Гуров. — Я просто пытаюсь понять, для чего ты меня сейчас вызвал.

— А вот если будешь слушать не перебивая, тогда и поймешь. Если не будешь встревать со своими остроумностями, когда тебе начальство задание объясняет.

— Ой, извините, Петр Николаевич, больше не повторится, — сделал испуганное лицо Лев. — Все, заткнулся и весь превратился в слух.

10

— Молодец! — упорно не желая поддерживать шутливый тон, произнес Орлов. — Так вот, слушай сюда. Последнее ограбление произошло неделю назад. Почистили дом коллекционера. Некто Развалов Игорь Владимирович. Доли в нескольких акционерных обществах, две квартиры, коттедж на Калужском шоссе. Образ жизни — свободный. Основное занятие — деловые и дружеские встречи, а также посещение всевозможных выставок и аукционов в поисках очередного экспоната для коллекции.

— По-видимому, ее-то и сперли?

— В этот раз угадал. Раритетные полотна, все до единого — подлинники, кроме них — несколько статуэток и предметов работы Карла Фаберже. В рублях — несколько миллионов.

— Застраховано, я надеюсь?

— Да, у меня тоже мелькала такая мысль. Вариант, что это он устроил сам себе, чтобы получить страховку, в принципе, конечно, возможен, но в данном случае, пожалуй, маловероятен. Кому-то это, может, покажется парадоксальным, но, на мой взгляд, главное доказательство того, что Развалов ограбление самого себя не организовывал, — это именно ощущение, что все это организовал он сам.

— Если бы сам был замешан, постарался бы соорудить улики, указывающие на «постороннего вора»? — расшифровал сокровенную мысль начальства Гуров.

— Именно! Ведь не дурак же он, в самом деле, специально подстраивать все так, чтобы у полиции создалось ощущение, будто сам хозяин спокойно вошел в дверь, отключил сигнализацию, аккуратно упаковал свои картины и вместе с ними удалился в неизвестном направлении.

— А что, ощущение создается именно такое?

— Представь себе. Нигде нет не то что следов взлома, а даже малейших повреждений. Сигнализация даже не пикнула, потому что была предварительно отключена так, как это всегда делал сам хозяин, входя в дом. Видеокамеры, укрепленные на территории возле дома, не зафиксировали ничего. Вообще ничего. Ни своих, ни посторонних, ни картин, ни людей. Таким образом, на участке никто не появлялся, в дом не входил, а коллекционные раритеты бесследно исчезли, и неизвестно, где их теперь искать.

— И, несмотря на эти факты, ты думаешь, что сам хозяин к ограблению непричастен?

— В случае с Разваловым я не только так думаю, я, можно сказать, просто уверен. И дополнительно эту мою уверенность подкрепляет то, что этот случай — не единственный. Я ведь тебе говорил — таких ограблений за последнее время произошло несколько. Как-то странно было бы думать, что все эти люди в одночасье вдруг решили сами себя обворовать, чтобы получить страховку. Что, вирус, что ли, такой появился? Специальный вид душевной болезни — самоограбление с целью наживы? Навряд ли. Да и не всегда фишка со страховкой могла сыграть. У одной из потерпевших украли просто деньги как таковые. Здесь о страховке речь не могла идти в принципе, сам понимаешь. Это ведь не банковский вклад.

— И много украли? — с интересом спросил Гуров.

— Точно не помню, кажется, что-то около трех «лимонов».

— Ого! Это что, наши люди до сих пор держат дома наличность в таких объемах? Банкам не доверяют хранение средств?

— Да нет, там просто обстоятельства так подошли. Она, по-моему, продала что-то или, наоборот, покупать собиралась. Плюс к этому еще какой-то спор выиграла, тоже на наличные. Вот и получилось. Денежки в одном месте собрались, и кто-то очень вовремя сориентировался, чтобы прибрать их к рукам.

— Значит, этот «кто-то» был в курсе?

— Не исключено. Подробности можешь у Гены Калинина узнать, я ему это дело отдал. Но главная загадка здесь тоже повторяется — следов присутствия кого-то постороннего не имеется абсолютно никаких. Ноль. Все выглядит так, будто деньги из сейфа вытащила сама хозяйка. Скажу тебе по секрету, оперативники, которые выезжали на осмотр, даже засомневались, стоит ли дело открывать. Уж больно все... чисто. Но девушка оказалась настойчивая и как-то сумела их убедить. Хотя это и не так уж удивительно. Там, кажется, какая-то медийная личность, ток-шоу ведет или что-то в этом роде. Болтовня — ее профессия.

— Знаменитость?

— Вроде того. Я ведь тебе сказал, жертвы, все до единой, — люди не последние. В общем, заявление от нее приняли, дело передали нам. Ну а после этого уже из сопоставления фактов стало ясно, что девушка не врет. Ведь прецеденты уже имелись. Точно так же, без взлома и постороннего проникновения, исчезали из домов и квартир ценности.

— А какая-то система здесь прослеживается? Что именно крадут?

— То, что дорого стоит, — ответил Орлов. — «Предметности» особой не наблюдается. В каких-то случаях антиквариат, в каких-то — драгоценности. Или вот, как я тебе уже сказал, — деньги как таковые. Общее у всех этих вещей только одно — их высокая стоимость.

— То есть выраженной «специализации» у воров нет. А ты знаешь, это ведь само по себе довольно интересно. Ты вот сказал, у этого Развалова украли картины. Подлинники. Чтобы продать подобную вещь, да еще и заведомо краденую, надо иметь очень хорошие связи в очень специфичных кругах. Связи тесные и доверительные, такие, которые нарабатываются годами. Те, кто работает в подобных сферах, обычно на посторонние предметы не отвлекаются. Да и не пускают туда каждого, кому вздумается. Кто хочет сразу на всех стульях сидеть и нашим, и вашим кланяться. С драгоценностями, конечно, попроще, это, так сказать, ценность универсальная. Наличка — тем более. Но картины... Мне кажется, учитывая специфичность предмета кражи, дело не такое уж бесперспективное. Конечно, как воры проникли в дом, пока не ясно, но если попытаться проследить судьбу украденного, вполне возможно, удастся выйти на них именно этой дорожкой. От противного, так сказать.

— Выйди, Лева, — бодро проговорил Орлов. — Тебе и маршрутизатор в руки.

— Вот оно что. Так, значит, повесить на меня ты решил конкретно этого коллекционера? А чего ждал так долго? Сам ведь сказал, что ограбление произошло неделю назад. Или это не к спеху? — иронически усмехнулся Лев.

— Ограбление я отдал Стасу, — спокойно произнес Орлов, решительно не настроенный сегодня шутить. — А тебя назначаю на расследование убийства. Развалов Игорь Владимирович сегодня утром был найден в своей постели с пулевым отверстием во лбу. Охрана утверждает, что в дом никто не заходил, видеокамеры тоже ничего не зафиксировали. Сигнализация в доме была отключена.

— Вот это поворот! — изумленно вскинул брови Гуров. — Его же ограбили, его же и убили?

— Именно так.

— Может, тут какая-то застарелая неизгладимая вендетта?

— Именно это тебе предстоит выяснить. Возможно, убийство как-то связано с ограблениями, а возможно, и нет. Но тот факт, что убийца проник в дом так же загадочно и незаметно, как и воры, по-моему, должен навести на определенные размышления.

— Может быть, может быть, — задумчиво проговорил Лев. — Значит, говоришь, дело по этому Развалову у Стаса?

— Да, у него.

— Хм, а не из-за него ли он сегодня ныл целый час, терпение мое испытывал? Мол, всучили ему «глухаря», в поисках улик с ног сбился, а толку нет. Жаловался, что ему труднее всех приходится. Все Управление баклуши бьет, один он, бедный, не щадя живота трудится.

— А тебя что-то удивляет? Ты что, первый день Стаса знаешь? Как будто он когда-нибудь другим был. Ему что ни дай, сразу начинает плакать, что его дело — самое безнадежное во всем Управлении.

— Цену набивает.

— Само собой. Оно безнадежное, а он раскрыл. Понятно, кто самый лучший. Но с Разваловым он и правда, похоже, притормозил. По крайней мере, видимого прогресса там не наблюдается. Принялся было бойко, побегал, всех

14

опросил. Но на этом и сдулся. Теперь, так же как и остальные, сидит, на кофейной гуще гадает, кто бы это мог быть. Ты ему подкинь идейку насчет «от противного». Может, и правда что получится. Хоть один случай раскроем.

— А кто еще, кроме Стаса, этими случаями занимается?

— Медийную дамочку, как я уже сказал, Гена Калинин разрабатывает. Чиновника с иконами я Степанову отдал. Он мужик солидный, основательный, ему с государственными деятелями работать в самую пору. Предприниматель и драгоценности — у Димы Зайцева. Ну, и последний, Развалов этот, соответственно, у Стаса.

— Ему, похоже, не повезло больше всех.

— Да уж. Вот, держи папочку. — Орлов протянул Гурову папку с документами, которые просматривал, когда Лев вошел в кабинет. — Задел тебе, так сказать. Это — материалы группы, которая выезжала на происшествие. Тело уже в морге, но здесь все вполне толково описано и сфотографировано. Можно получить вполне внятное представление о том, что они там увидели.

— Развалов жил один?

— С женой. Но на момент убийства она находилась за границей. Да и сейчас находится. На курорте отдыхает, в Италии, кажется. Еще есть дочь, но она тоже за границей, живет там постоянно. Так что в данный период времени из хозяев в доме был только сам Развалов.

— А из не хозяев там находился кто-то посторонний? — внимательно взглянул Гуров.

— Вроде бы нет. Есть прислуга, но, кажется, приходящая, постоянно в доме не живет. Впрочем, выяснять эти подробности — уже твое дело. Мне обрисовали в общих чертах ситуацию, я тебе ее описал. Вглубь копай уже сам. Поговори со Стасом, может, имеет смысл пообщаться и с теми, кто расследует другие ограбления. В общем, действуй.

— Еще один вопрос. Почему ты так выделяешь именно эти четыре дела? Что, в Москве больше ограблений не происходит? Почему именно эти ты решил объединить в особую группу? Четыре, не больше и не меньше.

15

— Я их выделил в особую группу, потому что все они имеют одну и ту же характерную особенность. А именно — полное отсутствие улик. В этом плане во всех четырех случаях — полный ноль. Абсолютный. Никаких отпечатков, никаких повреждений, никаких свидетелей. Ни люди, ни техника не зафиксировали абсолютно ничего. Полное ощущение, что действовали сами хозяева, хотя хозяева это полностью отрицают, а некоторых из них в момент ограбления даже не было дома. Я с подобным еще не сталкивался. Ну, один случай, ну, два. А тут... тут ведь просто какая-то система прослеживается. Причем именно в плане технической реализации. Ведь ни жертвы ограблений, ни вещи, которые украли, не имеют между собой ничего общего.

— Кроме высокой «стартовой цены», — усмехнулся Лев. — Ведь и вещи дорогие, да и люди, если я правильно понял, не бедные.

— Это да. Но на этом общие признаки и заканчиваются. Хотя высокая стоимость украденного — это, пожалуй, еще один признак, одинаково характерный для всех четырех случаев. Счет идет на миллионы рублей, я что-то не припомню, чтобы в каких-то еще делах фигурировали такие суммы. Ограбления в Москве, конечно, случаются, это ты подметил верно, но дел такого масштаба, сам понимаешь, бывает немного. За последнее время вот эти четыре, пожалуй, и есть. Так что сама логика вещей требует, чтобы их объединили в одну группу. Объединили, так сказать, по способу исполнения.

— Понятно. Что ж, если логика требует, тут уж не возразишь. Но убийство — это, кажется, факт, случившийся вопреки логике. Воры, насколько я знаю, «мокрухой» не балуются.

— Да, и это еще одна загадка. А загадок здесь и без того хватает. В общем, поле деятельности у тебя, Лева, очень широкое, и работы — непочатый край. Так что не теряй даром драгоценное время. Изучи материалы, которые нам предоставили коллеги, поговори со Стасом, съезди на место, если посчитаешь нужным. В общем, действуй.

Ободренный этим напутствием, Гуров покинул кабинет генерала, не забыв прихватить с собой папку. Сейчас она была очень тонкой. Упомянутый Орловым «задел», собранный «коллегами», не поражал особым изобилием информации.

Надежды на разговор со Стасом тоже оказались тщетными. Вернувшись в их общий с другом кабинет, Лев обнаружил его пустым.

«Поскакал улики собирать, труженик наш неутомимый, — усмехаясь, подумал он. — И, разумеется, как всегда, не вовремя. Целый час сидел тут, ныл, давил на мозги, а когда и правда возникла необходимость поговорить, смылся».

Что ж, ничего не оставалось, как заняться изучением формальных отчетов.

Устроившись за столом, Гуров раскрыл тонкую папочку. Фотографии трупа и протоколы допроса немногочисленной охраны, дежурившей возле дома, — вот все, что в ней содержалось.

Первым делом Лев обратил внимание на фотографии. Огромная кровать под балдахином, какую можно увидеть только в мексиканских сериалах, наводила на мысль, что обитатель дома был человеком очень не бедным и не жалел денег на личный комфорт.

Сам обитатель лежал тут же, под одеялом. Выражение лица его было спокойным и безмятежным, и, если бы не черное с небольшим кровоподтеком отверстие во лбу, можно было подумать, что он спит.

Кроме фотографий потерпевшего, добросовестные оперативники сделали несколько снимков комнаты, доказывающих, что ни на оконных рамах, ни на входной двери не имеется никаких повреждений.

Из протоколов допроса охраны можно было заключить, что владения свои Развалов оберегал очень тщательно. Помимо самих охранников, дежуривших на территории круглосуточно и фактически проживающих там, в самом доме и на участке имелись многочисленные технические средства контроля. Видеокамеры и сигнализация, в сочетании с бдительным присмотром «живой силы», очевидно, долж-

17

ны были обеспечить высочайший уровень безопасности, такой, чтобы и комар не проник на территорию коттеджа незамеченным. Несомненно, сознавая всю ценность коллекции, которая хранилась в его доме, Развалов стремился обеспечить ее сохранность и защиту от всяческих недобросовестных поползновений.

Однако в итоге оказалось, что все предпринятые меры защиты ни от чего защитить не могут. Коллекционера лишили не только ценнейших экспонатов его коллекции, но даже самой жизни.

Охранники сообщили, что внутрь дома хозяин посторонних пускать не любил и довольствовался техническими средствами контроля. Когда ни его самого, ни жены дома не было, он включал видеокамеры, которые полностью контролировали внутреннее пространство коттеджа, а также дополнительную звуковую сигнализацию, срабатывавшую, если кто-то «несанкционированно» проникал в помещения, где хранились картины и прочие экспонаты коллекции.

Если кто-то из хозяев находился дома, видеокамеры отключались везде, кроме «коллекционных» комнат.

«Система, просто как в Центральном банке, — усмехаясь, думал Гуров. — И тем не менее кто-то умудрился обойти все эти замысловатые преграды. Да так обойти, что никаких следов не осталось. Даже царапины, как говорил Орлов. Сто против одного ставлю, что кто-то из своих здесь приложил руку. Если не сам хозяин, то кто-то очень близкий, кто знал все нюансы работы с этой сигнализацией и вообще, так сказать, «внутренний распорядок». Петр говорил, что версия с «самоограблением» для получения страховки маловероятна. Что ж, возможно. Но предположение, что в эту крепость вот так вот, без взломов и прочих «нюансов», могли проникнуть совершенно посторонние люди, в плане вероятности вообще не имеет шансов. Это просто нереально».

Придя к такому выводу, Лев решил, что для начала следует составить список всех, кто, так или иначе, бывал в этом доме. Особенно тех, кто появлялся там регулярно. Например, те же охранники находились на участке практически круглосуточно, и, хотя они заявляли, что в дом их Развалов не приглашал, вполне возможно, отступления от этого правила периодически случались.

Кроме охраны в богатом и просторном коттедже наверняка имелись и другие «вспомогательные кадры»: горничные, повара, садовники.

«Не помешало бы определиться со всем этим поподробнее, — уже прикидывал мысленно Лев. — Выяснить, как этот Развалов организовывал свой повседневный быт, и кто, кроме непосредственных членов семьи, принимал в этом участие. Кто приходил в гости, чтобы полюбоваться на те же картины, например, а заодно разузнать нюансы работы сигнализации. Выяснить, не имел ли обыкновения хозяин периодически устраивать у себя многолюдные вечеринки. Территория дома наверняка позволяла развернуться. Ну и, в конце концов, выяснить, при каких обстоятельствах произошло ограбление».

Наметив эту программу, он запер кабинет и взял курс на Калужское шоссе, где располагался коттедж Развалова.

Подъехав к нужному ему дому, Гуров с первого взгляда убедился, что строение надежно охраняется не только изнутри. Массивные железные ворота и такая же калитка, снабженная кодовым замком и переговорным устройством, высокий кирпичный забор — все это делало обиталище коллекционера Развалова настоящей неприступной крепостью.

Выйдя из машины, Лев заметил, что, в дополнение к надежному ограждению, подступы к дому контролируются видеокамерами, и невольно снова усмехнулся, подумав, что при таких мерах безопасности здесь не страшно оставлять даже государственную казну.

«Кто же тот безумец, рискнувший организовать ограбление этой цитадели? — размышлял он, проходя вдоль ограды и внимательно изучая местность. — Безумец, и он же гений, поскольку ограбление все-таки удалось. И не только ограбление, но даже убийство. Интересно было бы узнать мотив. Учитывая, что ни в том, ни в другом случае никаких следов проникновения в дом посторонних не обнаружено, можно предположить, что инициатива здесь исходила из одного источника. Чем же так провинился уже ограбленный Развалов, что его решили еще и убить?»

Не сомневаясь ни минуты, что его присутствие здесь уже «засекли» и за ним пристально наблюдают, Лев продолжал спокойно прогуливаться вдоль забора, пытаясь определить, есть ли шанс у постороннего человека незаметно или хотя бы безопасно преодолеть эту преграду. Результаты наблюдений подсказывали, что шансов немного.

Тем временем терпение у охранников, похоже, лопнуло. Послышалось характерное лязганье металла, и, обернувшись к калитке, Лев увидел выходящего со двора мускулистого парня в черной униформе, лишенной знаков отличия. Не было никаких сомнений, что он собирается поучить уму-разуму наглеца, как ни в чем не бывало расхаживающего перед чужим домом прямо под объективами видеокамер.

— Я могу вам чем-то помочь? — недобро взглянув, проговорил парень. — Здесь частная территория.

— И дорога тоже частная?

— Да, и дорога тоже, — тоном, не допускающим возражений, ответил охранник.

— Надо же, как интересно, — чуть улыбнувшись, произнес Лев. — И кто же хозяин?

— Я хозяин, — отбросив последние церемонии, заявил парень, угрожающе надвигаясь на полковника. — Так что двигал бы ты отсюда, дядя, подобру-поздорову. А то как бы тебе на неприятности не нарваться.

— Ой-ой, зачем так сердито! — усмехнулся Гуров, доставая удостоверение. — Я и так пугливый, а ты еще кричишь так громко. На дядю старого. Смотри, как бы тебе самому на неприятности не нарваться. Полковник Гуров, Главное управление, — уже серьезно проговорил он, поднося раскрытые «корочки» к самому лицу парня. — Я расследую дело об убийстве Игоря Развалова. Он проживал в этом доме, если не ошибаюсь?

Опешив от такого неожиданного поворота событий, бедный охранник судорожно переводил взгляд с полковника на фотографию и обратно, по-видимому, не представляя, как должен сейчас себя вести.

— Я... то есть, да. Это дом Развалова, — заикаясь, бросал он отрывистые фразы. — Я... вы извините. Я не подумал... мы... мы тут охраняем... охраняем территорию. Наши обязанности... вы извините.

— Да ладно, не переживай так, — добродушно бросил Лев. — Проехали. Во двор-то пустишь?

— Да-да, конечно. Разумеется, — засуетился парень. — Разумеется, проходите. — И, забежав вперед, во всю ширь распахнул калитку.

Оказавшись на территории участка, Гуров сразу понял, что если и найдется смельчак, который рискнет перелезть через неприступную ограду, храбрость его пропадет напрасно. На стенах трехуровневого дома довольно замысловатой архитектуры была укреплена еще одна «порция» камер, полностью контролирующих внутренний двор и территорию перед въездными воротами. Всякий, кто входил в калитку, въезжал в ворота или выбрал бы более энергозатратный путь через забор, неминуемо попадал в объективы внутренних камер.

— Тебя как звать-величать, бдительный наш? — обратился Лев к сопровождавшему его охраннику, все еще пребывающему в заметном смущении.

— Борис, — торопливо доложил он. — Акимов Борис.

— Прекрасно. А это, по-видимому, твои коллеги, Акимов Борис? — кивнул Лев на группу мужчин в такой же черной одежде, стоявших возле одноэтажного строения, расположенного неподалеку от входа на участок, и смотревших на Гурова с нескрываемым интересом.

— Это... да, это... Извините, я сейчас.

Быстрым шагом Борис приблизился к своим товарищам и, сказав несколько слов, тут же вернулся к Гурову. По-видимому, слова его оказались очень убедительными, поскольку «коллеги» скрылись из вида даже раньше, чем он успел пройти несколько шагов, отделявших его от полковника.

— Отменная дисциплина, Борис, могу только поздравить, — улыбнулся Гуров. — Ты, наверное, здесь начальник?

21

— Да. Я старший охранник.

— Это хорошо. Если ты здесь старший, значит, должен знать все нюансы и особенности местной жизни. Внутренний распорядок, так сказать. Именно он меня сейчас интересует.

— Я знаю только то, что непосредственно касается моей работы, — сдержанно проговорил Борис, справившись наконец-то с переживаниями по поводу своей оплошности. — Моей и ребят. Насчет «нюансов жизни», это, наверное, не ко мне.

— Но ведь ты и ребята находитесь здесь постоянно? Правильно? Именно так записано в протоколах опергруппы, выезжавшей на труп.

— Да, мы работаем круглосуточно, но это не значит, что мы участвовали в жизни хозяев. Мы просто делаем свое дело.

— Что ж, это хорошо, что ты не из болтливых, — снова похвалил Гуров. — Для профессионального охранника качество очень полезное. Но мне, собственно, тайны мадридского двора и не нужны. Тебя, как охранника, я хочу расспросить именно о нюансах охраны. Например, куда передается изображение с этих камер? — поинтересовался он.

— Со всех внешних камер сигнал идет на наши мониторы, — четко и по-деловому доложил Борис. — Они там, в помещении для охраны, — кивнул он на одноэтажную постройку, где незадолго до этого исчезли его «ребята».

— Камеры установлены только здесь или участок контролируется полностью?

— Вообще-то они укреплены по всему периметру ограды, но в дальней части, там, где граница с соседями, очень буйная растительность, поэтому некоторые участки не попадают в объективы.

— То есть определенные возможности для проникновения посторонних на участок все-таки имеются?

— Как вам сказать, — несколько затруднился Борис. — В целом система достаточно надежная, мы круглосуточно видим практически всю территорию. А что касается этих

22

«белых пятен»... На это есть свои средства. Например, у нас установлено дежурство, и каждые полчаса кто-то из ребят обходит территорию, именно те места, которые плохо контролируются камерами. И кроме того... там ведь соседи. Людей этих и мы, и хозяин хорошо знаем, они давно здесь живут и ни в каких криминальных делах никогда замечены не были.

— А что за люди, можно немного поподробнее? — навострил уши Гуров.

— Обычные. Большая семья, муж, жена, дети. Кроме того, с ними же живут и родители. Кто-то постоянно находится дома. При таких условиях, сами понимаете, постороннему человеку незамеченным там проскочить трудно, а сами они, как я уже сказал, люди вполне добропорядочные и законопослушные.

— И с Игорем Владимировичем никаких конфликтов не имели?

— Нет, что вы! Какие конфликты? — По выражению лица старшего охранника было понятно, что он совершенно искренне считает эту мысль абсурдной. — Наоборот, они, можно сказать, даже дружили. Общались очень доброжелательно, Игорь Владимирович приглашал их смотреть коллекцию. Да и супруга его хорошо относилась к Марии Денисовне. Они часто встречались, обсуждали разные новости.

— Мария Денисовна — это жена вашего соседа?

— Да, она. Сам он бизнесмен, целыми днями не бывает дома. Почти так же, как Игорь Владимирович. А дамам скучно в одиночку сидеть, вот они и навещали друг друга. Очень доброжелательно общались, — повторил Борис.

— А Игоря Владимировича часто не бывало дома, — ухватившись за нужное слово, сменил тему Гуров.

— В общем, да. Правда, четкого расписания у него не было, каждый день «ходить на работу» не приходилось. Но были разные другие дела, так что иногда он тоже пропадал с утра до вечера. Или вообще уезжал на несколько дней.

— Тогда «за главного» дома оставалась супруга?

23

— Да, она.

— А случалось так, что в коттедже вообще никого не было? Например, оба они уезжали на отдых или куда-то еще?

— Конечно, случалось, и даже довольно часто. И на длительные периоды, и на короткие. Например, Игорь Владимирович уезжает по делам, а Тамара Максимовна — в магазины. Кстати, она и сейчас в отъезде. Как раз на отдыхе. Даже не знаю, как сообщить ей о трагедии. Думаю, она будет просто в шоке. Все это — как гром среди ясного неба.

— У Игоря Владимировича не было врагов?

— Ну, дел его я не знаю, — осторожно ответил Борис. — Но в целом он человек неконфликтный, и такого, чтобы открыто предъявлял к кому-то претензии, злился, такого я не замечал. Хотя, может быть, он просто не показывал при посторонних.

— Хорошо, вернемся к тому, что ты знаешь наверняка, к системам охраны. Как охранялся дом, когда хозяев не было? Там тоже кто-то дежурил?

— Нет. В доме Игорь Владимирович не терпел посторонних. Он был очень щепетильным в таких вопросах. Не любил, когда нарушают его личное пространство. В коттедже установлена особая сигнализация, которую включал и отключал только сам хозяин. Пойдемте, я покажу вам.

По тропинке, мощенной природным камнем, Борис подвел Гурова к дверям коттеджа.

— Большинство комнат опечатано. Полицейские, которые приезжали сегодня утром, сказали, что нельзя ничего трогать. Мы и не трогаем. Это хозяйка пускай разбирается. Но ключи от входных дверей у меня. И код на сейф пока я сам поставил. Ведь хозяина теперь нет, а следить за сохранностью имущества кто-то должен, пока не приедет Тамара Максимовна.

— Тебе, как старшему охраннику, и карты в руки, — заметил Гуров.

— Да, пришлось мне.

Борис вставил ключ в замочную скважину и беззвучно отвел в сторону массивную дубовую панель, пропуская Гурова в дом.

Войдя, Лев попал в небольшой коридорчик и справа от себя увидел укрепленный на стене железный короб. Передняя стенка его представляла собой дверцу с ручкой и двумя рядами кнопок, на которых были изображены цифры и несколько букв латинского алфавита.

— Это сейф, — пояснил Борис. — Или, по-другому, щит. Там внутри — переключатели, которые регулируют всю систему. Сейчас все включено, поэтому, если мы попытаемся пройти в следующую дверь, сработает звуковая сигнализация. Там такая сирена... как перед воздушной атакой просто.

— Чтобы она не сработала, нужно открыть этот сейф и все отключить? Это всегда делал только сам хозяин?

— Да. Даже Тамара Максимовна не знала код.

— Даже так? — изумленно вскинул брови Гуров. — То есть если она приходила в отсутствие супруга, то и домой не могла попасть? Или проходила в эту дверь под аккомпанемент сирены?

— Нет, если так получалось, она звонила Игорю Владимировичу, и тот сообщал ей код. Ведь если супруга вернулась, это означало, что в доме будет кто-то находиться. То есть уже можно было не опасаться, что туда кто-то проникнет незамеченным. Но после подобных случаев Игорь Владимирович обязательно менял код. Да он и вообще довольно часто его менял. Тоже из соображений безопасности.

— Да, тут у вас, похоже, все серьезно.

— Более чем. Для воров, кстати, есть и еще один сюрприз. Как я уже сказал, чтобы отключить сигнализацию, нужно открыть сейф. Для этого необходимо знать код. Но, в принципе, сама эта дверца открывается и так. Если вы повернете ручку, задвижка отойдет, и дверь откроется.

— Но снова завоет сирена? — догадался Лев.

— Точно. То есть код как таковой, в сущности, отключает дополнительную сигнализацию, а не открывает замок.

Теперь же я должен попросить вас отвернуться. Мне нужно открыть сейф, а код должен знать только один человек. Таковы правила.

Смирившись с неизбежным, Гуров отвернулся, и уже через минуту до его слуха донесся легкий скрип металлических петель, свидетельствующий, что сейф благополучно открыт. Противовоздушная сирена на этот раз, к счастью, не сработала.

— Теперь мы можем пройти в дом? — разворачиваясь, спросил он.

— Да, теперь звуковая сигнализация не сработает. Видите вот этот рычажок? Это переключатель. Сейчас он в неактивном режиме.

— А для чего эти кнопки? — поинтересовался Лев, внимательно изучая замысловатый «пульт управления», находившийся внутри «сейфа».

— Это для активации и настройки видеосистемы. Практически всю территорию дома контролируют видеокамеры, и здесь можно включить или отключить какой-то из секторов. Сейчас все они в активном режиме, и, если вы не против, я их так и оставлю.

— Отчего же, я совершенно не против. Но когда в доме находились сами хозяева, такой тотальный контроль, наверное, не требовался?

— Разумеется, нет. Игорь Владимирович обычно отключал все комнаты, кроме тех, в которых находилась коллекция. Там видеокамеры работали всегда. Днем он отключал только звуковую сигнализацию, для этих помещений установлена своя система. Но ночью обязательно активировали ее и видеокамеры в соседних комнатах.

— Чтобы узнать, откуда может подкрасться потенциальный вор? — чуть усмехнувшись, предположил Гуров.

— Да, наверное, — серьезно произнес Борис. — Игорь Владимирович очень серьезно относился к безопасности коллекции.

«Однако это не помешало кому-то увести ее прямо у него из-под носа», — саркастически подумал Лев, а вслух спросил:

— Изображение со всех этих камер тоже передавалось на ваши мониторы?

— Нет. Внутреннюю ситуацию отслеживал сам Игорь Владимирович. Мониторы, куда передается сигнал, находятся в небольшой комнате рядом с его кабинетом. Если хотите, мы можем пройти туда.

— Да, разумеется. И вообще, я хотел бы полностью осмотреть дом. Нужно определить, как смог проникнуть сюда убийца.

— Это совершенно непонятно, — заметил Борис. — То, что он мог войти в главную дверь, совершенно исключено, боковой вход также круглосуточно контролируется извне, а каким еще способом можно проникнуть внутрь дома — это... загадка. На окнах первого этажа решетки, они не повреждены. На втором этаже решеток нет, но оконные рамы были закрыты все до единой. Это проверяли и приезжавшие полицейские, и потом еще дополнительно перепроверил я сам. Даже если предположить, что случилось чудо и кто-то сумел подняться на эту высоту, через окна он не смог бы проникнуть. А дверей на втором этаже, как вы сами понимаете, нет.

— А балконы?

— Нет, они тоже отсутствуют. Это предусматривалось специально еще при разработке проекта этого дома. На втором этаже Игорь Владимирович планировал разместить коллекцию, поэтому доступ туда он стремился максимально ограничить.

— Но решеток на окнах все-таки нет?

— Это не играет определяющей роли. В комнатах с коллекционными экспонатами окон вообще нет, так что, как сами понимаете, совершенно не важно, есть ли на них решетки. Проникнуть туда можно только из соседних помещений, которые, как я уже сказал, большую часть суток контролируются видеокамерами.

— Только оттуда? — для верности переспросил Гуров.

— Ну... можно, конечно, еще разобрать стену... — впервые за все время разговора улыбнулся Борис. — Но сделать это незаметно и бесшумно уж точно не получится.

— То есть дверей как таковых в доме, если я правильно понял, две?

— Да, всего две. Это тоже из соображений безопасности. На первом этаже есть еще большая терраса, это вместо балкона. Она выходит в сад, мы с вами потом пройдем туда. Но на нее нельзя попасть прямо из дома. Либо нужно обойти его, либо пройти через боковой вход. Он там ближе.

— Хорошо, немного позже я обязательно осмотрю эту террасу, а сейчас хотел бы взглянуть на комнату, где произошло убийство, и... на помещения, где хранилась коллекция.

— Почему же «хранилась»? — Гурову показалось, что в голосе охранника прозвучала обида. — Там и сейчас хранятся... некоторые экспонаты.

— После недавнего ограбления Игорь Владимирович не предпринял никаких дополнительных мер? Не захотел пересмотреть систему охраны или вообще переместить экспонаты в какое-то другое место?

— Насколько я знаю, нет. Да ведь и времени прошло еще не так много. Ему нужно было оправиться от шока, все обдумать. Кто же мог предположить, что на этом несчастья не закончатся.

Ответ старшего охранника выглядел вполне логично, но тем не менее что-то в нем насторожило опытного полковника. И, поднимаясь вместе с Борисом на второй этаж, где находилась спальня Развалова, он мысленно анализировал ситуацию, пытаясь найти в ней нестыковку, помимо воли отмеченную подсознанием.

Глава 2

Коллекционер со стажем, человек, большую часть жизни посвятивший своему дорогостоящему «хобби» и, несомненно, очень дороживший имевшимися у него экспонатами, Развалов просто по определению не мог относиться к вопросам безопасности легкомысленно. Он и не относился к ним так, об этом красноречиво свидетельствовал

28

весь его дом, напичканный всевозможным «спецоборудованием».

И вот произошло событие, показавшее, что это оборудование не способно должным образом защитить его бесценные экземпляры.

Что же делает коллекционер? Срочно начинает паковать оставшиеся картины и переправляет их в подземный бункер? Спешит арендовать помещение в хранилищах крупного банка и переносит коллекцию туда? Нет! Он целую неделю сидит сложа руки и «оправляется от шока».

При сопоставлении такого поведения со всеми предыдущими действиями Развалова в отношении коллекции оно выглядело по меньшей мере странным. Заказать специальный проект дома, именно с учетом того, что в нем предполагалось хранить ценные экспонаты, вложить огромные деньги в сложную и многоступенчатую систему сигнализации, платить охранникам, которые круглосуточно контролировали все подходы к дому, и рядом с этим — не принять абсолютно никаких мер после того, как часть коллекции была украдена.

«Как минимум охранников следовало бы уволить, — думал Гуров, косясь на идущего чуть впереди Бориса. — Ведь, как бы там ни было, а с задачей своей они не справились. Картины сперли реальные люди, а не бесплотные духи, и если они смогли незаметно проникнуть в дом, значит, здесь недоработка и охраны тоже, а не только «недогляд» видеокамер. Ведь не из подземного хода вползли они в этот коттедж. И не с неба упали. Наверняка нашли лазейку где-то на территории участка. В зарослях этих, о которых говорил Борис, или еще где. А потом по проторенной дорожке вслед за ними пришел и убийца».

Эти размышления навели Льва на идею самому попробовать поискать эту «дорожку». Понятно, что с главного фасада постороннему в дом не зайти, а с тыла «прикрывают» соседи, у которых «кто-то постоянно находится дома».

Но, с другой стороны, и убийство, и ограбление произошли ночью, возможно, в это время суток подходы к дому имеют некую брешь, которую и использовали преступники.

— Вот здесь спальня Игоря Владимировича, — указал Борис на солидную дубовую дверь.

Поднявшись по лестнице, он и Гуров оказались в небольшом коридорчике. В спокойном и неярком свете невидимых ламп перед взорами представали обшитые дубовыми панелями стены и персидские ковры. Кроме этой двери, Лев заметил еще две.

— А эти куда ведут? — спросил он.

— Справа — дверь в спальню супруги, слева — в помещение с экспонатами. Мы между собой называем его «музей». Там две комнаты, вход из общего коридора.

— В который ведет вот эта самая дверь? — уточнил Гуров.

— Да, именно так.

— А мы сможем сейчас зайти туда?

— Для этого сначала нужно будет отключить звуковую сигнализацию, иначе мы тут всю округу перепугаем, — ответил Борис.

— Хорошо, тогда сначала пройдем в спальню.

Лев подошел к массивной двери и, повернув ручку, приоткрыл ее. Солидный и качественный дверной замок привлек его внимание.

— Ваш хозяин запирался у себя в комнате, когда ночевал один?

Вопрос вызвал у Бориса явное замешательство, и он с минуту размышлял, прежде чем дать ответ.

— Боюсь, что не смогу сказать вам, — наконец проговорил он. — Наша задача — контроль внешней территории, в доме мы бываем очень редко, и, в сущности, повседневные привычки хозяина нам неизвестны. Когда уходит, когда приходит, кто бывает в гостях — вот практически вся информация, которую мы имеем о жизни хозяев. Разные «тонкости» нам недоступны. Так что не смогу вам сказать. Возможно, запирался, а возможно, и нет. В конце концов, он у себя дома. Во дворе охрана, здесь кругом камеры.

— Ты сейчас упомянул о гостях. Часто они приходили сюда?

— Вообще-то нет, — немного подумав, ответил Борис. — Игорь Владимирович не любил шумных сборищ. Когда дома была его супруга, к ней, как я уже говорил, могла зайти соседка, а в остальном... нет, гости бывали нечасто. В основном деловые партнеры и те, кому Игорь Владимирович хотел показать коллекцию.

— Он часто приобретал новые экспонаты?

— Этого я не знаю. Иногда что-то привозили, но единственно, что можем видеть мы, — это коробки и упаковки. Распечатывали вещи, как сами понимаете, в доме, поэтому мне трудно сказать, когда это были экспонаты для коллекции, а когда обычные бытовые покупки.

— Понятно. А кроме гостей и деловых партнеров, кто еще бывал в доме?

— Технический персонал: горничные, повара, мойщики окон. С ними занималась супруга Игоря Владимировича.

— Повара тоже были приходящие?

— Да. Я ведь уже говорил, хозяин не терпел в доме посторонних. Обслуживающий персонал мог работать в доме только в присутствии хозяев.

— И при включенных видеокамерах? — с некоторым сарказмом уточнил Гуров.

— Разумеется, — без всякой иронии ответил Борис. — Игорь Владимирович очень трепетно относился к вопросам безопасности.

— С какой периодичностью обычно появлялся здесь этот самый обслуживающий персонал, о котором ты упомянул?

— Горничные приходили три раза в неделю — понедельник, среда и суббота. Поваров вызывала Тамара Максимовна по мере надобности. Здесь какой-то четкой системы не было, все определялось планами хозяйки. Иногда привозили уже готовые блюда из ресторана, легкий завтрак Тамара Максимовна предпочитала готовить сама.

— Понятно. Кто там еще у нас остался? Кажется, мойщики окон. А они как часто здесь появлялись?

— Приблизительно раз в месяц. Чтобы вам было понятнее — речь идет не только о помывке окон, а обо всем внешнем виде дома. Периодически приезжала специальная бригада, они чистили крышу, фасады, устраняли мелкие повреждения в отделке и прочее в таком духе. На чердаке есть слуховые окна, рамы там не открываются, это просто элемент декора. Но, сами понимаете, если этот элемент будет загрязнен, вид у дома будет уже совсем не тот.

— Правильно, какой же это декор, если кругом одна грязь, — чуть усмехнувшись, согласился Лев.

— Вот именно. Поэтому время от времени приезжали эти вот самые чистильщики. Приборкой дома занимались, как правило, женщины, а в этой бригаде работали только мужчины. У них было специальное снаряжение, чтобы работать на высоте, лестницы и все прочее, что нужно.

Слушая рассказ Бориса, Гуров обходил спальню со знакомой по фотографиям огромной кроватью. Он хотел изучить расположение комнаты и возможности проникновения в нее извне. Возможностей таких было две — окно и входная дверь. Добротная деревянная рама, если верить утверждениям охранника, была закрыта изнутри, а чтобы войти в дверь, даже если она не была заперта, пришлось бы сначала как-то проникнуть в дом и пройти всеми замысловатыми коридорами, которые только что миновали Гуров и Борис.

Логическая цепочка снова приводила в тупик.

— В этой комнате тоже есть камеры? — поинтересовался Лев, обводя взглядом пространство.

— Да, разумеется. Видеонаблюдение установлено во всех помещениях дома. Камеры можно отключить в любой комнате по желанию, и, когда хозяева дома, в спальнях они, по всей видимости, отключены. Но когда коттедж стоит пустой, видеосистема активирована полностью.

— Что ж, можно только похвалить такую тщательную заботу о безопасности. Только что-то я здесь ничего не нахожу, — заметил Гуров, продолжая тщетно осматривать комнату и действительно не замечая нигде никаких «технических средств».

— В жилых помещениях камеры скрыты, — чуть улыбнувшись, произнес Борис. — Посетителям необязательно знать, что за ними наблюдают. Кроме того, есть люди, которых это не на шутку нервирует.

— Понятно. А когда выяснилось, что ваш хозяин мертв, какие из камер были отключены? И вообще, как все это произошло? Как вы узнали о трагедии, если, как ты сам сказал, были не вхожи во «внутренние покои»?

— Игорь Владимирович утром собирался ехать по делам, я знал об этом. Он должен был выехать в девять, чтоб к десяти успеть на встречу. Однако не появился ни в девять, ни в десять. Дима, его водитель, давно уже пришел, мы все ждали, что он вот-вот появится, но так и не дождались. В двенадцать я решил позвонить ему, хотя, честно говоря, и тогда еще сомневался, стоит ли.

— Боялся получить нагоняй? — улыбнулся Лев.

— Да, Игорь Владимирович не любил, когда вмешиваются в его дела. Но слишком уж долго его не было, и, учитывая, что на этот день была назначена встреча, все выглядело довольно... странно.

— Он был обязательным человеком? На встречи не опаздывал?

— Да, в этом отношении Игорь Владимировичи был очень дисциплинированным. Так вот, я рискнул позвонить и услышал в ответ только гудки.

— Хозяин не брал трубку?

— Да. Тут уж мы не на шутку забеспокоились и решили нарушить правила и войти в дом. Запасные ключи от дома хранятся у нас в специальном... месте. Я взял их, и мы с Павликом вошли внутрь.

— Кто это, Павлик?

— Один из моих ребят.

— Когда вы вошли, «противовоздушная сирена» не сработала?

— Нет. Я ведь говорил вам, когда хозяева дома, звуковую сигнализацию отключают. Мы поднялись в спальню и увидели, что хозяин лежит в кровати. За все время работы здесь я даже не могу припомнить случая, чтобы он спал так долго. В недоумении мы подошли поближе, чтобы разбудить его, и...

— Увидели пулевое отверстие? — закончил трудную фразу Гуров.

— Да, — с явным усилием выдавил Борис.

— Что было дальше?

— Ничего особенного. Мы сообщили остальным, вызвали полицейских. Где-то через полчаса приехала бригада, они начали все здесь осматривать, проводить допросы. Потом вызвали машину, чтобы увезти труп. Потом уехали сами. Потом приехали вы.

— Понятно. Действительно ничего особенного. Так что там с камерами? Что было включено, а что отключено сегодняшним утром?

— Практически то же, что и всегда, когда дома находился кто-то из хозяев, — ответил Борис. — Полностью включена вся система в «музее», то есть и видеонаблюдение, и звуковая сигнализация, и... да, собственно, и все. Еще Игорь Владимирович обычно включает видеокамеру в том небольшом коридорчике, где мы только что с вами были. Но сегодня она почему-то была отключена.

— Такое уже случалось?

— Мне трудно сказать. — На утомленном лице охранника ясно читалось: «Ну, сколько уже тебе повторять». — Мы не можем контролировать действия хозяев. Игорь Владимирович говорил мне, что считает нужным включать эту камеру, так как она дополнительно контролирует подходы к «музею». Но делал ли он это всегда и обязательно, я не знаю.

— Хорошо, — решив больше не мучить бедного охранника сложностями, произнес Лев. — Спасибо, Борис, в любом случае информация, которую ты сообщаешь, очень ценна и полезна. Мы говорили об обслуживающем персонале, — вернулся он к предыдущей теме. — Кроме поваров, горничных и мойщиков окон, в доме больше никто не работал?

— Есть еще садовник, но он в основном следит за участком. В доме практически не бывает, только если хозяева хотят выдать ему какие-то специальные указания.

34

— Он тоже приходящий?

— Нет, дядя Коля живет здесь постоянно. Он одинокий, дети давно живут своей жизнью, жена умерла. Вот он и попросился присматривать за территорией. Вначале, когда участок только обустраивали, сажали здесь все эти лиственницы, хозяева специально нанимали ландшафтных дизайнеров. Те привозили свою бригаду. А теперь, когда все это уже разрослось и пришло в нужную «кондицию», уход за садом не требует больших усилий. Дядя Коля справляется.

— Значит, еще садовник, — отметил Гуров. — Это все?

— В целом да. Бывают еще, так сказать, «косметические специалисты», их приглашает Тамара Максимовна. Спа-процедуры, массаж. В цокольном этаже дома имеется сауна. Но они приходят редко. Хозяйка предпочитает посещать салоны, а не приглашать специалистов домой.

— Отчасти, наверное, учитывая желания хозяина? — тонко улыбнулся Лев.

— Возможно, — сдержанно ответил Борис.

— Что ж, со спальней мне в целом понятно, — еще раз окидывая взглядом помещение, сказал Гуров. — Давай посмотрим, что там в других комнатах. Ты говорил, что где-то здесь есть помещение с мониторами, на которые транслируется изображение со всех этих камер. Можем мы пройти туда?

— Это рядом с кабинетом Игоря Владимировича, — ответил Борис. — Пойдемте.

Кабинет Развалова тоже находился на втором этаже, но, чтобы добраться до него, пришлось несколько минут петлять по лабиринтам. Поднявшись по лестнице, Гуров и Борис оказались в очередном небольшом коридорчике, откуда вело всего две двери.

— Вот здесь кабинет Игоря Владимировича, — сказал старший охранник, указывая на одну из них. — А вот это — техническая комната.

Говоря это, Борис открыл дверь, и Гуров оказался в небольшом помещении, сплошь уставленном аппаратурой. Несколько мониторов, экраны которых были разбиты на секции, позволяли получить представление о том, что происходит в данный момент в любой из комнат коттеджа. — Изображение записывается и сохраняется в памяти, — комментировал Борис. — Вот, пожалуйста... — Он подошел к столу, где находилось несколько клавиатур, и пощелкал кнопками на одной из них. Экран ближайшего «телевизора» сначала погас, а потом на нем возникло изображение спальни, в которой находились два человека. — Вот так работает видеосистема. Можно отсмотреть все, что происходило в любой из комнат дома в любой момент времени.

— Но как же тогда ворам удалось вынести коллекцию?! — в неподдельном изумлении воскликнул Гуров, не устававший дивиться всем этим чудесам техники.

— Неизвестно, — печально произнес Борис. — Единственное, что мы знаем, это то, что им удалось отключить систему. Хотя как они умудрились это сделать, для меня загадка просто неразрешимая. Включение и отключение возможно только из дома, а любое внешнее проникновение в дом как минимум фиксируется на камеры, не говоря уже о том, что может сработать звуковая сигнализация.

— Да, дела, — растерянно покачивая головой, проговорил Лев. — А отсюда можно отключить камеры?

— Разумеется. В сущности, главный «пункт управления» здесь, рычаги в коридоре, — это уже, так сказать, параллельный уровень. Для удобства, ну, и для дополнительного контроля, разумеется. Звуковая сигнализация должна срабатывать при открытии входных дверей, значит, там и должен находиться пульт, с которого можно ее активировать или отключить.

— Логично. Значит, и сирену тоже можно отключить отсюда?

— Конечно.

— Как хорошо ты разбираешься во всем этом, — подозрительно взглянув на Бориса, произнес Гуров. — Такое ощущение, что ты сам все это здесь налаживал.

— Да нет, — улыбнулся охранник. — Просто для контроля внешней территории установлена такая же система, и у нас в домике стоят такие же мониторы. С той только разницей, что «сирены» там нет и заходить можно в любое время суток.

— Правильно. Все-таки криминал в нашей стране не достиг еще такого беспредела, чтобы и охранников нужно было охранять.

— Нет, нас охранять точно не нужно, — хмыкнул Борис. — Мы уже большие мальчики.

Осмотрев кабинет и другие комнаты, которые находились на втором этаже, Гуров спустился на первый, а затем осмотрел и цоколь. Под руководством своего опытного провожатого он преодолевал лабиринты коридоров, не уставая дивиться изощренности фантазии неведомого архитектора.

— Это ж надо было такого наворотить, — спускаясь по очередной лестнице, говорил он. — Сюда неопытного человека запустить, так он всю оставшуюся жизнь блуждать будет.

— Да нет, что вы, — продолжал улыбаться Борис. — Это только поначалу кажется, что сложно. А на самом деле внутренняя схема дома не такая уж замысловатая, нужно только общий принцип уловить. Я тоже сначала путался, а потом Игорь Владимирович дал мне посмотреть чертежи, и я разу понял, в чем главная идея. Здесь просто каждый этаж на дополнительные уровни разделен. Вы обратили внимание, какие лесенки маленькие? Где в пять ступенек, где в три. А в сущности, все это — небольшие перепады в пределах одного этажа. Общая высота потолков на каждом этаже — четыре метра, так что пространство для маневра имеется.

Борис описывал все эти нюансы охотно и даже с удовольствием, однако Гуров, в отличие от своего молодого собеседника, не испытывал особого оптимизма. Чем дальше продвигался осмотр дома, тем больше крепло у него убеждение, что незаметно пробраться сюда невозможно в принципе.

Осмотрев сауну, кухню, мини-спортзал и несколько технических помещений, находившихся в цокольном этаже, он следом за Борисом оказался на тесной площадке с винтовой лестницей, уходившей вверх.

— Поскольку вы сказали, что хотите осмотреть все, я решил провести вас и сюда, — сказал старший охранник. — Но это, как сами видите, всего лишь вспомогательная лестница. Используется исключительно для технических нужд. К тому же очень редко. Думаю, о ней даже не все знают.

— Куда она ведет?

— На чердак.

— Здесь есть видеокамеры?

— Нет, но... здесь они, возможно, и не нужны. Попасть на эту лестницу можно только из цоколя, а нижний этаж контролируется видеосистемой так же подробно, как и два верхних. Кроме того, весь подъем — это монолитный «глухой» колодец, никак не сообщающийся с остальным домом. «Пункт прибытия» — чердачное помещение, которое, опять же, с комнатами никак не сообщается. Я не думаю, что...

— Я хотел бы подняться туда.

— Как скажете, — с явным недоумением согласился на этот непонятный «каприз» охранник.

Преодолев двенадцатиметровый подъем, Гуров понял причину его недоумения. На небольшой, но, несомненно, очень крепкой железной дверце, ведущей на чердак, красовался огромный навесной замок.

— Теперь видите, что проникнуть сюда извне невозможно? — произнес Борис.

— Да, теперь вижу, — кивнул Лев. — Даже если это будет Человек-Паук и ему удастся пробраться на чердак ползком по внешней стене, внутрь ему все равно не попасть.

— Вот именно. Дверь заперта изнутри и заперта, как видите, вполне надежно. Если кто-то попытается сломать ее, это будет такой шум, что не понадобится даже никакой дополнительной сигнализации.

— Ключи, я так полагаю, тоже в «специальном месте»?

— Разумеется.

— Что ж, Боря, убедил, — смирился с неизбежным Лев. — Этот дом — просто неприступная крепость. Но факт остается фактом — кто-то сумел пробить эту круговую оборону. Причем даже не один раз. Сначала твоего хозяина ограбили, а теперь...

— Я не знаю, как это могло произойти, — угрюмо пробормотал старший охранник. — Просто не представляю себе.

Спустившись с чердака, Гуров сказал, что Борис свободен и может приступить к исполнению своих прямых повседневных обязанностей, а сам он займется осмотром участка.

— Хочу прогуляться, осмотреться здесь. Потом покажешь мне кино, которое запишут твои камеры.

— Как скажете, — чуть улыбнувшись, ответил Борис.

Зеленая зона участка была оформлена в свободном стиле. Деревья и кустарники росли в художественном беспорядке, не было прямых, как стрела, аллей и четких линий. Именно эта особенность была причиной того, что камеры, укрепленные по периметру ограды, не могли полностью контролировать территорию с насаждениями.

Роскошные пушистые туи, живописные «островки» из хвойных и лиственных деревьев, посаженных почти вплотную друг к другу, арки, оплетенные вьющимися растениями, все это перегораживало пространство и мешало объективам видеокамер «простреливать» его насквозь.

Дойдя до противоположного края участка, Гуров увидел уже знакомый забор из кирпича, точно такой же, как тот, что отделял участок от улицы, только пониже. Из-за ограды доносились громкие детские голоса, время от времени сменявшиеся неспешной и спокойной речью кого-то из взрослых.

На изгороди, разделявшей два соседних участка, камер действительно не было. Возможно, Развалов был твердо уверен, что с этой стороны опасность не придет ни при каких обстоятельствах, или просто считал, что камер, укрепленных на боковых частях изгороди, вполне хватает.

«Когда здесь внедрялись все эти технические навороты, парк, наверное, не был таким густым, — подумал Лев. —

Камеры на противоположных сторонах забора, «смотревшие» друг на друга, наверняка отлично контролировали территорию. Потом все эти деревья разрослись, зона обзора уменьшилась, но, поскольку никаких экстренных случаев не происходило и проникнуть на территорию участка никто не пытался, Развалов никаких действий не предпринимал. Разве что охранников заставил совершать дополнительные пешие обходы. В целом это понятно. Непонятно, почему он ничего не предпринял после того, как экстренный случай все-таки произошел».

Раздумывая над этой загадкой, он направился обратно к дому, умышленно выбирая путь там, где растительность была наиболее густой, а выйдя на свободное пространство перед коттеджем, подошел к домику, где «квартировали» охранники.

— Можно к вам на огонек? — заглянув в открытую дверь, спросил Лев.

В небольшом помещении стоял стол с мониторами и сидело несколько человек в черной униформе.

— Да, конечно. Проходите, — отозвался Борис.

— Хотел узнать, как там с моим видеофильмом. Получился?

— Думаю, да. Вы ведь специально прятались за деревьями на обратном пути, правильно? Я угадал? Могу поздравить — у вас отлично получилось.

— Правда? Что ж, я старался. Давай-ка посмотрим, что вы там записали.

Так же, как и в прошлый раз, Борис бойко пощелкал кнопками, и вскоре на одном из мониторов Гуров увидел себя, уходящего в глубь участка. По пути к забору, отгораживающему участок Развалова от соседей, он находился в поле зрения камер почти все время. Лишь пару раз густые древесные кущи полностью делали его невидимым.

Но обратное движение, когда он намеренно скрывался в зарослях, было зафиксировано лишь частично. Мужской силуэт на экране то и дело пропадал из вида, оставляя зрителей любоваться красотами природы.

— Хм... однако, — выразительно произнес Гуров.

— Думаете, кто-то мог незаметно подойти к дому с той стороны? — более четко сформулировал невысказанную мысль Борис.

— А ты думаешь, что это невозможно? — вопросом на вопрос ответил Лев.

— Маловероятно. Ведь, так или иначе, видеокамеры вас все равно зафиксировали. Пускай частично и с перерывами, но мы все-таки могли отслеживать ваше движение. Учитывая, что за мониторами мы следим непрерывно, вряд ли кто-то может пройти сюда незамеченным, даже если будет старательно скрываться за деревьями, как вы сейчас. Ведь от дерева к дереву все равно придется переходить по пустому пространству, а там камера обязательно «поймает» вас в объектив. Это не говоря уже о том, что периодически кто-то из ребят лично обходит парк и осматривает территорию.

Но у Гурова на этот счет было свое «особое мнение». Если без всякой предварительной подготовки, с первого раза, не имея ни малейшего представления об особенностях парка, ему удалось больше половины пути провести вне поля зрения камер, то чего же сможет добиться человек, у которого будет время подготовиться?

«И в ограблении, и в убийстве явно замешан кто-то из своих, эта истина даже не требует специальных доказательств, — думал он. — А если так, то местный внутренний распорядок был во всех тончайших подробностях известен преступникам. И подготовиться у них было время, и сориентироваться. В принципе, укрыться в зарослях так, чтобы не заметил одинокий «обходчик», — не такая уж мудреная задача. Если за деревьями можно спрятаться от нескольких камер, почему нельзя от одного человека? Особенно учитывая тот факт, что все происходило в ночное время суток. Там, в саду, я что-то не заметил фонарей. Плафоны укреплены только на изгороди и освещают довольно ограниченное пространство. Внутренняя часть парка по ночам наверняка представляет собой довольно укромное местечко».

— Ты говорил, все видеоданные у вас сохраняются в памяти компьютеров, — снова обратился Лев к Борису. — Значит, то, что происходило сегодня ночью и в ночь ограбления, тоже зафиксировано и сохранено?

— Да, разумеется, — ответил тот. — Только... ни сегодня ночью, ни в тот раз, собственно, ничего особенного не происходило. Хотите верьте, хотите нет, но через парк никто не проходил. Ни камеры, ни дежурные не зафиксировали посторонних.

— Охотно верю. Но я все-таки хотел бы отсмотреть эту запись. Или, знаешь что, скинь мне ее куда-нибудь, на флешку или на диск. Посмотрю на работе. А то я, наверное, и так уже вам тут надоел.

— Как скажете, — повторил свое излюбленное присловье Борис. — Ребята, есть у нас тут что-нибудь из свободных внешних носителей?

После нескольких минут активного поиска был обнаружен чистый компакт-диск, на который Борис и загрузил для полковника требуемые видеокадры.

— Эту запись, кстати, я уже скачивал для одного из ваших сотрудников, — сказал он, перенося на диск видео, записанное в ночь ограбления.

— В самом деле?

В голове Гурова тут же возникли тысячи предположений о коварных оборотнях, маскирующихся под полицейских, чтобы завладеть информацией, но все оказалось гораздо прозаичнее.

— Да. Следователь, которому передали это дело, приезжал на следующий день, — спокойно продолжал Борис. — Тоже вот, как вы, ходил, спрашивал. И дом осмотрел, и парк. И потом тоже попросил записи с камер наблюдения для него скачать. Ну, я сделал, мне не жалко. Все равно там ничего интересного нет. Не знаю, почему все одно и то же требуют. Или вам это для оформления нужно? Доказательства там всякие, информация с места преступления?

— Да вроде того, — неопределенно высказался Гуров. — А этот следователь, он не представился?

— Представился, конечно. Я даже запомнил. Крячко Станислав Васильевич. И представился, и удостоверение показал. А как же. У нас тут с этим строго.

— Да, я заметил, — чуть усмехнувшись, произнес Гуров.

Вспомнив эпизод возле калитки, старший охранник смутился и молча отдал ему диск с записанными видеоматериалами.

— Спасибо, Боря, приятно было пообщаться, — прощаясь, проговорил Гуров. — Когда соберешься с духом, сообщи супруге, думаю, ей сейчас лучше находиться дома. Не тяни с этим.

— Да я уж тоже думал... Сегодня хотел позвонить. Больше ведь сказать некому. Наверное, кроме полиции, пока никто не знает.

— Еще преступники, — напомнил Лев.

— Да, разве что они, — нахмурившись, произнес Борис.

— Вот мой телефон, — добавил Гуров, записывая на клочке бумаги номер. — Как только Тамара Максимовна прибудет, сразу сообщи. С ней я тоже хотел бы пообщаться. На этом, пожалуй, все. И так уж я у вас тут загостился. Бывайте, ребята!

Выйдя со двора, он сел в машину и поехал в Управление, чувствуя некоторую неудовлетворенность. Подсознательное ощущение, что разгадка находится здесь, в доме, не покидало ни на минуту и не давало успокоиться и сосредоточиться на анализе. Казалось, стоило еще немного задержаться, повнимательнее присмотреться, и ответ на главный вопрос сам собой «нарисовался» бы перед глазами.

«С охраной, кажется, понятно, там причастных нет, — думал Лев, проезжая по трассам. — С одной стороны, слишком много народу, а с другой — все друг у друга на виду. Если предположить, что замешана вся группа — слишком большой риск посвящать в тему такое количество людей, а если бы преступникам помогал кто-то один из охранников, остальные наверняка бы это заметили и, думаю, не стали бы скрывать. Ведь «первым номером» произошло ограбление, а это не такое тяжкое преступление, чтобы опасаться мести соучастников. Поэтому, если бы тот же Борис знал, что кто-то из его людей «ходит налево», он наверняка рассказал бы об этом. Не Стасу, так хозяину уж точно. Конечно, когда речь идет об убийстве, «закладывать» кого-то из соучастников бывает опасно, но... Не думаю, что это тот случай. Ребята крепкие, бравые. В конце концов, это их работа — оберегать других. Что же это будут за охранники, если они сами всего боятся? Нет, среди охраны, пожалуй, причастных нет».

Однако и кроме охраны в доме Развалова, как выяснилось, работало не так уж мало людей. Повара, горничные, мойщики, личный шофер — все эти незаметные, но необходимые в повседневном быту «лилипуты» ежедневно тусовались в самой непосредственной близости от хозяев дома и легко могли подсмотреть или подслушать их секреты. Правда, коридорчик перед входной дверью, откуда отключается сигнализация, очень маленький и тесный, и навряд ли Развалов набирал свои коды в присутствии «дружной толпы» свидетелей. Но, с другой стороны, сигнализацию можно отключить и из «технической комнаты», а уж туда-то посторонние захаживали наверняка. Хотя бы для того, чтобы вытереть пыль с мониторов.

Мысль о мониторах напомнила Льву об отключенной сигнализации и, в частности, о выключенной камере в коридорчике, соединяющем спальню Развалова и «музей». Если верить словам Бориса, хозяин предпочитал оставлять эту камеру включенной, да и логика подсказывала, что такое решение вполне оправданно. В сам коридор можно было попасть из нескольких точек, но в помещения с экспонатами путь вел только из коридора. Вполне уместно было держать эту территорию под наблюдением, чтобы знать, откуда появится потенциальный вор.

Тем не менее в ночь убийства камера была выключена.

«Понятно, что для убийцы это было очень удобно, — резюмировал Гуров, тормозя перед Управлением. — Ведь, чтобы попасть в спальню Развалова, ему неминуемо нужно было пройти по коридору, и если бы он в эту ночь «просматривался», мы уже знали бы убийцу в лицо. Однако ничего такого не случилось. Кто же так заботливо подготовил это «удобство», вот что я хотел бы знать. Сам хозяин, по легкомыслию и рассеянности, сделал убийце этот подарок, или кто-то из соучастников, помогавших преступнику в доме, вовремя подсуетился?»

Когда Лев подошел к своему кабинету, дверь оказалась незапертой, и, войдя, он увидел Крячко, сидевшего за столом.

— Физкульт-привет! — бодро произнес Лев. — Давно прибыл?

— Минут за пять перед тобой.

— Так я и знал. Каждый раз, когда ты бываешь нужен, обязательно пропадаешь куда-нибудь на полдня.

— А я был тебе нужен? — с непередаваемым трагизмом в голосе спросил Стас. — Так ты бы хоть сказал, хоть намекнул, я бы все бросил, всех преступников послал бы к чертям и помчался бы к тебе, ненаглядный мой.

— Ну да, свежо предание, — проворчал Гуров. — Знаю я, как ты мчишься. Но раз уж сейчас ты здесь...

— Сейчас, между прочим, уже конец рабочего дня. Так что, хотя я и здесь, но уже практически как бы и не здесь, и, учитывая, что рабочее время...

— Стас, заткнись! — устало взглянув на говорливого друга, оборвал его Лев. — У меня серьезное дело, можно и задержаться немного в конце рабочего дня. Не растаешь.

— Да? А кто мне сверхурочные заплатит? — не унимался Крячко. — Я, между прочим...

— Убью сейчас! — Поискав глазами на столе что-нибудь тяжелое, Гуров схватил дырокол и замахнулся, целясь в него.

— Ладно, ладно, сдаюсь, — сделал испуганное лицо Стас и поднял руки. — С неадекватными личностями предпочитаю не связываться. Что там за дело у тебя? Говори уже, раз все так фатально обернулось.

— Дело, которое меня интересует, как раз у тебя, — ставя дырокол на место, ответил Гуров. — Ограбление коллекционера Развалова ты разрабатываешь?

— А, это, — сразу сник Стас. — Да уж, это дело так дело. Серьезнее не придумаешь.

45

— Из-за него ты сегодня ныл полдня?

— Так уж и полдня, — недовольно скривился Крячко. — В кои-то веки горем захотел поделиться, думал, друг у меня есть, посочувствует, утешит. А что вышло? Одна только грубая черствость и издевки в ответ.

— Так, значит, дело оказалось сложным?

— Сложным? Хм! Нет, можно, конечно, и так сказать. Но слово «безнадежное», на мой взгляд, гораздо точнее описывает сложившуюся ситуацию. Хочешь верь, хочешь нет, а целую неделю я тут кругами, как савраска, бегал, миллион человек опросил, со всеми поговорил, все обстоятельства разузнал, а в итоге — ноль. Ни единой зацепки! Вообще. Такое ощущение, что картины эти сами в воздухе рассеялись, от древности в первовещество превратились.

— Как вошли воры, непонятно? — понимающе взглянул на напарника Гуров.

— Вообще непонятно, Иваныч! — с чувством ответил Стас. — Вот просто категорически непонятно. Там у него такая сигнализация — мышь не проползет. Да люди еще дежурят. И что ты думаешь? Никто ничего не видел, никто ничего не слышал. А картины исчезли. Сигнализация, от которой коды только сам хозяин знает, была отключена, а охрана, дежурившая во дворе, клянется и божится, что никто в дом не заходил.

— А может, это сам хозяин подстроил? — как бы невзначай предположил Лев. — Чтобы страховку получить, например, или еще с какой-нибудь не менее интересной целью.

— Не думаю. Его на тот момент дня три уже не только дома, а даже в стране не было. В Италии отдыхал. С супругой. Супруга там решила подольше остаться, а он вернулся. Зашел в дом, хотел сигнализацию свою навороченную отключить, а там уже отключено все. Можно не беспокоиться.

— Вот оно как. Значит, об ограблении узнали, только когда приехал хозяин?

— Да, только тогда. В его отсутствие никто не может входить в дом. Да и не получится, сама входная дверь на сигнализации стоит. Если просто так попробовать войти, сирена завоет на всю округу. Сначала отключить надо. А коды для отключения только хозяин знает, больше никто. Вот и думай тут. И главное — именно отключена была, не сломана, не изувечена. Тихо, мирно, без шума и пыли. Без единого звука.

— Значит, получается, кто-то еще знал эти секретные коды.

Сказав это, Гуров вдруг вспомнил про видеокамеры, укрепленные, по словам Бориса, абсолютно во всех помещениях коттеджа.

«Интересно, а в том маленьком коридорчике перед входной дверью, где установлен «сейф», там есть видеокамера? — подумал он. — Если так, то, вполне возможно, эти «суперсекретные коды» просто записываются на видео, и их может кто-то «считать». Та же охрана, например».

— Получается так, — кивнул Стас. — Но кто это мог быть?

— Возможно, кто-то из тех, кто постоянно бывал в доме. Обслуга, друзья, коллеги. Жена, наконец.

— Обслуга, друзья и коллеги приходили в дом тогда, когда там уже были сами хозяева. А иначе какой смысл? К кому приходить в гости, если дома никого нет? И уборщиц этот Развалов запускал только тогда, когда сам находился дома. Все за коллекцию свою тряслась. А вот и не сыграла фишка. И сигнализация, и охрана, и не пускал никого. А в итоге драгоценная коллекция — тю-тю. Нетути.

— Эх, Стася, никакого в тебе сочувствия к потерпевшему. Его, между прочим, на несколько «лимонов» «сделали». Мог бы проявить участие.

— Я бы проявил, если бы он не был таким жлобом и не наворачивал бы там у себя таких сложностей с охраной. Может, если бы там все попроще было, я бы и зацепочку побыстрее отыскал. Хоть какую-то. А сейчас полное ощущение, что все это действительно сам он подстроил. Ну вот кто, спрашивается, мог узнать эти дурацкие коды? И как?

— Поэтому я тебе и говорю — нужно сосредоточиться на приходящих, особенно — на приходящих регулярно. Ты вот сейчас хвастался, что за неделю успел переговорить прямо-таки со всеми. С кем конкретно? С уборщицами, например, ты разговаривал, с теми, которых Развалов только в свое присутствие «запускал»?

— И с уборщицами, и с охранниками, и с поварами, и со всеми, с кем только можно, — заверил Стас. — Всех, кто регулярно бывал в этом доме, я опрашивал, можешь даже не сомневаться. Не веришь — возьми вон дело посмотри. Правда, не очень понимаю, на кой черт тебе могут сдаться эти подробности, но... если так приспичило, пожалуйста, могу дать почитать. Только я и без этого тебе скажу — никакого толку от этих разговоров не оказалось. Все эти горничные с поварами сосредоточены исключительно на своем. До того как Развалов охраняет свою коллекцию, им и дела не было. Могу тебе сказать — не все даже знали, что в доме установлена какая-то сигнализация. Не интересовались просто. И я, со своей стороны, их очень понимаю. Какая им разница? Ведь это не их картины. У них — свое, у Развалова — свое.

— Ну да, — согласился Гуров. — У кого-то щи пустые, а у кого-то жемчуг слишком мелкий.

— Вот именно. Им и дела не было до этой сигнализации. Тебе вот только до всего дело. Чего он так заинтересовал тебя, этот Развалов? Параллельно где-то мелькнула фамилия?

— Да нет, не параллельно. Наоборот, очень отдельно и индивидуально. Развалов Игорь Владимирович был убит сегодня ночью в своей постели выстрелом в лоб. Предположительно из пистолета.

Глава 3

Услышав это сообщение, Стас изумленно вытаращил глаза и оторопело молчал минуты две, не находя подходящих слов, чтобы выразить нахлынувшие эмоции.

— Вот это номер! — наконец произнес он. — Я ж вот разговаривал с ним... буквально... буквально дня четыре, наверное, назад. Или пять. Да, скорее дней пять прошло, потому что с хозяином я практически сразу после ограбления встречался.

— И как впечатление? — с интересом спросил Лев.

— Да так себе, — сделал пренебрежительную гримасу Крячко. — Высокомерен, самонадеян. Уверен, что все в этом мире ему чем-то обязаны. Милягой не назовешь.

— Как вел себя? Ссора вероятна в качестве мотива?

— Мотива убийства? — уточнил Стас.

— Да, убийства. Впрочем, и ограбления тоже. Может, именно из-за дурного характера ему такую подлянку подстроили.

— А потом посчитали, что мало, да и пристрелили еще? — усмехнулся Стас. — Это ж каким нужно быть кровожадным.

— И как ненавидеть, — добавил Гуров.

— Вот именно. Не знаю, чувства подобной силы обычно в чем-нибудь да проявляются. А тут... не знаю. Я лично ничего сверхъестественного не заметил. Сам он в общении границ не переходил, рожа хоть и кислая была, но разговаривал вежливо, пусть и свысока. А из тех, кто работал на него, многие отзывались о нем очень даже положительно. Видимо, платил хорошо.

— Или не особенно часто контактировал лично, — высказал предположение Гуров.

— Или так, — согласился Стас. — Но, так или иначе, мотив ограбления скорее всего — обычная нажива. А вот насчет убийства... тут не знаю. Улики какие-то есть?

— Откуда? Сам ведь сейчас говорил — как будто призрак отца Гамлета там разгуливает. Ни следов, ни отпечатков. Все закрыто, ничего не взломано. Правда, сигнализация была отключена в этот раз, так сказать, совершенно «легально». Ведь сам хозяин дома был. Камеры и «сирена» были включены только в этом его «музее».

— Чтобы сберечь хоть то, что осталось? — усмехнулся Стас.

— Наверное. Своего-то всякому жалко. Только, если это были те же люди, что и в прошлый раз, сдается мне, они при желании запросто унесли бы и эти остатки.

— Видимо, в этот раз ставилась несколько иная цель.

— Да, пожалуй.

— И какие версии?

— А у тебя? — парировал Лев.

— За себя я тебе уже ответил, у меня полный ноль.

— И не забывай — это после того, как ты уже неделю проводишь разыскные мероприятия. Чего же ты от меня ждешь, который и узнал-то обо всем этом только сегодня?

— А, вот зачем тебя Орлов вызывал, — злорадно усмехнулся Крячко. — Понятно. Что ж, так тебе и надо. В следующий раз будешь знать, как черствость аукается.

— Спасибо, Стася, я другого и не ждал, — с чувством поблагодарил Гуров.

— Не называй меня Стася. Так какие у нас планы? Улик нет, зацепок нет, версий, соответственно, тоже. С чего начнем?

— Сначала, с того момента, когда была отключена сигнализация. Отключить ее можно, только зная коды. Кроме самого Развалова узнать их мог только кто-то из близких или тех, кто регулярно бывал в доме. Отсюда и будем плясать. Что скажешь насчет жены?

— Исключено. Даже если она ненавидела его всеми силами души и не прочь была бы подговорить кого-то ограбить или даже прикончить драгоценного муженька, коды она знать не могла. Развалов менял их чуть ли не каждый раз, когда возвращался домой, а уж по возвращении из длительных поездок — просто обязательно.

— Откуда ты это знаешь?

— Он сам сказал, когда я вот так же пытливо, как ты сейчас, расспрашивал о том, кто бы мог узнать эти его злосчастные коды.

— Ага, значит, это — информация из первых уст, — довольно потирая руки, проговорил Гуров. — Что ж, отлично! Оказывается, и от тебя иногда бывает польза.

— От меня вообще ничего, кроме пользы, не бывает. В отличие от некоторых, которые предпочитают на чужом горбу выезжать.

— Нет, вы посмотрите на него! — возмутился Лев. — «На чужом горбу»! Как только язык поворачивается. Ладно. Если я только и делаю, что выезжаю на чужом горбу, значит, едем дальше. Кто, кроме жены? Горничные, повара, мойщики, охрана, шофер, кто?

— Да никто! — с чувством произнес Стас. — Никто, или все они разом, вместе взятые. Шансы — пятьдесят на пятьдесят. Практически у каждого.

— Тогда давай по порядку. В первую очередь нас интересуют те, кто бывал в доме достаточно регулярно. Это, как я понимаю, уборщицы и повара. Еще, пожалуй, шофер, но он вряд ли так уж часто заходил в дом.

— Угадал. Водитель Развалова появлялся только по утрам и большую часть времени проводил в гараже. Курил, валял дурака. В общем, прозябал в ожидании счастливого момента, когда любимому хозяину приспичит куда-нибудь съездить. Он гораздо больше общался с охранниками, чем с хозяевами. Те круглые сутки обитают в небольшом домике, прямо возле входа на участок.

— Да я в курсе.

— Уже побывал там, востроногий наш?

— Нет, сидел, дожидался, когда ты меня на своем горбу отвезешь.

— С тебя станется. Так вот, значит, шофер в доме практически не бывал. Если я правильно понял, из прислуги там более-менее регулярно появлялись горничные и повар. Со всеми ними я встречался, со всеми разговаривал. Все там солидно и надежно, везде фирмы с солидной репутацией, куда с улицы не берут. Кадры проверенные и перепроверенные, комар носа не подточит.

— Все равно давай поподробнее. Просто хочу быть в курсе основной информации. Значит, даже уборщицы там из специальной фирмы?

— Само собой. Некая весьма разветвленная сеть под названием «Хозяюшка». Оказывает населению помывоч-

51

но-протирочные и прочие виды подобных услуг. Я для интереса посмотрел их рекламу в Интернете, так могу тебе сказать — там одни адреса офисов целый квадратный метр площади занимают.

— Что ж, если речь о бытовых услугах, это вполне оправданно, — заметил Гуров. — Небольшие подразделения, но во многих местах. Типа, как у сотовых операторов. Одно слово — сеть.

— Вот именно, — подтвердил Стас. — Оправданно-то оно оправданно, но, согласись, реализовать на деле этот принцип далеко не каждому под силу. Известно, сколько сейчас аренда стоит. Попробуй-ка открыть сто штук офисов «во многих местах». На второй день разоришься. А здесь, наоборот, полный ажур и процветание. О чем это может говорить?

— О том, что у хозяев фирмы немерено бабла.

— Вот именно. А значит, фирма надежная и солидная, от отсутствия клиентуры не страдает. Иначе как бы она это бабло оправдывала? А клиент идет на репутацию, особенно такой привередливый, как, например, Развалов. Между прочим, у этой «Хозяюшки» вообще контингент, прямо скажем, выше среднего. Стоит отзывы почитать на том же сайте. Там и знаменитости, и политики известные, медийные лица, так сказать. Понятно, что это они специально для рекламы подбирали, но и то, что есть из чего выбрать, — само по себе уже о чем-то говорит.

— Значит, горничные у Развалова были надежные?

— Более чем, — подтвердил Стас. — Хоть в американское консульство отправляй прибираться, и тут не спасуют.

— А что с поваром? Ведь ты сказал именно «повар», а не «повара». Он что, приходил один?

— В основном да. Насколько я понял, глобальных застолий хозяева не устраивали, так что парень вполне справлялся. Зовут, кстати, так же, как и тебя, Лев Борисович.

— Меня зовут Лев Иванович, — не преминул уточнить Гуров. — А где было его основное место работы? Тоже какая-нибудь фирма по предоставлению бытовых услуг?

— Почти. Ресторан «Конкорд», престижное и совсем недешевое заведение. Кстати, этот Лев Борисович был там совсем не из последних. Можно сказать, правая рука шеф-повара.

— То есть репутация у этого твоего «парня» тоже вполне надежная?

— Кристальная. Кроме того, и появлялся он в доме не так уж регулярно, если на то пошло. Обычно приходил вместе с молодым парнем, что-то типа ученика. Так вот, частенько, чтобы не беспокоить по пустякам мэтра, жена Развалова вызывала только этого поваренка. Соорудить обед себе и мужу — не такая уж сложная задача. С завтраками она, как я понял, вообще предпочитала справляться самостоятельно, ужинали супруги частенько в ресторанах. В общем, с приготовлением пищи особо не заморачивались. Женщин на кухне хозяйка, как я понял, вообще не терпела, а этот парень, по-видимому, ее вполне устраивал. Мэтру-то не будешь особо указывать, а здесь можно не стесняться в распоряжениях. Знай себе командуй.

— Что ж, будем считать, что с поварами тоже глухо, — уныло произнес Гуров.

— Более чем, — бодро подхватил Стас. — Если рассматривать поваров с точки зрения доступа к сигнализации, так они и близко там не стояли. Приходили только в присутствии хозяев, когда все уже было давно и надежно отключено, да и тусовались в основном в подвале. Ведь кухня у них в цокольном этаже, ты, если был там, должен знать.

— Да, я в курсе. Кто еще остался из постоянных?

— Охрана и садовник. Эти просто живут там, на территории, но в самом доме, кажется, бывают еще реже, чем повара. Им просто запрещено входить без специального приглашения.

— И как хозяин набирает код, они, по-видимому, тоже не могут подглядывать?

— Откуда? Он, когда его набирает, закупоривается со всех сторон. Закупоривался, точнее. Сам мне говорил, что,

53

прежде чем этот свой щит открыть, раза два-три проверит, плотно ли дверь за ним прикрыта.

— На замок изнутри не запирался? — саркастически усмехнулся Лев. — Чтоб уж наверняка.

— В разговоре такого не упоминал, но не удивлюсь, если в реальности делал. Вообще, он, похоже, на этой своей «безопасности» просто помешан был. Каждую мельчайшую мелочь предусмотреть и проконтролировать стремился.

— Будто заранее знал.

— Да уж. Только вот видишь, как оно получилось. Где именно нужно было подстелить соломки, этого-то как раз и не угадал.

— Похоже, «угадывать» все это придется нам с тобой. Значит, охрана и садовник — кандидаты тоже маловероятные. Что ж, насчет садовника ничего не могу сказать, а насчет охраны полностью согласен. Я сегодня пообщался с их старшим, по-моему, парень вполне приличный. Добросовестный и, как ни странно, честный. Редкое сейчас качество. А уж известно, каков поп, таков и приход.

— Да, на меня охранники тоже произвели хорошее впечатление, — согласился Стас. — Они, кстати, не из фирмы. Это сам Развалов специально подбирал, с индивидуальным подходом к каждому.

— Правильно, ведь не что-нибудь — его драгоценную коллекцию они должны были охранять, — снова усмехнулся Лев. — Кто еще у нас там остался в списке? Если кто-нибудь еще остался.

— Еще время от времени там появлялись ловкие ребята, которые занимались чисткой фасада. Мыли окна снаружи, делали мелкий ремонт. Но это, на мой взгляд, вообще нереальные кандидатуры. Мало того, что они появлялись там не чаще раза в месяц, а иногда и реже, они в дом, как я понял, даже не заходили. И рассчитывались с ними по безналу, просто перечисляли деньги на счет фирмы, так же, как и оплату услуг горничных.

— Постой, так это что же получается? Горничных и этих мойщиков-ремонтников присылала одна и та же фирма?

— Ну да, эта самая «Хозяюшка». Чистка фасадов, это ведь тоже чистка или, другими словами, уборка. Так почему бы им не оказывать и эти услуги. К тому же это наверняка стоит дороже, чем услуги горничных. Ведь, чтобы привести в порядок фасад двухэтажного дома и помыть снаружи стекла на втором этаже, требуется специальное оборудование. А это — лишний плюс к цене. Я лично ничего особенного здесь не вижу. Чем шире спектр услуг, тем выше конкурентоспособность.

— Все-то ты знаешь, маркетолог наш непризнанный. А ведь ничего хорошего в этом, собственно, нет. Получается, что и репутация у этих мойщиков такая же безупречная, как у горничных, да и в доме они практически не бывали, все только снаружи по стенам ползали.

— Так я тебе это с самого начала пытаюсь вдолбить, — с чувством проговорил Стас. — Нет в этом деле зацепок. Вот хоть убей — нет!

— Послушай, Орлов, когда мне сегодня все это рассказывал, говорил, что подобных случаев набралось уже несколько. Если не ошибаюсь, кроме твоего, есть еще три крупных ограбления со схожими признаками. Никаких улик, никаких следов, а между тем везде «увели» либо серьезные ценности, либо крупные суммы денег. Ты не разговаривал с ребятами, которые ведут эти дела? Может быть, им что-то удалось нарыть? Если у одного не получается, может, совместные действия дадут какой-то результат? Объединенными усилиями, так сказать...

— Да разговаривал, как не разговаривал, — с досадой произнес Стас. — Только что толку? У них там, похоже, еще меньше, чем у меня. Я хоть приходящих пробил, а они и того не делали. Чего, говорят, она сможет здесь, обычная уборщица? И, честно говоря, сейчас я уже склонен с этим мнением согласиться.

— Что, даже не опрашивали? — удивился Гуров.

— Да нет, почему, опрашивали. Опросили, да на этом и успокоились. И, похоже, правильно сделали. Я вот и справки навел, и про фирму все выяснил, а результат получился только один — отсутствие результата. Информация про фирму только еще раз подтвердила, что насчет персонала там глухо. Фигурантов там искать бесполезно.

— То есть разговоры с коллегами новой информации не добавили?

— Нет. Скорее это я им добавил.

— Да, дельце, похоже, просто из ряда вон. Даже не припомню случая, чтобы при таком крупном ограблении, да еще с такими «крупногабаритными» предметами, как картины, воры умудрились вообще не оставить следов. А ты не пробовал зайти с другой стороны? Проследить, куда могли отправить эти картины и что еще там у него вынесли, у этого коллекционера. Все-таки подобные вещи — не иголка в стоге сена. И не денежная купюра, которую истратил, и след ее простыл. Коллекционеры — группа довольно специфичная, все там всех знают и посторонних «с улицы», насколько мне известно, не приветствуют. Могут, конечно, лоха со стороны привлечь, чтобы продать подороже дрянь какую-нибудь, которая копейки стоит, но купить... Тут, я думаю, сорок раз все перепроверят и «со стороны» точно не возьмут. А картины точно не для того крали, чтобы у себя дома повесить. Значит, должны быть какие-то связи в этой среде. Не пробовал поработать по этой линии?

— Мы с тобой, Иваныч, мыслим прямо-таки в унисон, — улыбнувшись, ответил Стас. — Хочешь верь, хочешь нет, а по зрелом размышлении я и сам к такому выводу пришел. Если нельзя выйти на воров через улики, оставленные на месте преступления, значит, нужно попытаться выйти на них через украденную вещь. Вот я и пытаюсь. Правда, блестящими результатами пока похвастаться не могу, сфера эта, как ты очень точно подметил, специфичная и в связи с этим закрытая. Там и просто посторонних не приветствуют, а уж посторонних полицейских — и подавно. Я, собственно, все это, можно сказать, только-только начал, пока предварительные справки навожу и пытаюсь определить, с кем именно можно поговорить на интересующую меня тему. То есть так, чтобы толк от этого разговора вышел и чтобы на сторону не ушло. Сам понимаешь, здесь нужно с осторожностью подходить. А то может оказаться так, что я пытаюсь выяснить подробности продажи краденых картин у того самого человека, который и организовывал эту продажу.

— Что ж, успехов тебе, что еще тут можно пожелать, — устало произнес Гуров. — Тогда давай так и распределим направления деятельности: ты займешься судьбой картин и контактами Развалова в сфере искусства, а я — всем тем, что окружало его дома. Ты — внешними связями, я — внутренними.

— Смотри-ка, шустрый какой! — тут же в своем стиле отреагировал Крячко. — Какие еще «контакты в сфере искусства»? Такого уговора не было. Речь шла только о том, чтобы по возможности пробить, кто мог бы стать потенциальным покупателем этих картин. А контакты самого Развалова я отрабатывать не подписывался.

— Так подпишись! Как знать, может, именно среди этих контактов тебе удастся найти заказчика ограбления. Тогда многое станет гораздо проще. Тогда мы и убийцу, возможно, вычислим гораздо быстрее.

— Думаешь, эти дела связаны?

— Весьма вероятно. Убийца проник в дом точно так же, не оставив никаких следов. Причем если в момент ограбления коттедж стоял пустым, то на этот раз там находился сам хозяин. Он, внешняя охрана, видеонаблюдение — все это имелось в наличии и активно действовало. И тем не менее преступники не боялись. Значит, они точно знали, что есть такой путь, которым можно пройти незаметно. Не заметно ни для кого. Ни для людей, ни для техники.

— Я бы и сам не отказался узнать этот путь, — тяжко вздохнул Стас. — Только надежда что-то с каждым днем все слабее. Кстати, по поводу видеонаблюдения. Развалов говорил, что, когда он сам дома, он отключает систему. В целом понятно, ведь вся эта история была придумана, чтобы следить за посторонними, а не за хозяевами. Кому же приятно знать, что за каждым его шагом наблюдают? Да еще и собственные видеокамеры. Сигнализацию он оставлял включенной только в той комнате, где находились экспонаты. И еще в коридорчике, ведущем туда. Звуковая сирена на это помещение не распространялась, но видеокамеру он включал обязательно. «Музей» находился рядом со спальней Развалова, если ты в курсе, двери выходили в общий коридор.

— Да, я в курсе, — ответил Гуров. — Там коридор на три двери. Две спальни и вход в этот самый «музей». Мне сказали, что там две комнаты, но вход один. Разделение идет дальше, во внутреннем коридоре. В самом «музее» я так и не побывал, хотя, в общем-то, собирался. Но и так весь остаток дня ушел на осмотр. В принципе, меня ведь не ограбление интересует, а убийство.

— Эти дела связаны, не забывай, — хитро улыбнулся Стас.

— А я и не забываю. И именно поэтому довожу до твоего сведения небезынтересную информацию. В ночь убийства, то есть сегодня, камера в общем коридоре была отключена.

— Вот как? — На лице Стаса отразилось искреннее удивление. — Хм, странно. В разговоре Развалов уверял, что включает ее всегда.

— Вот и охранник говорил то же самое. А жестокая реальность почему-то не соответствует этим словам.

— Одно из двух: либо Развалов в эту ночь ждал любовницу и выключил камеру, чтобы не узнала жена, либо...

— Либо выключил ее кто-то другой, — закончил мысль Гуров. — В спальню можно попасть только двумя путями — из двери и через окно. Окно было закрыто изнутри, и рама там надежная. Значит, убийца должен был просто и незатейливо идти в дверь. И уж конечно, он не хотел, чтобы это его хождение был запечатлено на видео.

— Поэтому, пользуясь наработками предшественников, без труда отключил нужную камеру, — в свою очередь, подвел резюме Стас. — Что ж, похоже, эти два дела и впрямь связаны. Чтобы отключить камеру в этом коридорчике, нужно как минимум знать, что она там находится. Ведь, насколько мне известно, большинство камер в доме скрыты от постороннего глаза.

— Вот именно, — подтвердил Лев. — И если об их наличии никто не сообщит специально, попасть в ловушку очень несложно. Значит, убийце сообщили грабители.

— Или это просто одна и та же шайка.

— Или так. И тут перед нами во всей своей безобразной наготе встает вопрос о мотиве.

— Это да. Но боюсь, что на этот вопрос меня сегодня уже не хватит, — взглянув на часы, ответил Стас. — Ты в курсе, что уже десятый час? Так выкладываться на работе — это уже клиника. Айда по домам. Завтра договорим.

— Завтра лучше займись отработкой контактов Развалова и возможными покупателями на его картины, — ответил Гуров. — А на сегодня и правда, пожалуй, хватит. Целый день как белка в колесе. Что-то даже устал.

Лев медленно, будто и вправду под грузом тяжелой ноши, поднялся со стула и стал собираться домой.

Несмотря на то что в расспросах и разговорах об обстоятельствах убийства Игоря Развалова была проведена большая часть дня, он все равно чувствовал неудовлетворенность. Информация, как бы ни было ее много, не давала даже намека на то, в какую сторону следует «копать». Стас был прав, «зацепок» в деле не было, хоть убей.

«Все-таки с теми, кто ведет остальные дела, пообщаться не помешает, — думал Лев, следом за Стасом выходя из кабинета. — Конечно, мнение доброго товарища имеет свою ценность, но и собственное мнение составить об этих делах не помешает. Как знать, может, и удастся высмотреть там что-то, наводящее на мысль».

— Уходите, полуночники? — спросил дежурный, открывая проход для двух полковников. — А я уж думал, с ночевкой сегодня останетесь.

— Не в этот раз, Витя, — ответил за двоих Стас. — Лев Иванович сегодня не в настроении, так что ночь любви переносится на завтрашнее утро.

— И как только я терплю все это? — возведя глаза к потолку, риторически вопросил Гуров.

— Завтра не опаздывай, милый, я буду ждать, — подлил масла в огонь Стас и, резко прибавив темп, почти побежал к своей машине.

— Ничего, час расплаты еще настанет, — грозно пообещал Гуров вслед вероломному другу и, сев за руль, поехал домой.

Следующее утро полковника началось в кабинете следователя Степанова, одного из самых уважаемых и опытных сотрудников Управления.

— Это ты насчет Сысоева? — уточнил тот. — Правительственный чиновник, квартира в центре, коллекция старинных икон. Вынесли без шума и пыли, и до сих пор никто не знает куда. Насчет него?

— Наверное, насчет него, — ответил Гуров. — Большая там сумма?

— Внушительная. Иконы все подлинные, четырнадцатый, шестнадцатый века. Собирать коллекцию еще дед его начал, Сысоева этого. Сталина пережили, войну, советские времена. А вот воров пережить не смогли.

— Я так понял, улик там никаких не обнаружено? — спросил Гуров. — Орлов говорил, что сейчас у нас несколько дел таких в работе — крупные кражи, важные люди и абсолютный ноль в плане следов и отпечатков.

— Да, дельце довольно-таки загадочное. Там не то что следов и отпечатков, там даже малейшего беспорядка не было. Стул не передвинут, салфетка на столе не потревожена. Не говоря уже про дверные замки.

— Все цело?

— Разумеется. Полное ощущение, что это сами хозяева вошли, забрали свои иконы и спокойно вышли.

— А что, они у него просто так вот лежали в тумбочке?

— Нет, конечно. Коллекция находилась в отдельной комнате за пуленепробиваемым стеклом. Рама закрывалась на ключ, ключ всегда находился у хозяина. На связке вместе с другими — от квартиры, от машины и прочее.

— И рама была не повреждена, просто открыта?

— Именно. Кто и как мог это сделать, непонятно. Сам Сысоев с женой в этот день ночевали на даче, если не ошибаюсь, у своих знакомых. Впрочем, это можно уточнить. А когда вернулись на следующее утро, обнаружили вот такой вот сюрприз.

— И никто ничего не видел?

— В том-то и дело! — с чувством воскликнул Степанов. — Оно еще было бы неудивительно, если бы это был обычный дом. А то ведь элитная постройка, консьерж, видеокамеры кругом понатыканы.

— И здесь видеокамеры, — вполголоса пробормотал Гуров. — Просто нравится этим ребятам с ними работать. Послушай, Алексей Николаевич, а эти видеокамеры не отключались случайно? Ненадолго.

— В ночь ограбления? — хитро прищурился Степанов.

— Ну да.

— Нет, Лев Иванович, такого подарочка они нам не оставили. За этими камерами у них там специальный человек следит. Круглосуточно. Так что, если вдруг какой сбой, сразу заметит и куда следует доложит. А это грабителям, сам понимаешь, не нужно.

— Да, доклады «куда следует» им точно ни к чему. Но как же они умудрились пробраться в квартиру? Ведь видеоматериалы ничего подозрительного не зафиксировали, правильно я угадал?

— Правильно, — ответил Степанов. — Если бы зафиксировали, то преступники давно бы уже в камере сидели. А так... Кроме постоянных жильцов, которые и без камер все давно в лицо известны, никто в подъезд не заходил и в лифте не поднимался.

— А камеры и в лифте стоят?

— Обязательно.

— На каком этаже живет этот чиновник?

— Этаж последний, и это, на мой взгляд, единственный путь, которым воры могли проникнуть в комнату. Учитывая высоту, окна они не закрывали, стояла только сетка. Но тут тоже есть свой нюанс. Там с крыши идет такой наплыв, типа козырька. На мой взгляд, преодолеть его не так-то просто.

61

А если еще на руках у тебя целая коллекция икон... не знаю. Да и стекло это... Ведь ни царапины даже нет. Не знаю...

— Кроме самого Сысоева и его жены, кто-то еще живет в квартире?

— Постоянно нет. Дети давно взрослые, у всех свои семьи, живут отдельно. Приходят только уборщицы прибираться да иногда повар. Точнее, повариха. Всегда в присутствии хозяев. В общем, непонятно.

— Крышу осматривали?

— Само собой. Но что там можно найти? Не песок, сам понимаешь, следов не останется. Снаряжение, если и было у них какое, тоже, конечно, там не бросили.

— А уж иконы и подавно? — улыбнулся Лев.

— Вот именно.

— Камер на крыше нет?

— Нет. Но какой смысл их там ставить, если внизу все подходы насквозь просматриваются? Вертолет той ночью точно к дому не подлетал.

— Да, загадка, — медленно проговорил Гуров.

— Еще какая, — отозвался Степанов. — А тебя с чего вдруг это дело заинтересовало? Тоже что-то похожее в работу дали?

— Да вроде того, — рассеянно ответил Лев. — Послушай, Алексей Николаевич, а ты не можешь мне этот материальчик на почту скинуть? Я бы на досуге еще посмотрел. Подумать-то здесь точно есть о чем.

— Отчего же, могу, — просто ответил Степанов. — Посмотри, подумай. Если чего надумаешь, не забудь поделиться.

— Обязательно, — пообещал Гуров. — Как знать, может быть, при сравнении моей информации с твоей какая-нибудь заветная ниточка и покажется. За нее и раскрутим оба дела.

— Твоими бы устами, — улыбнулся Степанов.

Попрощавшись с коллегой и еще раз напомнив, что с нетерпением ждет «посылку», Лев направился к следующему «адресату».

Хронологически второе крупное ограбление «без признаков вора» произошло в апреле, а занимался им Геннадий Калинин, молодой, но очень активный и смышленый следователь.

— Здорово, Гена, — приветствовал его Гуров, войдя в кабинет, который Калинин занимал на двоих с другим следователем, так же, как и он со Стасом.

— Здравствуйте, Лев Иванович. Чему обязан счастьем видеть вас в сей скромной обители?

— Эх, вот это ты завернул! Будь проще. Я по делу зашел. Дело по украденным драгоценностям на несколько миллионов должно быть у тебя в разработке. Какой-то там важный парень недоглядел.

— Это вы про Белкина? — подумав секунды две, спросил Калинин.

— Наверное. Там еще проблема с отсутствием улик обязательно должна присутствовать. Меня сегодня только нераскрываемые дела интересуют.

— Вон оно что. Не иначе, у вас какой-нибудь ключик к этим делам припасен. Честно говоря, он здесь очень не помешал бы. В деле Белкина действительно абсолютно не за что зацепиться.

— Что-то подсказывало мне, — пробурчал себе под нос Гуров. — Так что там с этим Белкиным, расскажи поподробнее. Что за парень, откуда побрякушки, как так вышло, что их у него увели из-под носа.

— Вот это точно вы сказали, Лев Иванович, — усмехнулся Геннадий. — Точно, что из-под носа. Главный нюанс этого дела в том, что до сих пор точно неизвестно время ограбления. Известно только, что в сейф, где хранились драгоценности, несколько дней никто не заглядывал, а когда заглянули, уже ничего не обнаружили.

— Надо же, как интересно. А за эти несколько дней случалось так, что в доме никого не было?

— В том-то и дело, что нет. У этого Белкина дома постоянно целая бригада тусуется. В основном друзья жены. Это у него третий брак, девушка раза в три моложе. Ну, или в два. Сам-то он уж полтинник разменял, а ей, кажется, тридцати еще нет.

— Балует?

— А то. Если побрякушек на несколько «лимонов» накупил, наверное уж, в черном теле не держит. Да и грех не побаловать. Баба — как с обложки. Просто фотомодель.

— Красивая?

— Даже очень. Вот он и наряжает ее, как рождественскую елку. Тряпки от самых дорогих брендов, элитные украшения с натуральными камнями.

— Брюлики больше?

— Само собой.

— А хранили, значит, в сейфе?

— Да. У них квартира двухуровневая, полк солдат можно поселить. И дом такой, в виде террасы, уступами. Каждый уступ — отдельная квартира. Получается, что и крыша, как говорится, «своя», никто над головой не топочет, и балкон огромный, со всех сторон открыт, хоть загорай на нем. В общем, с размахом. Ну, и комнат, разумеется, в этой квартире без счета. Есть и кабинет, и столовая. Сейф, разумеется, в кабинете.

— Видеонаблюдение есть? — по привычке поинтересовался Гуров.

— В квартире? — уточнил Калинин.

— Да.

— В самой квартире нет. Есть на входе и во дворе. Там же и охрана. Двор огорожен, все закрыто. А в квартире им, собственно, наблюдение и не нужно. Там и без видеокамер постоянно кто-нибудь наблюдает. Я же говорю, дома всегда кто-то тусуется.

— Может, они и сперли?

— Я, честно говоря, тоже, грешным делом, об этом подумал. Там, в этих хоромах, как в лесу, заблудиться можно. Если тихонечко притаиться, в принципе, все что угодно сделать можно, никто не заметит. Но оказалось, что тут тоже своя фишка. Белкин этот, похоже, по-своему человек мудрый. Хотя и держит, как говорится, въезжий дом, чтобы молодухе не скучно было, но реальные ценности защищает вполне продуманно.

— И как же?

— Во-первых, у него на этом сейфе сто запоров. И обыкновенный замок, и кодовый. Но главная штучка припасена напоследок. Это уж потом он мне по секрету объяснил, когда я стал не по-детски его прессовать насчет того, что вора среди его друзей и знакомых нужно искать.

— Точнее, друзей его молодой жены-фотомодели?

— Да, и ее тоже. Он все отказывался, утверждал, что они «люди очень порядочные». Хотя я их тоже всех опрашивал и могу сказать — разные там есть. Некоторые явно на дряни какой-то сидят. Совершенно неадекватные.

— Но для них это скорее алиби, чем повод для подозрений.

— Да, на роль хладнокровного грабителя такие кандидатуры, конечно, не подходят. Вот и он их всех рьяно очень защищал, Белкин этот. Но я не отставал, и он в итоге признался. Этот его хитромудрый сейф мало просто разблокировать. После открытия всех запоров там еще одну незаметную кнопочку нажать надо, чтобы радиосигнал отключить. А сигнал этот идет прямиком на пульт некоего частного охранного предприятия, которое, разумеется, на сигнал незамедлительно реагирует.

— Как только люди не изощряются, чтобы несметные свои сокровища защитить, — философски заметил Гуров. — А все равно к нам обращаются, чтобы мы им очередных удачливых воров нашли.

— Это точно. Хотя тут вроде бы все должно было быть надежно. Сейф открывал только сам Белкин, и про секретную кнопку знал только он.

— Вот как? Супруге молодой, выходит, не доверял?

— Не то чтобы совсем уж не доверял, а просто у этой супруги с мозгами, похоже, не так хорошо, как с красотой. Он ей как-то раз назвал было этот код, так она его на бумажке записала. Для памяти.

— Отлично! — расхохотался Лев. — Осталось только еще эту бумажку перед входной дверью повесить, чтоб всегда на глазах была. Тогда уж точно не позабудешь.

— Вот-вот. Хорошо, говорит, что я ей про кнопку сказать не успел. А то пришлось бы всю систему перенастраивать, другой какой-нибудь «неожиданный секрет» выдумывать.

— Но в этот раз обошлось?

— Да. Отделался малой кровью. Код сменил да ключи у нее отобрал. На этом и успокоился. Правда, теперь приходится за каждой побрякушкой самолично лазить, но он и эту проблему в целом решил. Выдает ей порциями, «поносить» на время, а основную массу драгметаллов держит у себя.

— А порция что ж, так и лежит на туалетном столике? Хоть часть, а все равно, наверное, денег немаленьких стоит. Брюлики, они брюлики и есть.

— Нет, не на туалетном столике. У нее там в «будуаре», у Ольги этой, свой небольшой сейф есть. Мне она о нем рассказывала с большой гордостью. И код она сама придумала, и бумажку с ним надежно спрятала. В пудреницу. И не знает об этом никто, только самые близкие подружки, Милочка и Светочка.

— А еще Манечка, Танечка, Ванечка, Сонечка, — снова засмеялся Лев.

— Да. И все остальные сто пятнадцать человек, — подхватил Гена. — Но, между прочим, должен вам сказать, самое смешное здесь даже не это. Самое смешное то, что из сейфа, который можно было открыть по бумажке, ничего не пропало.

— Да ну? Вот это действительно интересно. Как думаешь, почему? Верные друзья не захотели подставить юную леди, которая помогла им обчистить своего муженька?

— Навряд ли. Вспомните, ведь про кнопку Ольга ничего не знала и, думаю, не знает до сих пор. А никаких сигналов на пульт охранникам в «отчетный период» не поступало. Значит, воры каким-то образом узнали про кнопку.

— Интересно, каким.

— Да, я тоже не отказался бы получить ответ на этот вопрос. А насчет того, что «порция» драгоценностей, которая на тот момент находилась у Ольги, у нее же и осталась, у меня две версии. Либо преступники просто не хотели дополнительно заморачиваться и из-за малого подвергать себя риску потерять большее, либо почистить второй сейф они были готовы, но что-то им помешало. Вспомните, ведь в период, когда предположительно было совершено ограбление, в доме постоянно кто-то находился.

— Да, версии вполне вероятные. А вариант, что они вообще не знали про сейф жены, ты не рассматриваешь?

— Вряд ли не знали, — с сомнением произнес Геннадий. — Эти ловкачи как-то умудрились проведать про потайную кнопку и не знали про второй сейф, про который знало, наверное, пол-Москвы? Не думаю.

— Что ж, тебе видней. Так, значит, выходит, что в этом случае кража была совершена чуть ли не у всех на глазах?

— Получается так. Но кем — совершенно непонятно. Я опросил абсолютно всех, кто в этот период находился в доме, уходил и приходил. Все клянутся и божатся, что ничего не брали, а главное, из самих этих расспросов можно сделать вывод, что все время люди, присутствующие в квартире, действительно были друг у друга на глазах. Ведь не затем шли они в гости в этот дом, чтобы в гордом одиночестве посидеть в какой-нибудь из комнат.

— Логично, — согласился Гуров.

— Логично, и, главное, подтверждается фактами. Кто-то с кем-то разговаривал, кто-то орудовал на кухне, кто-то курил на балконе, тоже, разумеется, в теплой компании. Так что вычислить здесь вора-одиночку проблематично весьма и весьма.

— Да уж, случай своеобразный. Я, собственно, потому и хотел узнать подробности, что у меня самого сейчас в разработке похожее дело, — сказал Гуров. — Крупное ограбление, а кто бы мог его совершить — нет даже полунамека. Ни следов, ни улик. Может, скинешь мне свои материалы на почту? Я бы просмотрел их, поразмыслил на досуге, сопоставил информацию. Вдруг мелькнет луч света в этом темном, бездоказательном царстве.

— Да не вопрос, Лев Иванович, — добродушно проговорил Гена. — Если нужно — без проблем. Я скину.

Заручившись очередным согласием поделиться сведениями, Гуров двинулся дальше. Следующим по списку у него был Дима Зайцев, расследующий третье по счету загадочное ограбление.

— Да это анекдот, а не дело, — с апломбом заявил Дима, узнав, что именно интересует заглянувшего «на огонек» маститого полковника. — Это еще додуматься надо, наличку в таком объеме дома держать. По сорок раз в день в центр катается, кажется, можно было выделить пять минут, чтобы в банк зайти. Так нет. Нужно в сейфе держать, дожидаться, когда вытащат. И правильно. Если сама такой соблазн для воров создаешь, не удивляйся, что они склевывают твою «наживку». Кто же мимо такого подарка пройдет? Правильно, Лев Иванович?

— Потерпевшая у нас, по-видимому, дама? — не отвечая на этот провокационный вопрос, мягко поинтересовался Гуров.

— Ну да, дама. Довольно известная, кстати. Слышали, может быть, Мила Мирова? Она что-то вроде эксперта моды. У нее и передача по этому профилю. Актуальные бренды, стильные примочки.

— Да нет, ты знаешь, не слышал. Я от стильных примочек как-то до обидного далек.

— Ну, нет, значит, нет, — философски отреагировал Дима. — Их сейчас, этих экспертов, как тараканов расплодилось, всех и не запомнишь.

— Ты сказал, там в очень большом объеме была наличка, — напомнил Гуров. — А если поточнее, сколько именно?

— Если совсем уж точно — два семьсот. Она как раз на этих днях машину продала, «Мазду». Модель, не сказать чтобы самая навороченная, но в целом ничего тачка. Она говорила, что еще и трех лет ей не было. Продала соседям, и рассчитаться договорились наличными. Те сказали, что так им удобнее.

— Тоже по три «лимона» в сейфе держат? — с усмешкой спросил Гуров.

— Да нет, за машину меньше вышло. Там еще, кроме этого, вливания случились. Она накануне с кем-то из друзей поспорила, что одного известного политика к себе на передачу заполучит. Тот от моды далек так же, как... так же, как вы, например, — нашел подходящее сравнение Дима. — Вот тот парень ей и сказал, в жизни, мол, не поверю, что ты этого мастодонта на свою гламурную тусовку затащишь. А она ему — вот увидишь, все по-моему будет. Ну, и поспорили. Заключили пари. Дескать, если затея ее выгорит, тот ей выплачивает сумму в размере гонорара политика. Возмещает то есть.

— А если не выгорит?

— Если не выгорит, тогда она ему отдает столько, сколько политику предлагала. Но поскольку все выгорело, отдавать ничего не пришлось, и в закромах у нее скопилась вполне себе неплохая сумма.

— Я так понимаю, об этом знали многие?

— В общем, да. Друзья, знакомые. Все, кто знал про спор, знали и про машину. Кто на момент продажи был у нее дома, те тоже знали. Она в коттедже живет, на Дмитровке, у нее там постоянно столпотворение.

— А соседи, купившие машину, я так понимаю, в соседнем коттедже? — уточнил Гуров.

— Ну да, — подтвердил Дима. — Люди, как говорится, свои, можно и наличкой рассчитаться. Только нормальный человек ее сразу бы в банк отвез, а эта...

— Наверное, на сейф понадеялась. Решила, что деньги укрыты надежно.

— Наверное, — пренебрежительно усмехнулся Дима. — Только надежды почему-то не оправдались.

— Как произошло ограбление?

— Хороший вопрос. В тот день сама эта Мила допоздна на эфире была. У нее передача после полуночи заканчивается. Дома оставалась только обслуга и деньги. Когда вернулась, обслуга-то на месте была, а деньги пропали.

— Так, может, стоит их у этой самой «обслуги» и поискать? — заметил Гуров.

— Да уж искали, — безнадежно махнул рукой Дима. — Всю эту их подсобку излазили, у самой Милы втихую счета проверили, не прибыло ли там невзначай пару «лимонов».

— Думали, она сама у себя «украла»?

— Да уж не знали, что и думать. Дом был закрыт, садовники эти с поварами, они у нее в отдельном помещении квартируют. Охраны нет, но на заборе и на доме видеокамеры, весь двор «простреливается». Сад, правда... сад, конечно, в этом плане слабое место, — задумчиво добавил Дима. — Но, с другой стороны, там — соседи. Тоже всегда полно народу. Не знаю.

— То есть, если я правильно понял ситуацию, Мила закрыла дом и уехала на эфир. А поздно вечером, когда вернулась, денег в сейфе уже не было?

— Да, приблизительно так, — подтвердил Дима.

— Сейф был открыт?

— В том-то и дело, что нет! Мила уверяет, что все было закрыто именно так, как она оставляла. И дверцу она смогла открыть, только набрав код.

— А с какой целью она заглянула в сейф? Просто проверить? Или, может, хотела положить очередной выигрыш? Это был не тот эфир, на который она поспорила?

— Нет, проспоренный случился накануне. А это уже был обычный. И в сейф она заглянула только утром. Но поскольку всю ночь она была дома, то можно предположить, что кража произошла не в это время, а в тот период, когда она отсутствовала. Утром как раз собралась отвезти наконец-то свои капиталы в банк, и тут — такое фиаско.

— Она живет одна?

— Когда как. Официально не замужем, но время от времени «друзья» случаются. Это я от обслуги узнал. Им же интересно о хозяевах посудачить, хлебом не корми. Вот я и воспользовался, так сказать, удачно сложившимися обстоятельствами.

— А сама обслуга? Она какое впечатление производит?

— В плане бывших судимостей? — с иронией спросил Дима. — Боюсь, что вполне благонадежное. Там повара — муж с женой. Пара уж вполне себе пожилая, и добродушные оба, как Дед Мороз с картинки. Пока разговаривал, так и ждал, что они мне сейчас пирожка предложат.

— Предложили? — с интересом спросил Гуров.

70

— Обязательно, — улыбнулся Дима. — В конце уже, когда я прощаться начал, говорят, что ж ты голодным уйдешь, хоть перекусил бы. С такой обслугой родной мамы не надо. Еще садовник у нее, тоже дядечка старенький, на рецидивиста не похож.

— А в доме кто прибирается? Неужели сама?

— Шутите? Уборщицы у нее приходящие. Три раза в неделю появляются, наводят лоск.

— В понедельник, среду и субботу? — по какой-то интуитивной ассоциации спросил Гуров.

— Да. А откуда вы знаете? — удивленно вскинул брови Дима.

— Так... просто подумалось. Если три раза в неделю, то, наверное, должны быть эти дни.

— Да, именно эти. Еще иногда нанимают второго работника, помогать по саду. Но это весной, когда нужно приводить все в порядок и дядечка не справляется. Вот, собственно, и все в плане обслуги. Кроме нее, как я уже сказал, в доме постоянно тусуются разные друзья-приятели, но это, как говорится, свои, их и сама Мила ни в коем случае не подозревает, и мне строго-настрого запретила.

— Ты, надеюсь, послушался?

— Еще бы! Друзей опросил только, подозревать не стал. Не разрешили, значит, не разрешили.

— И что дал опрос?

— Да практически ничего. Последний раз Мила заглядывала в сейф утром того дня, когда случилось ограбление. Как раз, чтобы положить прибыль от выигранного пари. «Мастодонт» на вечернем эфире все-таки появился, и утром ее знакомый, с которым она спорила, честно привез деньги. Сам мне подтвердил, что при нем Мила пересчитала и положила в сейф.

— И код ему сообщила?

— Да нет. Она в другую комнату вышла и все сделала очень тайно и секретно. Этот сейф у нее в небольшом закутке возле библиотеки, я потом смотрел. Замаскировано, кстати, довольно неплохо. Если заранее не знать, то и не догадаешься, что там сейф.

71

— Еще один факт в пользу того, что кто-то отлично все знал заранее.

— Да уж. Но с друзьями фишка не прокатила. Компания сидела у нее часов до двух, все у всех на виду, тусовались в основном в районе столовой. Я пытался было поймать кого-нибудь на попытках ввести в заблуждение следствие, но не вышло. Провокационные и дублирующие вопросы только подтвердили, что респонденты честны, как пионеры. Да и не похожи они на мошенников продуманных, если уж на то пошло. Пустышки гламурные, куда им сейфы вскрывать?

— Не тянут? — понимающе взглянул Гуров.

— Не-а, — пренебрежительно скривился Дима. — В тот день, как я уже сказал, часов до двух они у нее посидели, потом стали разъезжаться. Осталась одна подруга, ее отвезла сама Мила. В четвертом часу она поехала в студию готовиться к передаче, ну, и девушку прихватила с собой. Вот, собственно, и все. Когда приехала, сразу легла спать, а утром... утром обнаружила сюрприз.

— И ни следов, ни отпечатков?

— Увы.

Так же, как и всех остальных, Лев попросил Диму скинуть ему материалы дела и отправился к себе в кабинет изучать файлы, которые, по его расчетам, уже должны были прийти на почту.

Глава 4

Сопоставляя предыдущие три дела с делом Развалова, Гуров все чаще возвращался к мысли о том, что не последнюю роль во всех этих ограблениях наверняка играл обслуживающий персонал.

«По поводу тех, кто живет у хозяев постоянно, беспокоиться, пожалуй, не стоит, — размышлял он, проходя по коридорам Управления. — Здесь риск одинаково велик и в том случае, если бы они стали помогать преступникам, и в том, если бы решили ограбить своих хозяев сами. Человек, проживающий вместе с хозяевами постоянно, пусть даже и в отдельном помещении, становится как бы членом семьи, ему безоговорочно доверяют, значит, постоянные исключаются. Остаются приходящие. Приходящими у нас во всех без исключения случаях оказались горничные и в некоторых отдельных — повара».

То обстоятельство, что в коттедж к Миле Мировой горничные приходили убираться по тем же дням, что и к Развалову, наводило на мысль, что схожее расписание может указывать на одну и ту же фирму. Поэтому, открыв почту и действительно обнаружив там ожидаемые «посылки», Лев первым делом стал искать протоколы допроса обслуги.

Следователи, и молодые, и более опытный Степанов, действовали вполне профессионально, и на небрежность в опросе свидетелей жаловаться не приходилось. Разговаривая с горничными, коллеги Гурова старались выяснить все подробности их работы у хозяев, а также то, что касалось «режима дня». Было очевидно, что, ввиду своеобразия случаев и практически полного отсутствия улик, следователи пытались получить максимум дополнительной информации в надежде на какую-нибудь «зацепку».

Однако, читая протоколы, Гуров мог только дополнительно убедиться, что на зацепки в них нет даже намека. Все, что недавно излагали ему вкратце, в виде готовых выводов, теперь представало перед глазами как полноценная логическая цепочка, всякий раз приводящая к одному и тому же безрадостному итогу — улик нет.

Тем не менее его догадки по поводу того, что потерпевших могла обслуживать одна и та же фирма, полностью оправдались.

В ходе подробных и добросовестных опросов ни один из следователей не забыл поинтересоваться, по чьей рекомендации в дома нанимался обслуживающий персонал. «Советчики» были разные, некоторые называли знакомых, некоторые соседей, но фирма везде упоминалась одна и та же.

«И тут «Хозяюшка»! — мысленно изумлялся Лев, читая очередной протокол. — Надо же, какая солидарность! И чем же она, интересно, так хороша, эта фирма? Убираются чисто? Или просто сумели сделать себе нужный имидж в определенной среде? Все эти друзья и соседи, которые давали рекомендации, они ведь тоже наверняка не из пролетарской среды. Кто-то из «своих» порекомендовал им, они, в свою очередь, передали дальше. Сеть-то у них достаточно разветвленная, если верить Стасу. И, кстати, раз рекомендуют, значит, фирма оправдывает доверие».

Здесь Лев вспомнил, как в разговоре с Крячко они обсуждали эту самую принадлежность к одной и той же фирме. Тогда речь шла о том, что, раз уж и горничные Развалова, и чистильщики фасадов принадлежат к одной солидной организации, это служит дополнительной гарантией их благонадежности. Но сейчас, раз за разом натыкаясь на знакомое название, он вдруг подумал, что все может быть совсем наоборот. Может быть, тот факт, что у всех потерпевших работали люди из «Хозяюшки», как раз является уликой, а вовсе не обстоятельством, обеспечивающим дополнительное алиби.

Предположение казалось вполне правдоподобным, а учитывая, что других в распоряжении полковника пока не имелось, даже и весьма вероятным. Просматривая личные данные опрошенных, Гуров думал, что если вдобавок совпадут еще и имена горничных, работавших в разное время у государственного чиновника, бизнесмена, коллекционера и телезвезды, то в их причастности к преступлениям можно даже не сомневаться. Ведь между предыдущим и последующим ограблением проходило, как правило, не меньше месяца. Было время, чтобы «перебазировать» нужных людей в нужное место.

Однако имена не совпали. Просмотрев материалы по всем трем делам, он не нашел ни одной повторяющейся фамилии и в досаде подумал: «Вот черт! За какую ниточку ни ухватись, тут же из рук выскальзывает. Как заговоренные эти дела».

Каждый раз приобщать к ограблению разных людей было бы и хлопотно, да и рискованно слишком. Обучать «специальным приемам», делиться информацией, объяснять, что именно требуется от каждой конкретной горничной... Нет, нужно быть полным идиотом, чтобы при каждом следующем ограблении повторять весь этот процесс с новыми людьми. Тогда в соучастники смело можно было бы записывать весь наличный персонал «Хозяюшки», а это выглядело абсурдно.

На всякий случай Гуров «пробил» и поваров, но этот вариант оказался еще менее перспективным. Все приходящие кулинары были из разных ресторанов и друг с другом никак не пересекались.

И все же он решил посетить эту «Хозяюшку» под видом заказчика, попробовать нанять прислугу для дома, заодно разузнать об условиях, нюансах. Может, и еще что интересное выяснится.

Придя к такому решению, Лев зашел в Интернет и уже через несколько минут с интересом изучал главную страницу сайта, посвященного клининговой сети «Хозяюшка».

Стас не соврал, количество «вспомогательных офисов» у этой фирмы просто зашкаливало. Длиннейший список, приведенный в разделе «Контакты», позволял с полным удобством обратиться за услугами жителям практически любого района столицы. Но Гурова интересовал главный офис, находившийся, как выяснилось, в Останкинском районе.

Записав в блокнот адрес, он углубился в чтение хвалебных отзывов и рекламных призывов обращаться только в «Хозяюшку», которые составляли основное содержание страницы. Среди подписей под отзывами действительно нередко мелькали знакомые фамилии всевозможных «медийных личностей», и Гуров подумал, что уже сам тот факт, что эти люди до сих пор не подали в суд, свидетельствует о большом авторитете фирмы. Если горничные «Хозяюшки» и не приходили к ним делать уборку, то можно не сомневаться, что у руководителя этой разветвленной организации как минимум было достаточно денег, чтобы оплатить появление нужного имени на своем сайте.

Изучив содержание страницы и не найдя в нем ничего «криминального», Лев закрыл сайт и почти в ту же минуту услышал телефонный звонок. Звонил Борис, старший охранник из коттеджа Игоря Развалова.

— Здравствуйте, Лев Иванович, — донесся из трубки знакомый голос.

— Привет, Боря. Есть новости?

— Да. Завтра днем приезжает Тамара Максимовна, вы просили сообщить вам. Вот, я сообщаю.

— Отлично, Боря, спасибо. Это важная информация. И в связи с ней у меня будет к тебе еще одна просьба. Я бы хотел пообщаться с супругой Игоря Владимировича, и чем скорее, тем лучше. Это в интересах дела, то есть в итоге в ее собственных интересах, надеюсь, ты понимаешь.

— Да, конечно.

— Так вот, когда она приедет, поинтересуйся, сможет ли она принять меня, например, завтра вечером. Ты для нее человек свой, думаю, с тобой ей будет проще общаться, чем со мной. Если переживания еще свежи и говорить на подобные темы, тем более с посторонними, ей трудно, то так и скажет. А мне отказать ей, возможно, будет неловко, и в результате встреча-то состоится, а разговора толкового не получится. В общем, такой вот деликатный момент. У тебя здесь будет роль иностранного дипломата.

— Хорошо, Лев Иванович, я постараюсь это для вас узнать. Но, вообще-то, Тамара Максимовна — сильная женщина, когда мы общались с ней по телефону, она говорила вполне спокойно.

— Что ж, если так, еще лучше. Скажи, что я подъеду часам к шести, и перезвони мне с ответом. Лады?

— Лады.

Закончив говорить с Борисом, Гуров вновь обратился было к компьютеру, но в этот момент дверь открылась, и в кабинете появился Стас.

— Ага! Вот он, тунеядец злостный! — чем-то очень возбужденный, с порога завопил он. — Вот кто целыми днями в кабинете штаны просиживает! Пойман на месте преступления!

— Не ори так, а то сейчас испугаюсь, — спокойно отреагировал Лев. — Тебя самого-то где носит, труженик? Все по свиданкам, или, в виде исключения, пару минут своим прямым обязанностям уделил?

— Я все до секунды прямым обязанностям уделяю, — с пафосом проговорил Стас. — С утра до ночи, не щадя живота. Бегаю, тружусь, информацию добываю. В отличие от некоторых, которые в кабинете целыми днями сидят.

— Информацию, говоришь? Что ж, делись. Чего там интересненького про коллекционера разузнал?

— Экий ты быстрый какой! Про коллекционера ему интересненького. Не все сразу. У меня, между прочим, не один твой коллекционер в разработке. У меня их...

— Он такой же мой, как и твой. Или тебе ограбление раскрыть уже не хочется?

— Раскрыть дело мне всегда хочется, тем более такое, как это. Но не разорваться же мне. Этот Развалов, похоже, парень непростой. Чтобы его подноготную до самого дна пробить, некоторое время потребуется. Кое-какие предварительные шаги я уже подготовил... но об этом пока рано. Не буду тебе говорить, а то еще сглазишь.

— И правда, лучше не говори, — кивнул Лев, — а то вдруг дело слишком быстро раскроем. Непорядок будет.

— Быстро мы его навряд ли раскроем. А для тебя у меня и без этого есть подарочек.

— Да ну? Что ж, выкладывай.

— В морг сегодня заезжал, результаты экспертизы по одному делу нужно было забрать, официально они неделю пересылать будут. Разговорился там с ребятами, и снова про это ограбление речь зашла. Я им уже жаловался как-то. Столько, мол, сил потрачено, столько энергии, а в результате с чего начал, тем и закончил. Наверное, запомнили мою тоску-печаль, так что в этот раз тоже поинтересовались. Спрашивали, мол, продвинулось или нет. Я им — продвинулось, до только не туда. Ну, и рассказал про это убийство. А они мне — Развалов? Так по нему тоже готов результат, так что пляши. «Клиента» твоего продырявили из пистолета «макаров» между двумя и тремя часами ночи. С очень близкого расстояния или в упор.

— Он такой же мой, как и твой. Так, значит, получается, Развалов спал как убитый? Так, что даже не проснулся, когда к нему подошли вплотную и ствол ко лбу приставили?

— Выходит, что так. Сначала спал как убитый, а потом на самом деле убитым оказался. Вот такой вот каламбур.

— Между прочим, это ведь тоже риск — вот так вот нахрапом соваться в спальню к человеку. А что, если он проснется? Где гарантия?

— Ты у меня спрашиваешь? Я не знаю.

— Может, он препараты какие-нибудь принимал и преступники об этом знали? — продолжал строить догадки Гуров.

— Ой, Иваныч, чего сейчас гадать? Может, не может... — с досадой проговорил Стас. — Я с этим ограблением всю голову себе изломал, так ты еще меня с убийством донимать будешь. Факты нужно добывать, а не догадки строить.

— Может, заодно скажешь, где тот волшебный источник, из которого можно добыть эти твои факты? А то я, как ни пытаюсь, все что-то не набреду.

— Хе! Да если бы я знал, где такие источники протекают, да я бы... я бы самого Шерлока Холмса давно затмил. Легенды бы обо мне слагали. А бандиты да упыри разные боялись бы как огня. Только не знаю я, Иваныч, где искать их, эти волшебные источники. Так же, как и все мы, грешные, на фортуну надеюсь да на быстрые ноги, которые волка кормят. Ты сам-то накопал чего-нибудь интересненького? Или так и просидел весь день за пасьянсом?

— Да нет, я здесь не за пасьянсом сидел, — ответил Гуров. — С фирмой этой знакомился, которая нашим уважаемым потерпевшим горничных поставляла.

— «Хозяюшка»?

— Она самая. Ты в курсе, что всех ограбленных обслуживала именно она?

— Так же, как и еще пол-Москвы не ограбленных, — без особого энтузиазма продолжил Стас.

— Здесь согласен. Но, думаю, поближе познакомиться с этой организацией все равно не мешает. Ведь в активе у нас фактов-то немного. Особенно таких, которые являются общими для всех дел.

— Да уж, — тяжко вздохнул Стас. — Общее в них только отсутствие фактов.

— Вот и я о том. Зацепочка, конечно, сомнительная, но в нашем положении привередничать не приходится. Попробую копнуть с этой стороны, посмотрим, что выйдет.

— И как же ты собираешься «копнуть»? Не забывай, горничных этих уже тщательнейшим образом опросили твои опытные товарищи. Включая меня. Что ты собираешься найти там такого, чего не нашли мы?

— Да я и не хочу опрашивать горничных, — заверил Гуров. — «Опытным товарищам» вполне доверяю. Включая тебя. Я хочу сегодня... точнее завтра, — поправился он, взглянув на часы, — в фирму эту сходить. Сегодня, думаю, поздно уже. Шестой час. А завтра часиков в десять утра — в самый раз будет.

— Хочешь осведомиться об условиях найма домашней прислуги? А не проверить ли тебя на предмет нетрудовых доходов? Пожалуй, нужно высказать эту мысль нашему чуткому руководству.

— Не позабудь.

— Да уж постараюсь. Могу ли я равнодушно смотреть на нравственное разложение лучшего друга? Ты, кстати, когда туда пойдешь, оденься как-нибудь поприличнее. В таких местах люди тренированные сидят, они уровень годового дохода на глаз определяют, без всякой налоговой инспекции. Сразу раскусят, что среди буржуинов такому, как ты, не место, и пошлют подальше, вместо того чтобы про условия рассказывать.

— Спасибо за совет, учту обязательно. Кстати, раз уж ты сегодня взялся делать мне подарки, сделай еще один.

— Еще один?! Ну, ты, Иваныч, обнаглел! Что за народ такой, эти опера? Чуть им поблажку сделаешь, сразу на шею садятся. Ни стыда, ни совести нет. Только не говори, что хочешь взаймы попросить до зарплаты. У меня сейчас...

— Нет, взаймы мне не надо. Я дело хотел попросить по ограблению. У всех уже позабирал, один ты остался.

— А-а, вот оно что. Как обычно, на чужом горбу выехать хочешь?

— Само собой. Ты же знаешь, я по-другому работать не умею.

— Да уж знаю, — хмыкнул Стас, щелкая кнопками клавиатуры. — Ага, вот оно. Как тебе, все дело скидывать? Или, может, что-то конкретное, чтобы не блуждать понапрасну по страницам?

— Давай все, — ответил Гуров. — Предыдущие я целиком смотрел, не будем нарушать традицию. К тому же в этом случае ведь не только ограбление произошло. Как знать, может, что-то из твоих материалов и по убийству пригодится. Хотя я, собственно, и своих уже малость набрал, но...

— Но чужое-то захапать, оно всегда приятнее, — не унимался Стас. — Ладно, лови. Скинул тебе на почту, можешь открывать.

— Спасибо. Теперь, если ты ненадолго заткнешься, не исключено, что я действительно смогу сосредоточиться и вникнуть в то, что ты там насобирал.

— Эх, Лева, неблагодарный ты человек, — мечтательно улыбнувшись, откинулся на спинку стула Крячко. — Я к нему со всей душой, можно сказать, а он...

— Если ты ко мне со всей душой, то перечисли фамилии горничных Развалова, чтобы я не искал. Ты-то в своем файле быстрее сориентируешься.

— Фамилии тебе? — вновь повернувшись к монитору, проговорил Стас. — Тэ-э-кс... сейчас, сейчас... Ага! Вот они и фамилии. Кравцова, Прозорова и Седова. Подходят?

— Не очень. С теми, кто работал у других ограбленных, никак не пересекаются.

— Везде разные?

— Увы.

— Я тебе говорю, фирма — пустой номер. Это ведь репутация. Они же с гламурным элементом работают. А ты знаешь, с какой скоростью в этой среде слухи разносятся?

Моментально. Если бы кто-то заметил, что за этими «хозяюшками» криминальный хвост тянется, их бы на рынке давно уже не было. А они живут и здравствуют. И процветают так, как нам с тобой и не снилось. Значит, ничего неблагонадежного за ними нет.

— Или просто не замечали, — вполголоса добавил Гуров.

Он и сам не был слишком твердо уверен, что во время визита в «Хозяюшку» ему удастся узнать что-то сенсационное или хотя бы подтвердить свои догадки. Но, учитывая катастрофическое положение с информацией по делу, Лев твердо решил использовать любой, даже малейший, шанс эту информацию добыть.

Поскольку благодаря Стасу ему не пришлось долго искать нужные фамилии, он решил оставшееся до конца рабочего дня время целиком и полностью уделить протоколу допроса Игоря Развалова. Ввиду безвременной кончины последнего, беседа, проведенная Стасом, оказалась эксклюзивным источником, из которого можно было узнать хоть что-то о личностных особенностях хозяина трехуровневого коттеджа на Калужском шоссе.

Однако, читая протокол, Гуров все больше убеждался, что каких-то ярких характеристик личности в ответах Развалова искать не стоит. Либо в беседе с полицейским он очень старался сдерживать себя, либо ярких характеристик в его личности просто не было.

Так или иначе, все его высказывания сводились к двум главным темам: безмерные труды, которые он положил, чтобы создать у себя дома «супернадежную» сигнализацию, и огромная стоимость пропавших экспонатов коллекции.

В высказываниях «потерпевшего» чувствовалась досада, раздражение, что угораздило его оказаться в потерпевших, но не чувствовалось ни малейшего желания помочь полиции найти вора. Хотя, казалось бы, с его стороны было вполне естественным оказать максимальное содействие, чтобы по возможности ускорить дело, сам Развалов, похоже, смотрел на дело с иной точки зрения. Вместо толковых и развернутых ответов на вопросы Гуров то и дело натыкался на непонятные претензии, как будто полиция должна была заранее прийти к нему с готовыми версиями или вытащить вора из волшебного сундучка. Высокомерие и пренебрежение сквозили в каждой фразе, и, читая протокол, Лев только дивился выдержке и терпению взбалмошного и всегда эмоционального в общении Стаса.

«А парень-то, похоже, себе на уме, — резюмировал он, закрывая файл. — Никакой растерянности в его словах не чувствуется, никакого удивления. Только злость. И на полицию он, похоже, не слишком надеялся. Может, собирался как-то по-своему решить эту задачу? Может, еще до ограбления предчувствовал что-то, может, была с кем-то ссора или конфликт и ему угрожали? Может, у него самого, в отличие от нас грешных, были вполне достоверные предположения о том, кто именно мог организовать кражу?»

Подобная логическая цепочка вполне естественно и последовательно приводила и к догадкам о мотиве убийства. Но, поймав себя на том, что вновь уходит в область беспочвенных предположений, Гуров прервал свои интересные размышления. В этом деле и так было слишком широкое поле для догадок. А для того, чтобы сформулировать обоснованную версию, требовались факты. И у полковника имелся некий тайный план, с помощью которого он собирался некоторые полезные факты добыть.

Выключив компьютер и заперев кабинет, Лев спустился к машине.

Мысль о небольшой диверсии, которую он собирался сейчас осуществить, возникла у него еще во время осмотра дома и участка Развалова. Его не покидала мысль о том, что, каким бы образом воры ни проникли в дом, сначала они должны были преодолеть какое-то расстояние по участку. Было очевидно, что путь их пролегал не по открытой его части. Эксперименты Гурова в парке только лишний раз доказывали, что незаметное передвижение в зарослях возможно, и сейчас он хотел выяснить, имеется ли возможность незаметно попасть в эти заросли извне. Посмотреть на дома соседей и оценить их участки с точки зрения «проницаемости» для воров. Поскольку Лев не хотел посвящать в эти планы Бориса и его ребят, то не стал производить свою разведку в день осмотра. Но о плане своем не забыл и сейчас собирался осуществить его.

Рабочий день заканчивался, и, попав в самый пик вечерних пробок, Гуров несколько часов провел в томительном переползании от светофора к светофору. Однако это оказалось даже к лучшему. В коттеджный поселок, где находился дом Развалова, он прибыл уже в сумерках, а для задуманного им предприятия это было отличным дополнительным подспорьем.

Помня, что часть улицы перед воротами коллекционера контролируют видеокамеры, Гуров решил проехать по параллельному ряду, поставить где-нибудь в укромном местечке машину и к коттеджу Развалова подойти пешком. Это удалось ему даже лучше, чем он ожидал.

Проехав насквозь параллельную улицу, Лев увидел перед собой лесопосадку, вдоль которой шла еще одна дорога, по-видимому, огибавшая коттеджный поселок по периметру. С нее же, свернув на грунтовку, можно было попасть и в лесок, чем Лев не преминул воспользоваться.

Въехав в древесные заросли, он поставил машину так, что ее не было видно с дороги, и пешком вернулся на исходные позиции. Обогнув крайний дом, вышел на улицу, где жил Развалов. Еще в свой прошлый приезд он отметил, что дом коллекционера располагается в конце улицы, а сейчас совершенно точно установил, что он третий от края. Второй участок, скорее всего, занимали те самые «многосемейные» соседи, у которых всегда кто-то был дома, а первый, возле которого стоял сейчас Гуров, щетинился из-за забора верхушками деревьев, подозрительно похожих на те, что несколько минут назад он видел в лесопосадке.

«Если хозяин не относится к любителям дикой природы и не насаждал эти елки-березки намеренно, логично предположить, что участок просто запущен и хозяина там нет», — подумал Лев, внимательно осматривая ограждение.

Забор не отличался фундаментальностью и по сравнению с изгородью Развалова выглядел несолидно. Обычный профлист, укрепленный на железных столбах, без всяких замысловатых технических наворотов и бдительных видеокамер, наверняка не представлял собой неодолимого препятствия для проникновений извне.

В том, что это действительно так, Гуров смог убедиться уже через минуту. Он подошел к участку со стороны лесопосадки и после недолгих поисков обнаружил обломок толстой ветки. Приставив его к ограде и использовав как своеобразную «ступеньку», перемахнул через забор и оказался внутри участка.

Его состояние действительно оставляло желать много лучшего. Буйное разнотравье и густые древесные заросли со всей очевидностью свидетельствовали, что хозяева очень давно не заглядывали в свои владения. С трудом продвигаясь сквозь эти джунгли, Гуров направился к изгороди, отделявшей этот участок от соседнего.

Здесь ограждение было уже намного цивильнее и даже свидетельствовало о некотором творческом подходе. Кирпичная кладка перемежалась деревянными «простенками», и в целом ограждение выглядело добротно и стильно.

Наученный горьким опытом, Лев опасался, что и здесь, так же как у Развалова, может нарваться на видеокамеры, поэтому к забору приближался с осторожностью, прячась в зарослях. Но камер не было. По-видимому, соседи коллекционера относились к миру с бо́льшим доверием. Убедившись, что путь свободен, он нашел очередную ветку и, встав на нее, заглянул на соседний участок.

То, что он увидел, одновременно и удивило, и обрадовало его, поскольку теперь в беспросветном мраке «бездоказательных» ограблений появился маленький светлый лучик и хоть какая-то надежда.

Надежда эта предстала перед полковником в виде приблизительно таких же зарослей, которые он только что преодолел, но зарослей, состоящих не из диких, а из культурных деревьев. Яблони, вишни, сливы — множество плодовых деревьев и ягодных кустов образовывали немного хаотичный, но, несомненно, плодовитый и «вкусный» сад, вполне подходящий для семьи, где много детей.

«Вот и для нас это вполне подходяще, — думал Гуров, осторожно перебираясь через забор и скрываясь в очередных зарослях. — Если эти ребята так хорошо знали внутреннюю обстановку Развалова, что даже смогли «обезвредить» все его замысловатые охранные системы, то ничто не мешало им навести справки и о ближайшем окружении. Крайний участок, выходящий на безлюдную дорогу и лесопосадку, заброшен, следующий принадлежит «правильной» семье с маленькими детьми, бабушками и дедушками. Наверняка здесь рано ложатся спать. Вот и сейчас тишина, а ведь времени еще не так много. Ну а следующий — участок уже самого Развалова. Кажется, путь, которым наши неведомые ловкачи пришли к своей цели, найден».

В вечерних сумерках Лев, никем не замеченный, добрался до кирпичной ограды — последнего препятствия, отделяющего его от участка Развалова.

Он думал о том, что ему, возможно, просто повезло и в это время суток здесь не всегда так тихо и безлюдно. Может быть, хозяева просто ужинают, а на вечерний моцион выйдут попозже. Но, если учесть, что и ограбление, и убийство коллекционера были совершены ночью, можно не сомневаться, что риск у преступников был минимальным.

Между двумя и тремя часами, когда предположительно был застрелен Развалов, здесь наверняка уже спали, а в тот день, когда было совершено ограбление, дом коллекционера и вовсе стоял пустым. Самого его опасаться было нечего, а от риска нечаянной «теплой встречи» с соседями защищало позднее время суток. Преступники, так хорошо осведомленные о «внутренних делах» Игоря Развалова, наверняка знали нюансы «домашнего расписания» его соседей и выбрали для своей диверсии такое время, когда безопасность была гарантирована.

Оставались еще охрана и видеокамеры на участке самого Развалова, но Гуров уже успел убедиться, что и это вопрос вполне решаемый. Немного внимания и наблюдательности, пара-тройка экспериментов — вот и все, что требовалось для того, чтобы проложить безопасный и надежный маршрут сквозь заросли парка.

Преодолев последнее препятствие, он очутился среди уже знакомых экзотических и не очень растений и, осмотревшись вокруг, сразу понял, что его появление здесь ни камерами, ни людьми не зафиксировано. Небольшой «островок» пустого пространств, где он сейчас стоял, со всех сторон был окружен плотной стеной разросшихся кустов и деревьев, и даже с тропинки, ведущей в этот отдаленный уголок парка, нельзя было разглядеть того, кому пришло бы в голову спрятаться за густыми кронами.

Поскольку, в отличие от преступников, Лев не готовил свое вторжение заранее и не имел возможности просчитать безопасную траекторию, у него не было уверенности, что он не попадет в объективы камер, когда покинет свое убежище, поэтому решил дождаться «караульных» здесь.

С удовольствием вдыхая экологически чистый вечерний воздух, он терпеливо ждал «обходчика», придумывая всевозможные забавные варианты «исторической встречи». Но время шло, а никто не появлялся.

Около получаса простояв в укрытии, Лев уже собирался объявиться самостоятельно и попенять охранникам за халатность в исполнении обязанностей, когда услышал мужской голос.

— ...нет, пока отпроситься не смогу, — все явственнее доносилось из-за деревьев. — Из-за этих ЧП Боря весь на нервах, лучше к нему не соваться. Каждый день у нас менты, ходят, высматривают, вынюхивают... В общем, мрак. А? Когда? Ну, не знаю, когда. Вот приедет хозяйка, поутихнет все немного, устаканится. На следующей неделе попробую. А? Ну да. Да.

В какой-то момент мужчина подошел очень близко, и Гуров уже готов был к тому, что он вот-вот войдет в заросли и увидит его. Но сделать сюрприз так и не удалось. Не дойдя даже до ближайших деревьев, охранник развернулся, и голос снова начал удаляться.

— Ладно, пока. Целую тебя, — уже чуть слышно донеслось откуда-то слева.

Поняв, что ждать больше нечего, Лев перелез через забор на соседний участок и вернулся тем же путем, которым пришел сюда, так и не повидавшись со своими недавними знакомыми из охраны Развалова. Ему расхотелось делать сюрпризы.

Был уже довольно поздний вечер. Пробираясь по плодовому саду, он видел сквозь ветви деревьев свет на просторной летней террасе большого дома и несколько человек, о чем-то мирно беседующих там за вечерним чаем.

Выбравшись на дорогу и дойдя до лесопосадки, Лев сел за руль и поехал домой.

На следующее утро, помня совет Стаса, он оделся «поприличнее» и отправился в Останкинский район, где, если верить информации с официальной страницы, находился главный офис клининговой компании «Хозяюшка».

Уже зная о том, что фирма эта солидная и наверняка небедная, Гуров ожидал увидеть какую-нибудь монументальную, отдельно стоящую постройку, отделанную мрамором и декоративной лепниной, однако все оказалось гораздо скромнее. «Хозяюшка» снимала несколько помещений на десятом этаже нежилой высотки, все помещения которой предназначались исключительно для обитания юридических лиц.

Миновав таблички с надписями: «Дирекция», «Бухгалтерия» и «Кадровый отдел», он остановился перед дверью, рядом с которой красовалась надпись: «Отдел по работе с клиентами». Деликатно постучав в эту дверь, приоткрыл ее и осведомился:

— Можно?

В просторной комнате стояло несколько столов. За каждым у монитора сидела обязательная красавица, будто только что сошедшая с обложки глянцевого журнала. В данный момент, кроме Гурова, клиентов больше не было, и он невольно подумал, если рассказать Стасу, что он оказался единственным объектом внимания сразу нескольких фотомоделей, тот просто умрет от зависти.

— Да, конечно, — лучезарно улыбнувшись, произнесла девушка, сидевшая ближе всех к входу. — Проходите, пожалуйста. Присаживайтесь. Вам нужны специалисты по уборке помещений?

— Да, помещений и... возможно, еще нужно будет иногда делать какие-то внешние работы, — неуверенно, словно с трудом подбирая слова, проговорил Лев. — Например, чистить крышу зимой. Ну, вы понимаете...

— Да, разумеется, — вновь ослепив белоснежной улыбкой, произнесла девушка. — У вас частный дом?

— Да. То есть... Это, собственно, не у меня, — как бы немного смутившись, ответил Гуров. — Это дочь. Они с мужем сейчас заканчивают отделку в коттедже, скоро собираются переезжать. И, сами понимаете, всякие организационные вопросы приобретают большую актуальность. Уборка, готовка, охрана, все такое прочее. Охраной, правда, у нее муж пообещал заняться. Поваров она сама хочет найти. Вопросы питания, сами понимаете...

— Да, в таком деле очень важно, чтобы все максимально соответствовало личному вкусу, — глубокомысленно заметила девушка.

— Вот-вот, — подхватил Гуров. — Поэтому с поварами — это уже она сама. А вот насчет уборки меня попросила узнать. Я здесь живу недалеко, а она рекламу вашей фирмы в Интернете видела и попросила все разузнать, вроде солидная компания.

— Значит, информацию о нашей фирме вы получили из Интернета? — переспросила девушка, переведя взгляд на монитор и быстро нащелкав что-то на клавиатуре.

— Да, из Интернета, — подтвердил Лев. — Да это, собственно, не я. Это дочь. Поискала, посмотрела и вот... нашла. Просила меня узнать условия, расценки и все такое прочее.

— Буду рада проконсультировать вас, но для этого мне нужно иметь хотя бы приблизительное представление о конфигурации помещений, где будут работать наши специалисты, а также о том, какие виды работ вы хотели бы заказать. Точнее, ваша дочь, — улыбнувшись, добавила девушка.

Перед визитом в «Хозяюшку» Лев достаточно тщательно отработал «легенду», поэтому и о «конфигурации», и о «видах работ» рассказывал бойко и без запинки.

Оговорив «основные условия» и записав себе в блокнот итоговые суммы, он приступил к выяснению деталей, с помощью которых, собственно, и надеялся выяснить что-то интересное.

— Значит, они будут приходить в понедельник, среду и субботу? — пытливо переспрашивал он.

— Да, это обычный режим. По желанию клиента специалисты могут приезжать чаще, но это, разумеется, предполагает дополнительную оплату.

— А кто будет приезжать? Всегда разные? Это все-таки дом. Жилище. Личное пространство, как сейчас говорят. Не хотелось бы, чтобы там постоянно тусовались посторонние люди.

— Нет-нет, что вы! Никаких посторонних, — заверила девушка. — За вашим объектом будет закреплена специальная группа, и следить за чистотой будут всегда одни и те же люди.

— Значит, воровства можно не опасаться? — пошутил Гуров.

— Что вы! — округлила девушка глаза, будто услышала что-то невероятное. — Это совершенно исключено. У нашей компании безупречная репутация. За все время существования не было ни одного, я подчеркиваю — ни одного случая, чтобы кто-то из клиентов предъявил подобного рода претензии.

— А давно вы уже существуете?

— Больше десяти лет, — гордо ответила она.

— Солидно. Я, собственно, не потому, что подозреваю, просто дочь просила узнать, вот я и спрашиваю. Для нее это непривычно, сейчас у них небольшая квартира, она сама там убирается. Пылесосом прошла, и готово. А тут... Три этажа, это вам не шутка.

— Да, действительно. Но для наших специалистов это абсолютно не проблема, — вновь лучезарно улыбнулась девушка. — Они и с более сложными задачами могут справиться.

— Да, вот, кстати, я как раз хотел узнать насчет более сложных задач. Если понадобится почистить крышу, можно будет к вам обратиться, или нужно другую фирму искать?

— Нет-нет, ни в коем случае! Наша компания оказывает практически весь спектр услуг по уборке, включая и специальные, как, например, чистка и приведение в порядок экстерьера здания. В частности, что касается очистки крыш от снега или просто влажной уборки на большой высоте, мы предоставляем людей и полный спектр спецоборудования, необходимого для выполнения таких работ. В некоторых случаях приходится использовать даже альпинистское снаряжение, но наши ребята отлично справляются с задачами любой сложности.

— Такие работы, наверное, выполняют мужчины?

— Да, разумеется.

— А уборкой занимаются женщины?

— Как правило.

— Вот я о том и говорю, — глубокомысленно заметил Лев. — Женщины — это такое дело... То ребенок у нее заболел, то сама занемогла. Вечно что-нибудь «не по плану» идет. Вы вот сказали, что всегда одни и те же приходить будут. А если заболеет кто? Там ведь все-таки три этажа. А у меня дочь порядок любит, чтобы все блестело. Как же они будут справляться? Или опять новую «специальную группу», как вы сказали, будете присылать?

— Зачем же новую? На тот случай, если кто-то из специалистов не может в какой-то день выйти на дежурство, у нас все предусмотрено, мы практически в любой момент можем найти кого-то на замену. Либо это будут специалисты, с которыми мы сотрудничаем постоянно, не занятые в данный момент, либо те, к кому мы обращаемся от случая к случаю, именно в таких вот экстренных ситуациях.

— А это... они люди надежные? Те, к кому вы обращаетесь от случая к случаю? — с беспокойством спросил Гуров.

— Не волнуйтесь, — снисходительно улыбнулась девушка, словно устала удивляться этим непонятным опасениям. — Все, с кем сотрудничает наша фирма, — люди абсолютно надежные и проверенные. Кроме того, они ведь будут работать под присмотром тех, кто приходит к вам постоянно. Так что, даже если вы не склонны доверять «новеньким», присутствие уже знакомых вам специалистов будет дополнительной гарантией.

Разузнав все нюансы найма «специалистов по уборке», Гуров покинул гостеприимный офис с фотомоделями. Хотя среди информации, которую ему сообщили, сенсационных фактов не было, он не считал время, проведенное в «Хозяюшке», потраченным напрасно. Разговор с белозубой девушкой навел его на некоторые интересные мысли.

«Так, значит, в случае чего уважаемая фирма с легкостью подыщет замену постоянному «специалисту». Очень даже интересно. Особенно интересно, что это за люди, к которым они обращаются «от случая к случаю». Шутки шутками, а ведь это неплохой способ внедрить на время «нужного» человека. Внедрить вполне обоснованно и безопасно, на «законных», так сказать, основаниях, а потом, так же безопасно и естественно, вывести его из игры, чтобы лишний раз не засвечивал «фейс». Подхватившая простуду горничная благополучно выздоравливает и возвращается к своим обязанностям, а «подменная» девушка, выведав все, что надо, возвращается к своим основным «работодателям» и сообщает им сведения, необходимые для организации очередного удачного ограбления».

В этой схеме имелась определенная логика, и, поскольку других все равно не было, Гуров решил взять ее на вооружение. Выходя из высотки, он думал о том, что в разговоре с Тамарой Разваловой неплохо было бы ненавязчиво прозондировать, случались ли в последнее время подмены среди обслуживающего персонала.

Размышления Гурова о предстоящем разговоре с женой коллекционера прервал звонок Бориса, очень кстати сообщившего, что хозяйка уже приехала. Старший охранник сказал, что обо всем договорился, и хозяйка будет ждать полковника, как и планировалось, в шесть часов вечера.

91

Глава 5

В назначенное время Гуров подъехал к знакомому коттеджу на Калужском шоссе, в котором, явно или незаметно для его обитателей, появлялся вот уже в третий раз.

Сегодня к его приезду были готовы, и никто не вышел прогонять его от ворот. Напротив, лишь только Лев попал в зону видимости вездесущих камер, ворота гостеприимно распахнулись, и он беспрепятственно въехал во двор.

— Здорово, Борис, рад снова увидеться, — дружелюбно приветствовал Гуров старшего охранника, который вышел встретить его.

— Здравствуйте. Проходите в гостиную. Тамара Максимовна ждет вас.

В тоне Бориса чувствовалось напряжение и некая неуловимая «официальность», которую Лев не заметил при прошлой встрече. Из этого он сделал вывод, что, несмотря на всю свою добросовестность, в отсутствие хозяев охранники чувствуют себя более свободно, чем постоянно находясь «на глазах».

Пройдя в дом, Гуров почти сразу увидел хозяйку. Она ждала его в холле, просторной, стильно оформленной комнате, откуда шла лестница на второй этаж.

Тамара Развалова была статной ухоженной женщиной, несмотря на возраст сумевшей сохранить и вполне привлекательную внешность, и хорошую фигуру. Выглядела она совершенно спокойной и мало походила на убитую горем безутешную вдову.

— Гуров Лев Иванович, — слегка наклонив голову, представился полковник.

— Тамара Максимовна, — представилась она в ответ. — Вы хотели задать мне какие-то вопросы?

— Да, я расследую... печальное происшествие с вашим супругом, — тщательно подбирая слова, сказал он. — Понимаю, что вам тяжело говорить об этом, но думаю, что вы не меньше нас заинтересованы в том, чтобы как можно быстрее поймать преступника. Поэтому я рискнул побеспокоить вас в такой момент. Буду признателен за любую помощь следствию.

— Не знаю, чем я могу помочь, — спокойно ответила Тамара. — Ведь меня не было здесь все это время. Я совершенно не в курсе того, что происходило в последние дни, и не представляю, кто мог бы... сделать это. Думаю, даже Борис сможет рассказать вам больше. Это наш старший охранник, вы не хотите побеседовать с ним?

— С ним я уже беседовал, все, что знал, он мне рассказал. Но если я правильно понял, обслуживающий персонал не мог вмешиваться в хозяйские дела? Борис говорил, что им даже не разрешали входить в дом.

— Ну, это явное преувеличение, — чуть улыбнувшись, произнесла Тамара. — Не разрешалось приходить без особой нужды: Игорь не любил, чтобы в доме толклись посторонние. Но если возникало действительно нужное дело или важный разговор, отчего же? Можно было и приходить, и разговаривать.

— Это если дело касалось вопросов охраны или еще каких-то работ по дому. Но в свои личные дела вы их, конечно же, не посвящали?

— Разумеется, нет, — высокомерно приподняла бровь Тамара. — Это было бы даже странно.

— Вот и я об этом. Как бы ни был осведомлен Борис в плане того, что происходило в эти дни на участке, он не может знать всех подробностей деловых и личных взаимоотношений Игоря Владимировича. А именно такие подробности очень часто помогают выйти на... преступника. Преступление всегда имеет какой-то мотив, и очень часто он кроется в нюансах человеческих отношений. У Игоря Владимировича были враги? Конкуренты, завистники? Может быть, кто-то собирался приобрести какой-либо ценный коллекционный экспонат, а господин Развалов оказался проворнее и перекупил эту вещь. Может быть, кто-то предлагал ему продать что-то, а он не продал. Может, просто повздорил с кем-то, а человек оказался злопамятным, и со временем его неприязнь только усиливалась. Подумайте, Тамара Максимовна, постарайтесь вспомнить.

93

Любое, даже самое незначительное обстоятельство может оказаться ключом к разгадке.

— Хм... — задумчиво произнесла Тамара. — Вы предлагаете мне указать на убийцу. Но, вообще-то, это ваше дело искать его. Я ведь уже сказала: я понятия не имею, кто бы мог это сделать. В свои коллекционные дела Борис меня никогда не посвящал, я знала об этом не больше, чем любой из «экскурсантов», которых он приводил иногда, чтобы показать коллекцию. Это я их так окрестила — «экскурсантами». Приводил их сюда, как в музей.

— И какие были отзывы? — с интересом спросил Лев.

— Как правило, положительные. У мужа была неплохая коллекция, хотя, честно говоря, сама я не очень в этом разбираюсь. Но он разбирался отлично.

— Видимо, поэтому она и привлекла внимание грабителей?

— Наверное. Но об этом я тоже могу сказать очень мало. Как и сам Игорь, наверное. Мы с ним в этот момент были в Италии. Он поехал, чтобы встретиться с какими-то людьми как раз вот по коллекционным вопросам. То ли купить хотел что-то, то ли продать. А может, просто посмотреть. Я не особенно вникала в эти его дела.

— Игорь Владимирович часто ездил за границу по вопросам коллекционирования?

— В общем, да. Несколько раз в год. Он не так много покупал в России, больше продавал здесь. А за новыми приобретениями ездил в основном за рубеж.

— Всегда вместе с вами?

— Нет, обычно один. А в этот раз просто совпало. Я хотела отдохнуть в Италии, и у него как раз нашлись там дела. Поэтому поехали вместе. На отдых Игорь не остался, поспешил вернуться, и вот... обнаружил сюрприз.

— Он рассказывал вам, каким образом узнал об ограблении?

— Да, позвонил почти сразу. Кричал, волновался. По-видимому, был просто в шоке.

— Еще бы! — с пониманием заметил Гуров. — Такой сюрприз любого повергнет в шок.

— Это да. Особенно поразило его, что была полностью отключена сигнализация. Уж так он с ней носился, так оберегал все эти коды и секреты. Даже мне не говорил. И вот чем закончилось.

— Как же это могло произойти? Если, как вы сказали, все эти «коды и секреты» знал только Игорь Владимирович, кто же мог отключить систему?

— Понятия не имею. Просто не представляю себе, — ответила Тамара, и по выражению ее лица видно было, что говорит она совершенно искренне.

— Вы не могли бы перечислить мне, кто регулярно бывал в вашем доме? Друзья, коллеги, обслуга. Экскурсанты, наконец. Кто появлялся наиболее часто?

— Часто? — немного задумалась Тамара. — Да нет, частых гостей у нас не бывало. Игорь предпочитал сам ходить куда-нибудь, чем приглашать к себе. Более-менее регулярно появлялась, пожалуй, только обслуга. Охранники и садовник, как вы, наверное, уже знаете, живут здесь, а вот горничные и повара у нас приходящие. Игорь не хотел, чтобы в доме постоянно находились посторонние.

— Горничные были всегда одни и те же? — осторожно спросил Лев.

— Да, у нас была своя «индивидуальна бригада», — чуть усмехнувшись, ответила Тамара. — Это нам специально подобрали в фирме.

— Что за фирма, если не секрет?

— «Хозяюшка». Занимается уборкой помещений и прочими сопутствующими делами. Мне порекомендовали знакомые, сказали, что персонал не сварливый, обязательный и работу свою выполняет качественно.

— И как, оправдалась рекомендация?

— Вполне. Они уже около трех лет у нас работают, не могу сказать ничего плохого. Девочки аккуратные, выполняют все, что требуется, если попросишь сделать что-то дополнительно, не отказываются. Я вполне довольна их работой.

— А какие у них взаимоотношения с вашей сложной сигнализацией? — улыбнувшись, осведомился Гуров. —

Если уж вам Игорь Владимирович не сообщал коды, то этим девочкам, наверное, и подавно.

— Разумеется, об этом он им ничего не говорил. Собственно, Игорь вообще практически не контактировал с обслугой. Этими вопросами занималась в основном я. Уборка и готовка — это традиционно женские области, думаю, вы со мной согласитесь.

— Да, пожалуй. Значит, это вы открывали, когда приходили горничные?

— Как правило. Если я была в отъезде, их впускал Игорь. Так что в каких-то особых «взаимоотношениях» с сигнализацией у них никакой необходимости не было.

— А если вы оба были в отъезде?

— В таких случаях просто никто не приходил. Ни убираться, ни готовить. Игорь запирал дом, включал все внутренние камеры и звуковую сирену. При любой попытке проникнуть в дом здесь поднялся бы такой переполох, что небу стало бы жарко. Когда нам ставили эту систему, муж для эксперимента попробовал открыть дверь, не отключив звук. Не знаю, кто как, а у меня чуть было не взорвались перепонки. Думаю, слышно было даже в Америке.

— Понятно. Но когда кто-то из вас был дома, этот волшебный звук, наверное, отключали?

— Разумеется. Единственное, что всегда оставалось под наблюдением и со включенной сиреной, — это помещения с картинами. Уму непостижимо, как оттуда могли что-то вытащить. Игорь отключал сирену только в тех случаях, когда водил туда «экскурсантов». Даже когда мы сами были дома, все это оставалось включенным.

— А внутренние камеры? Они работали, когда дома находились сами хозяева?

— Нет. Зачем нужны видеокамеры, когда мы сами здесь? Уж как-нибудь проследим за собственной безопасностью, — улыбнулась Тамара. — К тому же во дворе всегда дежурит охрана. Под постоянным наблюдением, как я уже сказала, находился только «музей». Чтобы подстраховаться, Игорь обычно включал на ночь еще одну камеру в коридоре, куда выходила дверь из той комнаты.

— А также из ваших спален? — уточнил Гуров.

— Да, и оттуда, — удивленно приподняла бровь Тамара. — А откуда вы об этом знаете?

— Я уже осматривал дом.

— Вот как? — Холодное недовольство, отразившееся на лице собеседницы, лучше всяких слов доказывало, что визиты посторонних в этом доме явно не приветствуются.

— Да, именно так, — ничуть не смутившись, ответил Лев. — Понимаю, что вы не привыкли, чтобы кто-то разгуливал по дому в ваше отсутствие, но совершено серьезное преступление, и моя задача — сделать все для того, чтобы раскрыть его.

— Да, разумеется, — так же холодно проговорила Тамара.

— Я пытался найти путь, которым сюда мог бы проникнуть преступник, и, честно говоря, не сумел разгадать эту загадку. Обе двери были заперты изнутри, все подходы к дому контролируются, в коридоре, ведущем в спальню, включена видеокамера... Как можно было при таких условиях вообще проникнуть в дом, уже одно это неразрешимая тайна. А уж проникнуть незаметно... На данный момент я могу объяснить это лишь чудом, а моя профессия совсем не располагает к вере в чудеса. Поэтому я хочу обратиться с этим вопросом к вам. Вы долгое время живете в этом доме, знаете массу нюансов, о которых я, даже тщательно осмотрев его, могу не догадываться. Как, по-вашему, каким способом мог бы проникнуть сюда преступник? Хотя бы предположительно? Подумайте, постарайтесь сосредоточиться. Эти люди коварно расправились с близким вам человеком, уверен, вы не меньше моего заинтересованы в том, чтобы мы смогли раскрыть это преступление и привлечь их к ответственности.

Говоря свою речь, Лев старался быть искренним и убедительным, но, глядя на спокойно-надменное лицо Тамары, в глубине души был не особенно уверен в ее заинтересованности. Женщина оставалась наследницей неплохого состояния, а учитывая возраст и количество времени, прожитое вместе с Разваловым, трудно было предположить, что в их отношениях до сих пор бушевало пламя страсти. Может, она вообще была рада, что отделалась. Обналичит денежки, заведет себе молодого любовника, да и будет жить-поживать в свое удовольствие. И плевать ей, найдут убийцу ее «близкого человека» или не найдут.

— Нет, я не знаю, — ответила Тамара. — Не вижу способа. Понятия не имею, как они могли проникнуть сюда. Двор охраняется, двери заперты изнутри, на окнах решетки. А на втором этаже Игорь даже рамы никогда не открывал. По крайней мере, я не припомню такого случая. Ведь везде в доме стоят кондиционеры, зачем же еще дополнительно проветривать? Так что и через окна второго этажа попасть в дом нереально. Разве что разбить стекло. Но тогда все бы услышали, и Игорь, и охрана. Нет, я не знаю.

— А ваш супруг не принимал снотворных препаратов? — внимательно взглянул на нее Гуров. — Не могло получиться так, что он действительно чего-то не услышал?

— А вы знаете... — как бы что-то вспомнив, медленно произнесла Тамара. — Вот вы сейчас сказали, и я подумала... а ведь это вполне возможно. Хотя обычно Игорь таблеток не принимал, но если о чем-то беспокоился или были какие-то неприятности... да, он мог. Иногда так бывало при покупке или продаже его экспонатов. Если сделка была сложная или с покупателями возникали какие-то недоразумения и он нервничал, то да, тогда мог выпить снотворное. Ведь отдыхать тоже нужно, а когда организм на взводе, тут уж не заснешь. Да, это вполне возможно. Если учесть, что совсем недавно произошло это ограбление, — вполне. Игорь наверняка сильно переживал по этому поводу, за один день такие впечатления не сгладятся. Странно только, что охрана ничего не слышала. Они-то навряд ли спали.

— Да, это пока вопрос открытый. Но давайте вернемся к вопросу о персонале. Вы упоминали, что «индивидуальная бригада», которая работала у вас, была постоянной и состав горничных не изменялся. Но ведь в жизни случается всякое. Человек может заболеть, уехать, взять отпуск, в конце концов. Если кто-то из вашей бригады не мог выйти на работу, как решался этот вопрос?

— Очень просто. Из фирмы присылали кого-нибудь на замену, и все шло по обычному сценарию.

— А вы не могли бы уточнить этот сценарий? Как именно происходила уборка дома?

— Если это так важно, я, конечно, объясню, хотя... Впрочем, ладно. Вы полицейский, вам виднее, о чем спрашивать. Если Игорь был дома, уборку начинали с его «музея», двух комнат, где находились коллекционные экспонаты. Он отключал сигнализацию и все время, пока шла уборка, находился в этих комнатах. Когда девочки заканчивали, он снова подключал свои охранные системы и передавал горничных в мое распоряжение. Они переходили в другие комнаты, постепенно спускаясь до нижнего этажа. Там у нас в основном технические помещения, но ведь они тоже должны содержаться в чистоте.

— Полностью согласен. Вы следили за работой горничных так же пристально, как и супруг?

— Нет, конечно, — слегка улыбнувшись, ответила Тамара. — Зачем без причины нервировать людей? Я ведь не надсмотрщик. То, что они делают работу качественно, мне было известно, так что в каком-то особо бдительном контроле не было надобности. Заходила только посмотреть, когда уже заканчивали, да и то не всегда. Я ведь уже говорила вам, эти люди работают у меня давно. Они знают мои требования, я знаю их способности. Нет смысла отслеживать каждое движение.

Слушая рассказ Тамары, Гуров думал о том, что для хозяйки такая стабильность в составе обслуживающего персонала, конечно, являлась положительным фактором. Но для него самого и для целей расследования это оборачивалось очередным тупиком.

Горничные, добросовестно работавшие в доме на протяжении нескольких лет, просто по определению не могли быть связаны с какими-то преступными элементами. Не бывает так, чтобы человек всю жизнь был добропорядочным гражданином, а потом ни с того ни с сего взял да и сделался вором. Да и «Хозяюшка» не смогла бы так долго удержаться на плаву, если бы ее сотрудники походя воровали. Но, с другой стороны, кто еще, кроме обслуживающего персонала, мог собрать информацию, необходимую для успешного ограбления? Кто еще мог пролезть в каждую щель, пробраться в самые потаенные закоулки, кто мог беспрепятственно и вполне легально разгуливать по всему дому с благой целью наведения чистоты? В чем же здесь фишка? Где ключик, которым открывается этот сундучок с парадоксами?

— Так, значит, уборка всегда происходила по одному и тому же сценарию? — вновь обратился он к Тамаре. — Сверху донизу и во всех укромных уголках?

— Да, как правило. Правда, если Игоря не было дома, в «музее» не убирались, сигнализацию в этих комнатах он контролировал только самолично. Даже мне не доверял коды от своих бесценных экспонатов, — усмехнулась она, но в этой усмешке сквозила обида. — В остальном же порядок был всегда одинаковый.

— А в тех случаях, когда происходили замены, новые горничные, присланные из фирмы, так же хорошо справлялись со своими обязанностями? Ведь не все могут быстро сориентироваться в непривычной обстановке. У вас не было к ним претензий?

— Нет, не было. Уборка, она и есть уборка, если человек работает добросовестно, он везде сориентируется. — Тамару явно начинал раздражать этот разговор об уборке, по ее мнению, наверняка не имеющий никакого отношения к расследованию дела об убийстве. — Что именно и где необходимо было убирать, новеньким объясняли те, кто работал у нас долгое время, так что мне самой не приходилось даже вмешиваться. Все происходило совершенно естественно и без проблем. К тому же такие подмены случались нечасто.

— А вы не можете припомнить, когда это было последний раз?

— Последний раз? — как бы припоминая, задумалась Тамара. — Хм, а вы знаете, в общем-то, и не так давно.

Недели две назад или чуть больше. Незадолго до нашего отъезда в Италию. Одна из девочек отпросилась, сказала, что они с мужем хотят съездить куда-то отдохнуть. Что ж, я отпустила. Всего неделя, ничего страшного. Позвонила в фирму, объяснила ситуацию. Там, как обычно, отнеслись с пониманием, пообещали прислать другую сотрудницу. Ну, и прислали. Три раза она выходила, помогала нам тут. Горничные приходят три раза в неделю, кажется, я не сказала вам. Вот, как раз неделя и получилась. Ничего, все прошло нормально. Без проблем. Я, честно говоря, всегда с некоторой подозрительностью отношусь к новым людям, поначалу следила за ней. Но ничего, хорошая, аккуратная девочка. Отзывчивая, исполнительная, работает качественно. Да бойкая такая, все у нее просто горит в руках. Ничего, мне понравилась.

Спокойно и не торопясь Тамара рассказывала про «новенькую», а в это время в голове ее невнимательного слушателя бушевало настоящее цунами.

«...незадолго до нашего отъезда...», «...присылали кого-нибудь на замену...», «...в некоторых случаях приходится использовать даже альпинистское снаряжение...» — эти и другие обрывки недавних разговоров вихрем кружились в памяти, рождая предчувствие скорой разгадки.

— Простите, — перебил Тамару Лев. — Я должен ненадолго вас оставить. Мне необходимо еще раз осмотреть подходы к дому. — Вскочив с дивана, он чуть ли не бегом бросился к выходу из гостиной, оставив хозяйку в совершенном недоумении.

«Новенькую прислали перед самым отъездом, — лихорадочно соображал Лев, пытаясь собрать разрозненную мозаику мыслей в цельную картину. — То есть, другими словами, накануне ограбления. Развалов в это время находился дома, значит, в «музее» убирались. Постоянные горничные в любом случае должны были объяснять новой товарке, где и что нужно мыть. При хорошей коммуникабельности «раскрутить» их на некоторые дополнительные сведения, не касающиеся собственно уборки, было не так уж сложно. А Тамара сама сказала, что девушка была «бойкая». Значит, секретного «информатора» внедряют путем подмены заболевшей горничной. Неужели я угадал?»

Неизвестно, по каким причинам, то ли от постоянных мыслей об одном и том же, то ли просто потому, что пришло время озарений, но Лев был почти уверен, что нашел ответ на еще один важный вопрос, долго остававшийся без ответа. По странному капризу подсознания, параллельно с фразами о горничных ему вспомнились фразы о мойщиках окон и почти сразу же пришла догадка, каким именно способом преступники могли пробраться внутрь дома, минуя сигнализацию, входные двери и даже окна второго этажа.

«Элемент декора... — досадуя, что не сообразил сразу, вспоминал он слова Бориса. — Ах ты, чтоб тебя! Элемент декора... А вот я сейчас проверю, что это за элемент декора. И если я угадал и тут... тогда держитесь!»

Не формулируя конкретно, кому именно нужно будет «держаться», Гуров быстрым шагом обошел дом и вскоре очутился возле той его стороны, которая была обращена к саду. Здесь так же, как и по всему периметру здания, на стенах были укреплены видеокамеры, но территорию, находившуюся непосредственно возле самих стен строения, они не захватывали, и пространство шириной метра полтора-два оставалось вне видеоконтроля.

Вероятно, в свое время эти участки находились в поле зрения камер, укрепленных на изгороди. Однако после того, как посаженные возле дома декоративные растения разрослись, эти камеры уже плохо справлялись со своей задачей. Достаточно было бросить беглый взгляд на прилегающий ландшафт, чтобы определить скрытый от нескромных взоров путь, которым можно было подобраться почти вплотную к дому.

«Здесь эта здоровенная туя, там елки, можжевельники... еще какие-то кусты, — мысленно перечислял Лев, перенося взгляд с одного растения на другое. — Если чуть пригнуться, вполне можно пройти незаметно ни для каких камер. А там уже начинается парк, вообще хоть в полный рост гуляй. Черт! И как я сразу не понял? Вот же она, дорога. Через соседей на участок, потом в парк, потом между этих елок и кустов, и вот ты уже практически под окнами дома. А здесь... что у нас здесь?»

Обернувшись к зданию, он сразу понял, что «здесь» тоже все в порядке. Причуды неизвестного архитектора, разработавшего прихотливый проект, вполне позволяли, подобравшись к дому, укрыться в тени его гостеприимных стен. Бесчисленное количество пристроек, арок и ниш могло удовлетворить вкус самого притязательного и капризного «шпиона».

Практически напротив того места, которое Лев мысленно определил для себя как «дорогу», на всю высоту здания шла ниша, образованная двумя пристройками в виде башен. Башенки имели узкие стилизованные окна, через которые даже при большом желании не много можно было разглядеть, а глубина ниши ограничивалась глухой стеной. Подняв голову, он увидел две остроконечные макушки, венчавшие башенки, и крутой скат крыши между ними, на котором располагался тот самый «элемент декора», о котором говорил ему Борис — небольшое слуховое окно, через которое можно было заглянуть на чердак.

«Элемент декора... Ах ты, чтоб тебя!» — снова с досадой подумал Гуров, тем же быстрым шагом возвращаясь в дом.

— Мне необходимо осмотреть чердак, — влетая в гостиную, сообщил он Тамаре. — Как я могу это сделать?

— Чердак? — в совершенном недоумении проговорила она. — Но... то есть... Конечно, если это необходимо... тогда, конечно. Там, кажется, люк и дверца. Она обычно заперта, ни у кого нет особой нужды бывать там. Чердак совершенно пуст. Даже не знаю, зачем вам могло понадобиться... Впрочем, если это необходимо... Я сейчас позвоню старшему охраннику. Все запасные ключи у него.

Тамара подошла к журнальному столику, где лежал телефон, и после короткого разговора и столь же непродолжительного ожидания в гостиной появился Борис.

— Все-таки решили проверить? — чуть улыбаясь, проговорил он. — Что ж, вам виднее. Но этот ход практически никогда не используется. Он предусмотрен на тот случай, если будет повреждена крыша и придется делать ремонт. Но крыша у нас исправна, и лазить на чердак незачем. Он совершенно пуст.

— Вот и я сказала то же самое, — вступила в разговор Тамара. — Но... ты прав, Боря, господину полицейскому виднее.

— Благодарю, вы очень любезны.

Не тратя времени на объяснения и комментарии, Гуров спустился следом за Борисом в цокольный этаж. Ход на чердак вел оттуда, и, спустившись до самого низа, они начали утомительный подъем на самый верх.

Путь проходил в полном молчании, и Лев вдруг подумал, что, в отличие от ограбления, убийство могла организовать сама Тамара, и тогда, вполне возможно, сейчас следом за ним понимается по лестнице ее сообщник.

«Надо было пистолет взять, — усмехнулся он про себя. — Место здесь глухое, снаружи наверняка ничего не слышно. Не говоря уже о том, что не видно. Нападет сзади, накинет удавку на шею, и поминай как звали».

— Видите, как неудобно, — вопреки его черным подозрениям, совершенно миролюбиво произнес Борис. — Это мы еще налегке поднимаемся. А представьте, что было бы, если бы пришлось тащить вверх картины. У Игоря Владимировича были и довольно крупные. Они просто в чердачную дверцу не пролезли бы. Ведь вынесли все с рамами. Вам, как следователю, конечно, виднее, но мне кажется, эта лестница — очень неудобный путь. Пусть даже и для преступников, которые хотят остаться незамеченными.

— Этим путем можно попасть в дом, — напомнил Гуров.

— Да, но и на саму лестницу можно попасть только из дома. Замкнутый круг.

— Из дома или с чердака.

— Это да. Но для этого, опять же, придется каким-то образом умудриться попасть на чердак. А как, спрашивается, смогли бы они сделать это, если...

За разговором они добрались до вожделенной дверцы, и, произнося последнюю фразу, Борис, вставив ключ в скважину огромного навесного замка, попытался его повернуть. Но не тут-то было. Надавив раз, другой, старший охранник не увидел никакого результата, и это заставило его прервать фразу на полуслове.

— Что за черт, — в недоумении пробормотал он. — Заржавел, что ли? Да нет, вроде нормальный.

А Лев сразу все понял, и происходящее уже не вызывало у него удивления. Немного понаблюдав за бесплодными усилиями старшего охранника, он коротко спросил:

— Ножовка по металлу есть?

— Что? Зачем? — в изумлении вытаращил глаза Борис.

— Не тупи, Боря. Твой запасной ключ от другого замка. Этот повесили сюда ваши недавние гости. Чтобы попасть на чердак, через который они проникли в дом, нам придется перепилить дужку. Точнее — тебе. Так есть ножовка?

— Ножовка? В смысле, я хотел сказать, у нас точно нет, — наконец вышел из ступора Борис. — Разве что у дяди Коли спросить.

— Спрашивай у дяди Коли, консультируйся с соседями, перепиливай замок или взрывай к чертовой матери эту дверь, но на чердак я должен попасть. И чем скорее, тем лучше. Оставаться здесь с ночевкой я не планирую.

— Да, конечно, я... я постараюсь.

— Вот и чудно. Кстати, чуть не забыл спросить. Если входная дверь заперта ключом снаружи, изнутри ее можно открыть без ключа?

— В общем да, но, чтобы попасть внутрь, нужно сначала отключить сигнализацию, а иначе...

— Спасибо, Боря, — оборвал его Лев. — Теперь мне все понятно. Поторопись с замком. Время уже позднее, а у меня жена ревнивая.

Сказав это, он прошел к лестнице и быстрым шагом стал спускаться вниз. Ему действительно было почти все понятно. Путь, которым преступники проникли в дом, представлялся ясным как на ладони.

«Они просто залезли по веревкам. Недаром уже в самом начале этой головоломки пришел мне на ум образ Человека-Паука. По сути, все так и было. Ведь эти чистильщики фасадов, которые, если верить милой девушке, иногда используют даже альпинистское снаряжение и прекрасно справляются, ведь они из той же фирмы. Горничная добывает информацию, бравые ребята осуществляют конкретные действия. Эта ниша между двумя башенками — просто идеальное местечко для подъема. Закинул «кошку» и ползи себе, горя не знай. На всю высоту «паук» с обеих сторон прикрыт пристройками, а чуть только доберется до верха — тут у него уже и подходящая лазейка наготове. То самое пресловутое слуховое окно, в котором, если верить Борису, не открывается рама. Посмотрю я, как она не открывается. Для чего бы понадобилось им менять замок, как не для того, чтобы свободно лазить на этот чердак когда вздумается? Поэтому с рамой наверняка проблем не возникло, если не открыли, так просто вытащили. А потом вставили на место, как будто так и было».

Схема проникновения в дом была понятна, а схема действий в доме была еще проще. Вход в помещение из цокольного этажа — это не вход с улицы, соответственно, никакими «противовоздушными сиренами» он не охранялся. Никем не замеченные и никого не потревожившие, преступники могли легко добраться до пульта рядом с кабинетом Развалова, с которого отключалась сигнализация.

«Да, сигнализация, пожалуй, пока самое слабое звено в этой цепочке, — вновь думал Гуров. — Добраться-то они могли и, имея доступ к пульту, могли даже стереть запись того, как они «добирались». Но чтобы отключить сирену и камеры, нужно было знать эти пресловутые секретные коды. А их знал только сам Развалов, и что-то подсказывает мне, что этой информацией он ни с кем не делился. Да, сигнализация — это пока самый слабый пункт».

Зато по поводу всех остальных «пунктов» он не видел практически никаких сложностей. Пробравшись внутрь и отключив сигнализацию, зная, что хозяин приедет только через несколько дней, преступники могли свободно распоряжаться в пустом и теперь уже неохраняемом доме и выбрать любой, самый комфортный способ «извлечения» оттуда коллекционных раритетов.

Их могли переправить тем же путем через чердак, могли спустить через окно, выбрав такое, которое не контролируется камерами. Наконец, могли просто вынести через дверь черного хода, расположенную довольно укромно и контролируемую лишь беззаботными «обходчиками», которые вместо бдительного отслеживания ситуации только болтают по телефону. Главная трудность состояла в том, чтобы зайти, а уж с тем, как выйти, проблем у преступников наверняка не возникло.

«То же самое и с убийством, — уверенно предполагал Лев, поднимаясь из цоколя в гостиную. — Залез этот парень наверняка снова через чердак. А вышел... Вышел, скорее всего, как-то по-другому. Ведь замок был закрыт изнутри. Хотя... в общем-то, тут тоже возможны варианты. Это уже детали, их можно уточнить позже. Желательно у самого убийцы. Сейчас нужно подтвердить главную догадку — по поводу способа проникновения в дом и связи преступников с персоналом этой «Хозяюшки». И если эта догадка верна, значит, и воры, и убийца самым тесным образом связаны с хозяевами клининговой фирмы. Явное несоответствие практически безупречной репутации этой компании и реальных действий, которые она прикрывала в качестве ширмы, говорят о том, что противозаконная деятельность здесь очень хорошо законспирирована. Похоже, «у руля» безобидной «Хозяюшки» стоят весьма опытные и «продуманные» бандиты, имеющие и обширные связи в криминальной среде, и соответствующие возможности для того, чтобы эти связи эффективно использовать».

— Выяснили, что хотели? — неприязненно спросила Тамара, вновь увидев в гостиной Гурова.

— Да, в основном, — рассеянно ответил Лев. — Тамара Максимовна, вы не припомните, как звали горничную, которая в последний раз выходила на замену? Ту самую, бойкую, которая вам так понравилась?

— Которая выходила на замену? — Высокомерная вдова, кажется, взяла за правило демонстрировать изумление при каждом новом вопросе Гурова. — Отчего же, я прекрасно запомнила. Ее звали Лиза. Елизавета. А вот фамилию не помню. Если у каждого запоминать фамилию... — Ледяной взгляд, которым полковника смерили с ног до головы, со всей очевидностью показывал, что его фамилию здесь тоже никто не запомнит.

— Да, действительно, — согласился он. — Если за каждым запоминать, никакого жесткого диска не хватит.

— Что?

— Да нет, ничего. Это я так, о своем, о девичьем. Что-то Борис у нас запропастился. Пойду поищу его. Вы можете отдыхать, Тамара Максимовна. К вам у меня больше нет вопросов.

Выйдя из дома, Лев обнаружил, что Борис никуда не «запропастился», а предпринял очень активные действия по поиску инструмента, необходимого для вскрытия замка.

— Вот, — с довольным видом продемонстрировал он Гурову ножовку. — У дяди Коли нашлась. Он у нас хозяйственный, чего только не натащит в эту свою хибарку. Хоть мастерскую открывай.

— Так это же прекрасно, Боря. Видишь, и пригодилась «мастерская». Теперь дело за тобой. Ты парень подкачанный, мускулистый, стоит чуть принажать — вмиг эту дужку перекусишь. Дерзай. А я пока немного с ребятами твоими пообщаюсь.

Отправив Бориса пилить замок, Гуров зашел в помещение, где «квартировали» охранники, и велел продемонстрировать ему все ракурсы, с которых снимали территорию внешние камеры.

108

Как он и ожидал, заветная ниша между двумя башенками в объективы не попадала. Отсмотрев картинки, он только на двух нашел изображение интересующего его участка, да и то лишь для того, чтобы убедиться, что камеры «стреляют» мимо. Они лишь вскользь захватывали внешнюю часть башенок, но укромное углубление и прикрытый густой растительностью подход к нише не отобразились ни в одном из секторов полиэкрана.

Довольный, что его предположения в очередной раз подтвердились, Гуров вновь отправился на чердак.

Энергично работая ножовкой, Борис заканчивал свое «черное дело».

— Пилите, Шура, пилите, — улыбаясь, процитировал Лев фразу из классического романа. — Уже очень скоро оно будет золотое.

— Да нет, похоже, уже не будет, — усмехнулся старший охранник, разнимая перепиленную дужку. — Все, увы, исключительно железное.

— Ничего, это тоже неплохо. Вскрывай-ка этот ларчик, да пойдем посмотрим, что там внутри.

Пригнувшись, Гуров, а следом за ним и Борис пролезли в низенькую дверцу и осмотрелись.

Предзакатное солнце сквозь небольшие оконца довольно слабо освещало пространство, создавая таинственный полумрак. Но и в этом полумраке совсем несложно было обнаружить следы недавнего пребывания на чердаке неких таинственных посетителей.

Толстый слой пыли, устилавший перекрытие и явно свидетельствующий, что заглядывали сюда действительно нечасто, в одном месте пересекался хорошо натоптанной тропинкой. Вела она, как и следовало ожидать, к одному из «элементов декора» — небольшому слуховому окну.

— Не помнишь, когда сюда приходили в последний раз? — не оглядываясь на Бориса, спросил Лев. — Легально, я имею в виду.

— Честно говоря, нет, — ответил тот. — Да и повода не было, зачем сюда лазить?

— Да, действительно. Если кто-то сумел заменить замок, и никто даже ничего не заподозрил, значит, повода действительно не было, — кивнул Гуров.

Подойдя к окну и взявшись за края рамы, он слегка потянул на себя. Рама с легкостью вышла и через минуту уже была у него в руках. Выглянув в образовавшееся отверстие, Гуров, как и ожидал, увидел перед собой ведущий вниз узкий тоннель между двумя башенками.

«Что ж, с этим, пожалуй, все ясно, — мысленно резюмировал он. — Схема проникновения очевидна. Не совсем понятно с сигнализацией, но, учитывая, что ребята здесь, похоже, ушлые, думаю, «обезвредить» ее не составило для них особой проблемы. Работала здесь явно целая группа, наверняка в ее составе нашлись подходящие «специалисты». Теперь все внимание нужно сконцентрировать на этой «Хозяюшке» и постараться получить максимум информации о том, что это за такая загадочная контора, откуда она взялась и каким образом так удачно раскрутилась. Исходные точки для ограбления, а возможно, и мотивы убийства находятся именно там. Значит, туда и нужно отправляться на поиски».

Придя к такому выводу, Лев вставил раму на место и развернулся, чтобы идти обратно.

— Так, значит, они залезли отсюда? — все еще пребывая в шоке, проговорил Борис.

— Да, Боря, именно. Именно отсюда они проникли в дом, и, как ты сам понимаешь, звуковая сигнализация момент этого проникновения не зафиксировала. Просто не смогла.

— Да, конечно. Ведь она подключена только к входным дверям и к «музею». А они, получается, зашли изнутри. Точнее, снаружи, но... изнутри. Только как же... Как им удалось обмануть камеры? Ведь все подходы к дому просматриваются.

— Увы, Боря, к сожалению, не все. С тех пор как был построен этот дом, на участке кое-что изменилось. Деревья, как говорится, стали большими, и сейчас обзорность у твоих камер уже далеко не такая тотальная, как прежде. Пора корректировать систему. Давно пора.

Глава 6

На следующее утро Гуров углубился в изучение данных Интернета, отчетности, предоставляемой в налоговую инспекцию, а также некоторых специальных информационных баз, доступных ему в силу служебного положения.

Перелопатив огромные объемы информации, он узнал о скромной и незатейливой фирме «Хозяюшка» столько интересного, что сам был изумлен. Из-за вывески милой и уютной компании, не претендующей ни на что, кроме мытья полов и окон, неожиданно показался безобразный монстр, с удручающей периодичностью «пожирающий» имущество доверчивых клиентов.

Лев уже успел убедиться на опыте, что попытки получить какие-то факты, полезные для расследования, через рядовых сотрудников фирмы бесперспективны. Поэтому свой «статистический марафон» он начал не с второстепенных личностей, а сразу с главного, решив первым пробить даже не директора, а самого владельца компании.

И не ошибся. Собственник «Хозяюшки», некто Бероев Артур Халилович, оказался личностью настолько разноплановой и неординарной, что о нем можно было бы слагать легенды.

В «лихие 90-е» Бероев входил в банду Наиля Закирова по прозвищу «Туркмен». Бероев был правой рукой главаря и имел большой авторитет. Бандиты «работали» в юго-восточной части столицы, специализировались на крупных грабежах. Кроме этого, за бандой числилось несколько убийств. Однако за все время ее существования органам внутренних дел так и не удалось привлечь ни одного из бандитов к серьезной ответственности. Действия преступников были так хорошо просчитаны, что следователям просто не к чему было придраться. Практически все предъявленные обвинения суд отклонял за недостаточностью улик.

Многие считали, что именно благодаря участию Бероева членам банды удавалось так успешно избегать ответственности за свои деяния. Смекалка и дерзость, с которыми тот действовал, позволяли ему и его подручным

111

выходить сухими из воды даже в самых, казалось бы, безнадежных ситуациях.

Столь же успешно сумел он сориентироваться и тогда, когда обстановка в стране изменилась и разудалая «лихость» стала уже немодной. Почуяв, куда именно дует «ветер перемен», Бероев стал постепенно отходить от «дел» в банде и переключаться на легальные виды деятельности. Перепробовав массу вариантов — от аренды площадей на рынках до участия в акционерных обществах, — в итоге он практически полностью переключился на оказание услуг по уборке помещений.

Небольшая фирма с теплым названием «Хозяюшка» была создана спонтанно, как ответ на постоянные жалобы жены на то, что нанятые уборщицы не умеют обращаться с тряпкой. К тому времени Бероев уже был довольно известным человеком в бизнес-среде и мог позволить себе вполне легально приобретать элитную недвижимость, не опасаясь, что кто-то засомневается в чистоте его доходов.

Поговорив со своими знакомыми, такими же, как и он, новоиспеченными владельцами запредельного количества квадратных метров, Бероев выяснил, что проблема качественной уборки актуальна практически для всех. Богатые друзья готовы были платить хорошие деньги, и бывший бандит к торговле и дивидендам решил, в виде эксперимента, добавить еще и клининг.

На тот момент на рынке практически не было специализированных компаний, предлагающих подобные услуги, мытье полов не считалось видом бизнеса. Оказавшись одним из немногих и имея очень неплохую базу потенциальных клиентов, основную часть которых составляли его знакомые, Бероев раскрутил новое дело очень быстро и успешно. Ориентация на клиентуру со средним и высоким уровнем дохода позволяла назначать хорошие цены за самые незатейливые услуги, а неизменное качество выполнения работ, которое бдительно контролировал сам владелец, постоянно привлекало новых клиентов, уровень дохода которых тоже был очень неплохим.

Вскоре Бероев увидел, что доходы от «Хозяюшки» составляют больше половины того, что он получает от всех своих вложений, и решил сделать эту фирму основным видом бизнеса. Он вывел часть средств из других активов, открыл несколько новых офисов и добавил в перечень несколько дополнительных «специализированных» услуг, наподобие чистки фасадов. В качестве специализированных такие услуги оценивались дороже и составляли еще одну неплохую статью дохода.

Охватив своей сетью почти всю столицу, Бероев мог бы спокойно почивать на лаврах и, пользуясь результатами своих трудов, жить припеваючи, переезжая с курорта на курорт. Однако темперамент и беспокойная натура требовали деятельности.

Как человек сообразительный и находчивый, он очень скоро понял, что разветвленность и устоявшаяся положительная репутация его фирмы могут надежно, а главное, совершенно безопасно обеспечить еще одну статью дохода. Статью довольно своеобразную, но, несомненно, выгодную и, кроме того, позволяющую вновь окунуться в возбуждающую атмосферу риска и авантюры, вспомнить прошлые «золотые» времена.

«Когда он совершил первое ограбление? — думал Гуров. — Сколько времени на тот момент уже существовала его успешная фирма? Год, два? Да нет, наверное, больше. Парень-то не дурак, наверняка он понимал, что в «органах» у него сложилась вполне однозначная репутация, и если с кем-то из его клиентов случится «казус», заподозрят в первую очередь его. Нет, тут надо было выждать. Чтобы прошло время, чтобы сменились кадры, чтобы подзабыли его подвиги, совершенные в банде Туркмена. Тогда уж и начинать все по новой».

Размышляя о том, как можно вычислить другие ограбления, совершенные Бероевым уже в качестве легального бизнесмена, Лев пришел к выводу, что путь здесь только один — сопоставить клиентскую базу «Хозяюшки» и данные по нераскрытым грабежам за время существования этой фирмы. Там, где обнаружится совпадение фамилий потерпевших и клиентов, можно с большой долей вероятности предполагать причастность Бероева.

Но чтобы получить клиентскую базу, потребуется официальная санкция, а это сразу раскроет все карты и, несомненно, заставит опытного и осторожного «бизнесмена» насторожиться. Пожалуй, изымать данные о клиентской базе было пока рановато, сначала надо взять хозяина, а потом уж «шерстить» его фирму. Это и так будет непросто, ведь сам Бероев ничего не делал, он только организатор. И совсем не факт, что исполнители с первых же слов начнут закладывать «папу», поэтому придется очень и очень постараться, чтобы собрать доказательства.

— О, Иваныч! Отлично, что ты на месте.

Дверь распахнулась, и, прервав размышления Гурова, в кабинет, как буря, ворвался Крячко. Он снова был чем-то очень возбужден и взволнован, и уже через несколько минут Лев понял, что на сей раз для проявления эмоций имеются вполне уважительные причины.

— Ну и гусь, этот Развалов, — проходя к своему столу, продолжал возбужденно говорить Стас. — Ты даже не представляешь, что я нарыл!

— Поделись, попробую представить, — спокойно проговорил Лев, еще не подозревая, о чем пойдет речь.

— Даже не пробуй, — отрезал Стас, — все равно не угадаешь. Разве что действительно поделюсь. Но как все-таки обманчива внешность! Такой дом, такой дядя... солидный. А стоит поглубже копнуть...

— Да говори уже, не томи! Чего ты там накопал в глубинах? Коллекционер сделал свое состояние на наркоте?

— Да нет, — горько усмехнулся разуверившийся в человечестве Стас. — Состояние он сделал на картинах. Вот только — как сделал? Вот это, я тебе скажу, вопрос интереснейший.

— И как же?

— А очень просто. Покупал за рубль, продавал за сто.

— Не вижу здесь ничего интересного, — возразил Гуров. — Состояния, они всегда приблизительно так делают-

114

ся. А уж в сфере искусства и всяких антикварных штучек и подавно. Легкое мошенничество и обман при продаже — это здесь обязательный и даже необходимый элемент деловых взаимоотношений. Без этого...

— Легкое мошенничество?! — взвился Стас. — Купить подлинник Дюрера за пять копеек и продать за десять миллионов — это легкое мошенничество?!

— А где продают подлинники Дюрера за пять копеек? — после небольшой паузы спросил Лев. — Шепни адресок, я тоже схожу куплю.

— Вот именно, что нигде, — трагически резюмировал Стас. — Купить настоящую картину признанного мастера по дешевке можно только в одном случае. Сказать тебе, в каком, или сам догадаешься?

— Развалов покупал краденые картины?

— И картины, и статуэтки, и подлинники Фаберже, и много чего еще. Ты вот меня все торопишь, а спешка, между прочим, потребна только при ловле блох. Я хоть и не сразу тут сориентировался, зато на одного такого человечка вышел... золото, а не человечек. Он этого Развалова как облупленного знает, сам несколько раз клиентов ему находил.

— На ворованные подлинники?

— Именно. Такого мне порассказал — успевай только слушать. Правда, на протокол говорить наотрез отказался, гад. Ну, ничего. Что с него теперь возьмешь, с этого Развалова? Он уже свое получил. Теперь все его криминальные делишки, считай, списаны. Счет предъявить некому. Но через эти его тайные связи выйти на тех, кто его заказал, я думаю, вполне реально.

— Думаешь, убийство как-то связано с его коллекционной деятельностью?

— Да я просто уверен! — вновь эмоционально воскликнул Стас. — С чем еще это может быть связано? Знаешь, с какими ребятами он знался? Тут сам Аль Капоне отдыхает. Я ведь тебе главного не сказал. Незадолго перед убийством, буквально дня за три-четыре, он встречался с Рудиком.

— Что еще за Рудик?

— Некто Рудольф Аскеров, ближайший соратник и доверенное лицо Наиля Закирова, он же Туркмен. Ты, может быть, не в курсе, но в девяностые банда Туркмена держала в страхе весь юго-восток Москвы. И главное, ни одного из них так и не поймали. Вернее, ловили, но ничего серьезного предъявить не удавалось и приходилось отпускать. Потом времена изменились, резвиться ребятам стало уже сложнее, и Туркмен постепенно сдулся. Сейчас промышляет всякой мелочовкой. На хлеб, на квас, как говорится. А ближайший помощник его — вот этот самый Рудик. Он помоложе, побойчее, ему и флаг, как говорится, в руки. Туркмен уж отяжелел, только руководить может. Так вот, с этим самым Рудиком и встречался Развалов как раз накануне своей безвременной жестокой кончины. Усек?

«Туркмен?!» — не веря своим ушам, пытался переварить очередную сенсацию Гуров. — То есть что же это получается? Получается, что Развалов незадолго перед смертью контактировал с доверенным человеком Туркмена? Того самого Туркмена, с которым в свое время так плодотворно и удачливо работал Бероев? Выходит, что Бероев и Развалов связаны друг с другом?»

Но тут он вспомнил, как в разговоре Тамара Развалова упомянула, что «Хозяюшку» ей порекомендовали знакомые. Если бы ее муж был лично знаком с владельцем фирмы, в такой рекомендации не было бы нужды, и схема появления горничных в доме коллекционера выглядела бы иначе. Значит, Бероев и Развалов лично знакомы не были, но каким-то загадочным образом пересеклись через «отяжелевшего» Туркмена. Чем могло быть вызвано это пересечение?

— Алло, Иваныч! Ты сейчас где? — вывел Гурова из задумчивости нетерпеливый Стас. — Никак не можешь сообразить? Ладно уж, подскажу тебе разгадку. Я сегодня добрый. Хочешь верь, хочешь нет, а я тебе просто голову на отсечение даю, что этот Развалов купить что-то хотел у Туркмена. Тот ведь «деятельность» свою продолжает помаленьку. Надо, кстати, навести справки, не пропадали ли где произведения искусства. Так вот, тот стибрил, а этот хотел купить. Как всегда, за копейки. Только Туркмен, он ведь тоже не дурак, он расклады-то знает. Понял, что Развалов собирается его на «бабки» сделать, да и того... Ему ведь не привыкать. За его бандой до сих пор мокрухи недоказанной целый список.

— Может быть, и так, — наконец нарушил молчание Гуров, — только ты голову побереги пока, не спеши на отсечение давать, может, еще для чего-нибудь сгодится. Ты лучше меня послушай. Я тут тоже не все кроссворды разгадывал. Тоже кое-чего нарыл. Хозяин этой «Хозяюшки», которая прибиралась у всех потерпевших, не кто иной, как Артур Бероев. Если ты так много знаешь про банду Туркмена, то и про него должен знать.

— Бероев?! — изумленно вскинул брови Стас. — Вот это номер! Ну да, конечно, я знаю. Он в свое время главным «тайным советником» у Туркмена был. Говорят, что именно благодаря ловкости Бероева тот так и не сел за решетку. Хотя вот уж кого точно не мешало бы туда пристроить. Ходили слухи, что Бероев со временем отошел от дел, легализовался... Погоди-ка... Так это выходит, что он, завязав с бандитизмом, открыл фирму по мытью полов? Вот это уж точно номер так номер! Просто всем номерам номер! И впрямь неисповедимы пути...

— Фирму он открыл, но с бандитизмом, кажется, пока не завязывал. Или завязал на время, да и «развязал» потом благополучно. Иначе как удавалось бы этим «хозяюшкам» и клиентов обчищать, и сохранять «безупречную репутацию».

— Так ты все-таки думаешь, что это они обчищали?

— Теперь уже не думаю, Стас, теперь я в этом совершенно уверен. Могу даже голову на отсечение дать.

— Побереги, авось пригодится, — ответил злопамятный друг. — И откуда же такая уверенность?

Гуров вкратце рассказал о небольшой диверсии, произведенной им на участках по соседству с домом коллекционера, о разговоре с Тамарой Разваловой и путешествии на чердак.

— Таким образом, как они вошли и вышли, теперь совершенно понятно, — резюмировал он. — Остаются небольшие «непонятки» с сигнализацией, но об этом, я надеюсь, расскажут нам сами ребята. А в целом по ограблениям вопросов теперь практически нет. Дело лишь за сбором доказательств. А вот с убийством немного посложнее. Для убийства нужен серьезный мотив, а ничего такого у нас на горизонте до сих пор не мелькало. То есть пока ты не выяснил все эти интересности про Развалова, про то, из каких именно источников поступают новые экземпляры в его коллекцию. И знаешь, что я тебе скажу... Я думаю, Развалов знал, кто его ограбил. За это и был убит.

— Приехали, — с выражением полного недоумения произнес Стас. — Ты, Лева, сегодня что-то прямо в ударе. То молчит, как сыч, слова из него не выдавишь. То уж как скажет... хоть стой, хоть падай. С чего ты взял, что Развалов мог знать, кто обчистил его коттедж? А если и правда знал, почему ничего не сделал? Сидел себе, преспокойненько дожидался, когда вытащат его бесценные экспонаты. Мало того, еще в Италию уехал. Тебе такое поведение не кажется немножко, мягко говоря, необычным?

— Да нет, я не это имел в виду. Никто не говорит, что Развалов знал о краже заранее. Сначала он, так же как и другие потерпевшие, был удивлен и возмущен. Но благодаря тебе, наш расторопный, мы теперь знаем, что Развалов имел более широкие связи, чем эти другие, причем именно в тех сферах, в которых нужно. Я вот читал этот его протокол допроса. Много желчи, много пафоса, много раздражения. И очень мало высказываний собственно по делу. Такое ощущение, что ему было наплевать, найдешь ты вора или не найдешь. Главное — адреналин выплеснуть.

— Да, разговаривал он не особенно вежливо, — усмехнулся Стас. — Как вельможный пан со своим холопом.

— Вот именно. Это даже по записям в протоколе чувствуется. Видимо, на помощь полиции он не особенно надеялся, иначе чем можно объяснить такое самоуверенное поведение? А если не надеялся на полицию, значит, надеялся на что-то еще.

— Например, на свои связи в криминальном мире?

— Именно! И если он встречался с человеком Туркмена, можно не сомневаться, что надежды его полностью оправдались. Туркмен — прямой путь к Бероеву. Причем путь очень удобный. Такой, который не только выведет на нужного человека, а еще и поможет максимально доходчиво объяснить. Ведь для Бероева Туркмен в свое время был как бы «начальником». Понятно, что к его мнению он поневоле должен будет прислушаться.

— Ладно. Допустим, что ты прав. Используя свои «специальные каналы», Развалов узнал, кто побывал у него «в гостях», и через Туркмена вышел на Бероева. Где здесь мотив для убийства? Свои люди не нашли между собой общего языка? Да я в жизни не поверю. Вор с вором всегда сможет договориться.

— Не скажи. Во-первых, Развалов и Бероев не такие уж «свои». Слишком разные «исходные точки». Первый — вполне образованный, местами даже косящий под интеллигента, имеет вкус к изящному. Правда, скуповат и изящное это предпочитает приобретать с большой скидкой. Но мера эта, так сказать, вынужденная, и с криминальными слоями коллекционер контактирует лишь в определенных рамках, которые диктуются интересами дела. Бероев же — плоть от плоти. Он в этих криминальных слоях родился, состоялся как личность, и каким бы легальным, белым и пушистым ни сделался впоследствии, родная стихия все равно будет манить в свое лоно. Что мы, собственно, и видим на этих ограблениях. Во-вторых, эта самая договоренность. Мы ведь не знаем, о чем там могла идти речь. Может быть, Развалов предложил «мировую», а может, сразу начал с угроз.

— С его «понтами» я бы не удивился, — снова усмехнулся Крячко.

— Вот и я о том. А «понтов», я думаю, и у Бероева хватает. Тоже не последний человек. Крупный бизнесмен, налогоплательщик исправный. Я, правда, не проверял пока,

119

но наверняка исправный. С его-то безупречной репутацией. Кроме того, он трудился. Беспокоил людей, искал покупателей, подвергался риску. Видишь, как много факторов. И все они отнюдь не способствуют конструктивному диалогу. Поэтому, если ты спросишь меня, то я тебе скажу, что мотив убийства наверняка лежит в области личных взаимоотношений и отсутствия понимания.

— Да уж, если Развалов начал эти «личные взаимоотношения» сразу с угроз, понимания тут точно не возникло. Бероев не такой человек, которому можно угрожать. За это он точно «хлопнет», даже разговаривать не будет.

— Рад, что, по крайней мере, у нас с тобой понимание, кажется, имеется. А что до мотива, то здесь, конечно, возможны и другие варианты. Может быть, Развалов и не стал с места в карьер угрожать. Может, потребовал вернуть ему картины, а Бероев не захотел.

— Ну да, он ведь трудился.

— Вот именно. Кроме того, в связи со спецификой самих украденных предметов, вполне возможно, что к моменту кражи у Бероева уже имелись на примете потенциальные покупатели. Долго держать подобные «заметные» вещи на руках опасно. А между тем, пока Развалов доискивался, кто и что, какое-то время уже прошло. Может быть, Бероев уже реализовал краденое и при всем желании не мог вернуть. Ты, кстати, не пробивал линию с самими экспонатами? Ведь список у тебя есть. Нигде не всплывали знакомые названия?

— С экспонатами пока сложно, — тяжко вздохнув, ответил Стас. — Сам знаешь, такую информацию первому встречному не расскажут.

— Но ты-то не первый встречный. Представитель власти, как-никак.

— А представителю власти тем более. Я и про Развалова-то пока все это выведал, семь потов сошло. Как только не шифровался. Но полезные связи в нужных кругах завел, — самодовольно улыбнулся Стас. — Так что, возможно, и насчет экспонатов скоро что-нибудь удастся выяснить. Дай срок.

— Ладно, уговорил. Будешь выяснять, поинтересуйся, не собирались ли они продать что-нибудь Развалову. Ворованное же. Как раз его область.

— Ладно, спрошу. Только если этот Бероев хотел с ним так поступить, то это его следовало бы хлопнуть. Я бы и пистолет дал.

— Согласен. Но что поделаешь? С волками жить, по-волчьи выть. Ребята у нас, сам видишь, какие.

— Ароматные.

— Не то слово.

— Так, значит, и убийство, и ограбление — дело рук Бероева? Так и записывать?

— Так и запиши. Я других вариантов не вижу. Уже сам тот факт, что во второй раз в дом проникли так же незаметно, как и в первый, исключает наличие посторонних. Секретный путь знали только люди Бероева, и я не вижу ни одной причины, по которой он стал бы с кем-то делиться подобной информацией.

— Пожалуй, соглашусь. Но тогда выходит, что и оба преступления совершили именно люди Бероева, а не он сам. Как найти на него доказательства?

— Хороший вопрос. Как раз над ним я размышлял, когда ты тут ворвался и начал вопить как сумасшедший.

— Клевета! Я тихо и незаметно вошел, после чего доходчиво и во всех подробностях изложил тебе ценнейшую информацию по этому сложнейшему и практически нераскрываемому делу.

— Ладно, ладно. Думай, как тебе больше нравится, говорливый мой. Сейчас речь о доказательствах на Бероева, а эта тема поважнее той, как ты там вошел. Я думаю, сначала надо найти исполнителей.

— Легко сказать...

— Не все так плохо. Эта горничная, которую перед ограблением присылали на подмену, она наверняка в курсе всех дел. Аккуратно выяснить ее контакты, подкараулить в нужное время в нужном месте, вывести разговор на нужную тему... В общем, думаю, ниточка к исполнителям у нас в руках. Осталось лишь по-умному раскрутить ее. Этим займусь я. Точнее, продолжу заниматься. А ты продолжай то, что начал с Разваловым. Сейчас уже понятно, что убийство и ограбление связаны. Так что, если ты будешь и дальше отрабатывать контакты Развалова в криминальной среде, а особенно если найдешь какие-то следы украденных у него раритетов, которые наверняка нужно искать там же, у нас есть все шансы узнать что-то конкретное о мотиве. А через это, возможно, и об исполнителе.

— Думаю, в случае с убийством исполнителем был тот самый парень, который залез в форточку, — предположил Стас.

— В слуховое окно, — поправил Гуров.

— Не важно. В тот раз, в отличие от ограбления, дома находился хозяин, и забираться внутрь, а потом еще идти через весь дом, чтобы через дверь впустить убийцу, на мой взгляд, довольно рискованно. А что, если он проснется и вызовет полицию? Или включит эту свою противовоздушную сирену? Или просто испугается и спрячется? Что, искать его до утра по всему дому?

— Резонно. Вполне возможно, что все именно так и было, как ты говоришь. Тогда убийца — кто-то из группы этих скалолазов, которые занимались чисткой фасадов. Только они до тонкости знали все нюансы подъема на стены конкретно этого здания. И не просто знали, а применяли на практике. Понятно, что, для того чтобы проникнуть внутрь, Бероеву удобнее всего было использовать кого-то из них. Парень залез сам, а потом впустил «группу поддержки», которая вынесла картины.

— А если этому «парню» подобные дела были не в диковинку, то и мотивировать его на убийство, думаю, было не так уж сложно. Достаточно побольше заплатить.

— Если мотивацией здесь были только деньги, думаю, сорвал он немало, — усмехнулся Гуров. — Особенно если это был непрофессиональный убийца и подобные, как ты выразился, «дела» не были для него повседневной обыденностью.

— Так или иначе, он справился, — мрачно заметил Стас.

— Да и неудивительно. Ведь и ограбление было задумано довольно дерзко, и какую-нибудь размазню Бероев не послал бы на такое дело. А если не размазня, то и перед убийством не спасует. Кого попало в свою негласную «фирму» Артур не возьмет, уверен, что и там у него кадры самые отборные. Не только в официальной «Хозяюшке».

— Даже не сомневаюсь. Так, значит, продолжаем?

— А куда нам деваться? Только вот что. В этот раз мы с тобой имеем дело с настоящим асом, так что здесь нужно быть готовым к любым неожиданностям. Мы сейчас только слегка приоткрыли дверь и заглянули в щелочку. Еще очень многое нам неизвестно. Поэтому мое предложение — поставить Бероева на «прослушку». А возможно, и взять под наблюдение. Допустим, не прямо сегодня, но... со временем. Что скажешь?

— А что тут говорить? Я только за. Остался пустяк — убедить в этом нашего уважаемого генерала.

— Так идем. Будем убеждать.

Через полчаса, отдуваясь, как после пробега стометровки, два полковника вышли из кабинета начальства с полной и безоговорочной победой. Разговор был непростым, но закончился положительным решением по всем пунктам. Орлов дал разрешение и на прослушивание телефона Бероева, и на установку наружного наблюдения.

— Договорись с ребятами из технического отдела насчет телефона, — усталый, но довольный, сказал Гуров. — А насчет «наружки» пока не будем торопиться. Понадобится — приставим. А пока просто послушаем.

— Добро. Значит, я — в техотдел. А сам-то ты куда намылился? — подозрительно взглянул Стас. — Так и косишь глазом налево.

— Я не налево. Хочу пройтись по предыдущим жертвам и как-нибудь невзначай уточнить фамилию «подменной» горничной. Сейчас как раз заканчивается рабочий день, думаю, к тому времени, как я выберусь из пробок, большинство будет уже дома. Жена Развалова запомнила только имя девушки, а наводить справки в фирме, сам понимаешь, рискованно.

— Даже не вздумай! — испуганно воскликнул Стас. — Они сразу догадаются. Тогда вся работа насмарку. Только-только что-то забрезжило. Даже не вздумай!

Лев и сам не собирался раньше времени засвечивать свои активные разыскные мероприятия. Он достал блокнот, где были записаны адреса остальных ограбленных, кроме Развалова, и, сев в машину, поехал к чиновнику, из квартиры которого вынесли иконы. Хронологически это ограбление было первым, и Гуров решил его же первым и «проверить».

Он был уверен, что во всех случаях накануне ограблений случались подмены горничных, но один процент сомнений все-таки оставался, и ему было интересно проверить свои догадки. Подтверждение «теории подмен» давало практически стопроцентную гарантию того, что следствие на верном пути и дело движется к раскрытию. Опровержение могло снова перевернуть все с ног на голову и заставить искать другие объяснения произошедшему и выдвигать новые версии.

Лев набрал номер Владимира Сысоева.

— Владимир Терентьевич? Добрый день. Моя фамилия Гуров, я занимаюсь расследованием произошедшего у вас ограбления.

— Гуров? — донесся из трубки настороженный голос. — Хм, не знаю. Насколько помню, моим делом занимался некто Степанов. Да, именно так. Степанов Алексей Николаевич. Именно так представился следователь, который меня допрашивал.

— Да, разумеется. Алексей Николаевич тоже занимается вашим делом. Но он, как вы точно подметили, следователь, а я — оперуполномоченный. У нас разные сферы деятельности. Чтобы продолжить работу, мне сейчас необходимо уточнить одну деталь, и, если бы вы согласились побеседовать со мной, я был бы благодарен. Это не займет много времени.

— А, вот оно что. Значит, разные сферы. Что ж, разные так разные. Надеюсь, должностное удостоверение у вас при себе?

124

— Конечно, — улыбнувшись, заверил Гуров. — Если вам удобно, я могу подъехать прямо домой.

— Нет, домой не стоит. Я допоздна на работе. Подъезжайте прямо сюда. Минтруд, наверное, знаете, где наше здание.

— Да, приблизительно.

— Вот и отлично. На проходной скажете, что вы ко мне. Вам объяснят. Сколько времени вам нужно, чтобы добраться?

— Минут сорок, — наобум ответил Лев, уже поняв, что имеет дело с человеком, любящим определенность во всем.

— Хорошо. Через сорок минут я вас жду.

Предварительное собеседование с дотошным чиновником из Министерства труда хотя и отняло некоторое время, зато позволило получить полную и исчерпывающую информацию по интересовавшему Гурова вопросу. От него он узнал практически все, что нужно, и, таким образом, избавился от необходимости ехать к остальным потерпевшим.

Проверив удостоверение и убедившись, что действительно имеет дело с официальным представителем «компетентных органов», Владимир Сысоев не стал утаивать информацию.

— Ее фамилия Брыкалова, — сообщил он, полистав пухлый блокнот, лежащий на столе. — Елизавета Брыкалова. Да, именно так. Я записал это в ежедневник как раз в тот день, когда она подменяла нашу девочку. То есть я имею в виду — горничную, которая работала у нас постоянно. Она что-то занемогла, а прибираться кому-то нужно. Сами понимаете, чистота — это...

— Залог здоровья, — бодро закончил мысль Гуров.

— Да. Так вот, я попросил прислать кого-нибудь на замену, и нам прислали эту девочку. Ничего, старательная. Все так подробно узнавала, расспрашивала. Где и что нужно протирать, можно ли передвигать какие-то вещи. Мне даже пришлось сказать ей, что мы не планируем менять горничных. Мало ли, что человек заболел. Такое с каждым может случиться. Экология сейчас просто ужасная.

Но из-за этого сразу увольнять... Нет, мы так не поступаем. Так я ей и сказал. Зачем создавать у человека ложные надежды.

— Вы решили, что эта Елизавета Брыкалова хочет устроиться к вам на постоянную работу?

— Конечно. А что еще я мог подумать? Понятно, что лучше иметь постоянную занятость у одних и тех же хозяев, чем прыгать из дома в дом, выходя на подмены. Да и зарплата у постоянных наверняка выше. Понятно, что ей хотелось устроиться. Но я сразу дал ей понять — мы не планируем.

— Вы сказали, что сделали запись в ежедневнике, — напомнил Гуров. — Не подскажете дату?

— Отчего же, пожалуйста, здесь нет никакого секрета. Вот она, эта страница. Понедельник, семнадцатое марта. Да, именно так. Это случилось весной. Я все стараюсь записывать. Супруга иногда обвиняет меня в педантичности, но... я считаю, что так лучше. Мало ли, какие сведения могут понадобиться. Вот вам, например, понадобилась фамилия, я открыл ежедневник, и проблема решена. А если бы сейчас сидел вспоминал, то, может быть, и до утра не вспомнил бы. Человеческая память — это такая вещь... надеяться на нее сложно.

— Совершенно согласен с вами, — с чувством проговорил Лев. — Вести ежедневник — очень полезная привычка. Я и сам все собираюсь начать, да вот что-то все... дисциплинированности, что ли, не хватает.

Поблагодарив Владимира Терентьевича, он попрощался и отправился восвояси. Поскольку остальные два адреса потерпевших можно было не навещать, у него оставалось достаточно времени, чтобы обдумать свой предстоящий визит к Елизавете Брыкаловой. А подумать здесь было над чем.

Лев не сомневался, что место жительства и прочие личные данные «подменной горничной» он узнает сразу же, как только доберется до своего рабочего компьютера. Так что с вопросом «куда идти?» не было никаких проблем, главная проблема — «с чем идти?».

Говоря Стасу, что в лице Бероева они имеют дело с опытнейшим асом преступного мира, Лев нисколько не преувеличивал. Для того чтобы на протяжении нескольких лет, совершая крупные ограбления, разбойные нападения и даже убийства, с таким успехом уходить от полиции, нужно было иметь нечто большее, чем просто высокий преступный «профессионализм». Гуров, всю свою жизнь посвятивший расследованию преступлений и повидавший самых разнокалиберных отморозков, знал по опыту, что некоторые из них имеют просто звериное чутье на опасность и отходят на запасные пути еще задолго до того, как все прочие ощутят «запах жареного», и, внимательно изучив биографию Бероева, предполагал, что имеет дело именно с таким человеком.

Теперь он уже не сомневался, что «первой ласточкой», предвещающей подготовку очередного ограбления, является Елизавета Брыкалова. Но ему не было известно, имеет ли Бероев какие-то дополнительные источники информации, откуда получает сведения о текущем состоянии дел интересующих его клиентов. А учитывая опыт Бероева и беспримерную дерзость ограблений, такие источники вполне могли иметь место. Возможно, та же Елизавета, заведя новых подружек в очередном ограбленном доме, время от времени интересуется у них, как там идут дела по поиску преступника. И Гурову, как никому другому, было известно, что если она поинтересуется этим в доме Развалова, то узнает много интересного. Он был на чердаке, узнал про подмененный замок, обсуждал эти вопросы с Борисом. В конце концов, он спрашивал у Тамары, кто выходил на подмену незадолго до ограбления. Все эти новости наверняка активно обсуждались в тесном мирке коттеджа, и можно было не сомневаться, что впечатлениями поделятся и с горничными, лишь только они заступят на свою очередную смену.

Получение этой информации Бероевым — лишь вопрос времени, причем очень непродолжительного. Внутреннее чутье подсказывало, что нужно торопиться.

Именно поэтому, размышляя над тем, что скажет завтра Елизавете Брыкаловой, Гуров рассматривал два варианта.

Первый из них предполагал, что, собственно, самой Елизавете говорить вообще ничего не придется, так как ее может просто не оказаться дома. В этом случае он решил пообщаться с соседями, представившись родственником из провинции, и под этим «соусом» постараться узнать, как можно больше о самой Елизавете и ее окружении. Дальнейшие действия зависели от того, что именно удастся узнать.

В том случае, если получится пообщаться с Елизаветой, Лев решил идти ва-банк. Не скрывая ни своей профессии, ни истинной цели посещения, он намеревался опросить Брыкалову как одну из тех, кто незадолго до ограбления бывал в доме Разваловых, и посмотреть на ее реакцию, а также на то, что она будет делать по окончании этой интересной беседы. Наверняка она незамедлительно захочет сообщить последние новости своим подельникам и, таким образом, выведет на них и его самого. Этого он и хотел добиться.

Определенный риск в этом плане имелся, но и ситуация в целом содержала немалую долю риска. Бероев в любой момент мог узнать о его «маневрах» в коттедже Развалова, и тогда в соблюдении «конспирации» уже не будет никакого смысла. Время было дорого, поэтому следовало сыграть на опережение.

На следующее утро, едва лишь закончилась традиционная планерка у генерала, Гуров поспешил к себе в кабинет. Крячко, выдав обязательную тираду по поводу «просиживающих штаны лентяев», убежал на «свидание с одним человечком», от которого надеялся получить информацию о судьбе украденных у Развалова картин, а сам Лев в очередной раз углубился в специальные и не очень базы данных.

Как он и ожидал, сведения о Брыкаловой Елизавете Петровне не представляли особой секретности. Уже через полчаса ему была известна вся незатейливая официальная биография девушки.

С момента рождения и до настоящего времени она проживала в Свиблове, на улице Ботанической. Окончила среднюю школу и строительно-монтажный техникум по специальности «менеджер производства». Сменила несколько мест работы, никак не связанных с этой специальностью, и в итоге устроилась «техническим специалистом» в клининговую компанию «Хозяюшка». Судимостей и детей Елизавета Брыкалова не имела и замужем не была.

Сухая статистика явно не отражала реальную жизнь Елизаветы, которая наверняка была гораздо насыщеннее и интереснее, но для того, чтобы составить общее представление о девушке, этих сведений вполне хватало. Активная «подпольная» деятельность позволяла ей неплохо зарабатывать и комфортно существовать. В пользу последнего тезиса говорили данные из налоговой инспекции, согласно которым Елизавета Брыкалова являлась собственницей автомобиля «Мазда». Незамужние уборщицы не так уж часто ездят на подобных автомобилях, а значит, кроме основного, у Елизаветы имелся и некий дополнительный доход. Возможно, превышающий основной в разы.

Придя к такому заключению, в очередной раз подтвердившему все его предварительные предположения, Гуров выключил компьютер, запер кабинет и поехал на улицу Ботаническую.

Дом номер двадцать семь оказался древним двухэтажным строением, «квартиры» которого располагались по обе стороны длинного коммунального коридора, логично завершавшегося общей коммунальной кухней.

Поднявшись на второй этаж, где, по его подсчетам, должна была находиться четырнадцатая комната, Лев первым делом услышал ленивую утреннюю перебранку. Из кухни доносился недовольный женский голос, предъявлявший претензии по поводу «всяких вонючих алкашей». Невидимой женщине отвечал худощавый испитой мужичок, сидевший возле окна в коридоре и куривший сигарету.

— Кому надо, те и ходят, — хрипло бубнил он. — Не твое дело. Моя комната, кого хочу, того и приглашаю. В гости.

— Ну да, — гремя кастрюлями, сердито говорила женщина. — Знаем мы этих «гостей». Чем работать пойти, они по гостям ходят, деньги клянчат. А найдется дурак, даст, так скорее в магазин. Как же! Радость большая — есть что пропить. До трех ночи сегодня у тебя «праздник» этот длился, глаза твои бесстыжие! Людям с утра на работу идти, а ты куролесишь здесь со своими дружками, спать не даешь. Не стыдно?

Выглянув из кухни, вероятно, для того, чтобы взглянуть в «бесстыжие глаза» курившего мужчины, женщина увидела Гурова и удивленно замерла на месте:

— Ой... здрасте! А вам кого?

— Мне Лизу, — спокойно ответил Лев. — Лизу Брыкалову из четырнадцатой комнаты. Дома она?

— А, вам Лизу? А Лизы нет. На работе она. Как утром встала, так и ушла. На работу. Сейчас вообще никого нет, только мы с Димой остались, — словоохотливо объяснила женщина. — Будний день, все на работе. И Лиза тоже. Как утром встала, так и ушла. А вам она зачем?

— Ага, дожидайся, — вместо Гурова ответил худощавый Дима. — На работу она пошла. В гробу она ее видала, эту работу. Шшалава...

— Сиди уж ты! Помалкивай! — строго прикрикнула женщина. — Вы не слушайте его, — снова обратившись к Гурову, совсем другим тоном проговорила она. — На работе она. У нас тут все работающие. Я только на пенсии, да этот вон... алкаш несчастный. Днем мы с ним вдвоем остаемся, а остальные на работе. И Лиза тоже...

Глава 7

Выяснив, что вместо соседей по площадке в многоквартирном доме, придется иметь дело с сожителями общего коммунального коридора, Гуров моментально пересмотрел намеченные планы.

В коммунальных квартирах люди поневоле вынуждены жить как бы одной семьей, и все, что происходит с любым из жильцов, моментально становится общим достоянием. Такая ситуация позволяла объединить два ранее намеченных варианта действия в один и осуществить задуманную провокацию, не контактируя непосредственно с самой Елизаветой Брыкаловой. Можно было не сомневаться, что словоохотливая женщина слово в слово передаст ей все, что он скажет, едва лишь девушка вернется с «работы». Таким образом, он сможет вызвать беспокойство и спровоцировать Елизавету на нужные ему действия, сам оставаясь в тени и не появляясь на сцене в качестве действующего лица. Это давало большие преимущества в ходе дальнейшего осуществления плана.

Выйти на подельников Лизы в данных обстоятельствах можно было только одним способом — непосредственно следуя за ней по пятам. В том случае, если бы она знала его в лицо, риск такой «непосредственной» слежки был очень высок, а теперь он получал возможность и вынудить ее бить тревогу, спеша поделиться последними новостями с подельниками, и без всякой опаски проследить за тем, куда именно она поспешит. Он смог бы даже разговаривать с ней, не опасаясь, что она что-то заподозрит. Ведь они никогда не встречались лично, и Лиза не могла знать, кто он такой.

Оценив все эти выгодные обстоятельства, Гуров приступил к осуществлению нового плана.

— Я расследую дело об убийстве коллекционера Развалова, — веско произнес он, отвечая на вопрос женщины. — По моим сведениям, Елизавета Брыкалова некоторое время назад работала у него. Мне необходимо опросить ее как свидетеля.

После этих слов в коммунальном коридоре возникла продолжительная пауза. Женщина смотрела испуганно и удивленно, Дима — с неподдельным интересом. Он и отреагировал на новость первым.

— Ага! Допрыгалась? — Злорадная усмешка перекосила опухшее лицо. — Туда и дорога. Узнает теперь, как оно. Шшалава!

131

— Помалкивай лучше! — опять прикрикнула на него женщина. — Вы его не слушайте. Лиза — хорошая девочка. Работает, старается. Тоже ведь тяжело. Отца нет, мать парализованная лежит. Недавно вот только снова в больницу увезли. Все на ней.

— А вы не знаете, где именно она работает?

— Ой, она уж что только не пробовала. Платят сейчас сами знаете как, хозяева-то эти. Каждый все себе побольше урвать норовит. А у нее мать на шее. Парализованная. Попробовала одно, попробовала другое.

— Ага. Наверное, всех уже перепробовала, — снова внес «ложку дегтя» Дима.

— Да вы не слушайте его. Лиза — хорошая девочка. И парень у нее хороший. Не пьет, спортом занимается. То ли альпинист, то ли парашютист. Он как-то приезжал вместе с ней. Высокий такой, стройный. Мускулистый. Сразу видно, что спортсмен. И непьющий. Лиза говорила, что он там же работает, где она. В той же фирме.

— А какая фирма? Вы не сказали, — напомнил Лев.

— Не сказала? Ну, как же. Хорошая очень фирма. Современная. Порядок наводят в помещениях. Поддерживают чистоту. Вы не подумайте, это не какие-нибудь простые уборщицы. У них там все модернизировано. Ручного труда, можно сказать, совсем нет. Пылесосы такие современные, техника разная. Сама все моет и чистит. Только следить за ней нужно.

— А этот ее парень, значит, в той же фирме работает?

— Ну да. Рядышком там, как два голубка. Хороший парень. Я уж, грешным делом, говорила ей — чего, мол, свадьбу не сыграете? Поженились бы, семью создали, детишек нарожали.

— И что же она ответила?

— Пока, говорит, не собираемся. Денег мало, не хотим торопиться.

— Очень ей оно надо, — хмыкнул Дима. — В гробу она ее видала, эту свадьбу. Шшалава! У нее и без свадьбы каждый прохожий — жених.

— Болтай больше! Вы не слушайте его, Лиза — хорошая девочка. Уж не знаю, чем она там провинилась, что вы из полиции к ней приходите, а я про нее ничего плохого не скажу. И работает, и мать содержит.

— Ага. Работает она. Ты тачку ее видела? Кто уборщицами работает, те на таких тачках не ездят.

— Сам ты уборщица! Вы не слушайте его, — повторила женщина, и вдруг взгляд ее стал пытливым и напряженным: — А вы о чем спросить-то хотели? Что она, сделала что-то плохое или провинилась в чем?

— Почему сразу провинилась? — уклончиво ответил Гуров. — Просто хотел опросить ее как свидетеля. Я всех опрашиваю. Это моя обязанность. Человек, у которого она работала, убит, поэтому мы должны всех проверить.

— Убит?! — всплеснула руками женщина. — Надо же, какие страсти!

— Туда и дорога, — не преминул сказать свое веское слово Дима. — Привлекут ее, Лизку твою, да и посадят. Узнает тогда, как оно. Шшалава!

— Типун тебе на язык, алкаш несчастный! — гневно воскликнула женщина. — Самого тебя скоро посадят. Вы не слушайте его, товарищ следователь. Лиза — хорошая девочка.

— А когда она обычно возвращается с работы? — спросил Лев, которому уже надоело слушать одно и то же.

— Возвращается?.. — как-то растерялась соседка. — Ну как... вечером возвращается. Когда в шесть часов, когда в восемь. Как закончат они там уборку, так и возвращается.

— Ага. Уборку. Знаем мы эту уборку. Шшалава!

— Да замолчи ты! — потеряв терпение, набросилась она на Диму. — Сидит тут, разговаривает. Иди отсюда вообще. Расселся. Весь подоконник пеплом засыпал, замучишься убирать после тебя.

Не имея ни малейшего желания знать, чем закончится очередная перепалка между соседями, Гуров направился к выходу. Все, что мог, он уже узнал. Теперь оставалось только ждать Елизавету. Слова женщины о том, что она может прийти в шесть или даже в восемь часов вечера, не внушали особого оптимизма, но делать было нечего. О девушке было слишком мало информации, чтобы пускать дело на самотек. Лев не знал даже, как она выглядит.

Немного отойдя от дома, он осмотрелся, чтобы найти укромное местечко, подходящее для наблюдения за подъездом. Это удалось без особого труда. Район был старый, изобиловавший разнообразными хозяйственными постройками и утопавший в зеленых насаждениях. Деревья, многие из которых были ровесниками ветхому двухэтажному дому, вольно раскинули свои ветви, благодаря чему почти на каждом шагу образовывался укромный закуток, где можно было скрыться от посторонних глаз.

В одном из таких уютных закутков и устроился Гуров. Немного отъехав от дома, завернул за угол какого-то сарая и, припарковавшись между строением и растущим рядом с ним раскидистым деревом, стал наблюдать за тем, что происходит.

А чтобы время в ожидании не проходило зря, он решил позвонить Орлову:

— Петр Николаевич, поддержи инициативу.

— Что там опять?

— Нужно добавить кое-кого в список прослушиваемых.

— Имей совесть, Лева. Чтобы ставить человека на прослушку, нужны веские основания. Я тебе и так Бероева, можно сказать, подарил. Ведь, в сущности, у тебя лично на него ничего конкретного нет, одни лишь «обоснованные предположения». А он, между прочим, крупный бизнесмен, на пол-Москвы работает, у него, между прочим, связи. Если эти твои предположения не подтвердятся, он нам такую антирекламу устроит, что...

— Давно ли ты стал таким пугливым, Петр?

— Дело не в пугливости. Я тебе сказал — для подобных действий нужны серьезные основания. Серьезные и совершенно реальные. Не в виде предположений, а в виде конкретных фактов. В противном случае тот же Бероев сможет предъявить нам очень неприятные претензии и будет совершенно прав. Поэтому, если ты хочешь поставить на прослушку очередного влиятельного бизнесмена или, еще хуже, какого-нибудь его знакомого из госструктур, то будь любезен...

— Не волнуйтесь, товарищ генерал, о влиятельных бизнесменах в этот раз речь не идет. А уж об их знакомых из госструктур тем более. Вот вам самое серьезное и реальное основание: девочка, которую я хочу послушать, — подельница Бероева, работает у него в фирме. Я почти уверен, что это именно она готовит, так сказать, плацдарм для очередного ограбления. Так что, вполне возможно, мы услышим ее приятный голосок и в переговорах самого Бероева. Чем не конкретный факт? Организатор преступления беседует со своей «шестеркой». По-моему, резонно поставить на «прослушку» и ее тоже.

— Хитрец ты, Лева. «Почти уверен», «вполне возможно». Начал, как всегда, с предположений, а в результате, откуда ни возьмись, явился у тебя «конкретный факт». Тебе в политики надо было идти, а не в опера. Там умение пудрить мозги — главная составляющая успеха.

— Да я не пудрю, Петя, я тебе говорю серьезно. У нас реальная возможность раскрыть дело, а какое это дело, не мне тебе объяснять. Не ты ли еще не так давно сокрушался, что ни по ограблениям, ни по убийству ни одной улики нет? А теперь, когда есть все шансы эти улики получить, упираешься руками и ногами.

— Я не упираюсь, а хочу иметь серьезные основания для своих решений, — не сдавался Орлов. — С чего, например, ты решил, что именно она готовила этот самый «плацдарм»?

— С того, что именно она выходила заменять заболевших или неожиданно уехавших в путешествие горничных как раз накануне ограблений. В двух случаях это подтверждено показаниями, остальных я пока опросить не успел, но почти уверен, что...

— Опять «почти уверен». Беда с тобой, Лева. Ну ладно, в последний раз. Как ее фамилия, этой твоей «девочки»?

— Елизавета Брыкалова. Проживает на Ботанической, двадцать семь.

135

— Ладно. Скажу сейчас ребятам, пускай слушают. Только смотри, если ничего из этого не выйдет...

— Должно выйти, Петр, — заверил Гуров. — Я нюхом чую, что мы по горячим следам идем. Еще немного, и вся эта компания в наших руках будет.

— Почти уверен? — саркастически поинтересовался Орлов.

— Здесь уже даже без «почти».

Тем временем события на Ботанической, двадцать семь шли своим чередом. В подъезд, за которым наблюдал Лев, изредка входили унылого вида граждане, внешне очень напоминавшие уже знакомого полковнику Диму, ушла и вернулась с полным пакетом продуктов словоохотливая женщина, а девушка на синей «Мазде» так и не подъезжала. И лишь около трех часов дня возле неприглядного подъезда притормозила дорогая машина, из которой вышла светловолосая девушка.

Средний рост, худощавая фигурка, обычные джинсы и майка — в толпе она вполне могла затеряться среди сотен таких же светловолосых и худощавых, и никому бы и в голову не пришло, что именно эта неприметная особа подготовила несколько крупнейших «нераскрываемых» ограблений.

Только взгляд, быстрый и пронзительный, моментально «сканирующий» окружающую обстановку, мог подсказать внимательному наблюдателю, что перед ним не совсем заурядная личность.

Девушка закрыла машину, щелкнула сигнализацией и скрылась в подъезде двухэтажки.

Как и ожидал Гуров, пробыла она там недолго. Не прошло и получаса, как Лиза появилась снова и быстрым шагом направилась к машине. Ее лицо выражало беспокойство и озабоченность.

«Ага, клюнула рыбка! — улыбнувшись, подумал он. — Значит, соседка не обманула моих ожиданий, пересказала девушке весь наш разговор, от слова до слова».

Лев видел, как, сев на водительское место, Лиза достала телефон и минуты две говорила с кем-то.

«Неужели звонит прямо Бероеву? Надо будет сегодня обязательно зайти к ребятам в технический отдел, поинтересоваться, чего они там наслушали за день».

Тем временем Лиза, закончив непродолжительный разговор, завела машину и стала разворачиваться, чтобы выехать на городскую трассу.

Завел двигатель и Гуров. Пропустив «Мазду» вперед и выждав еще пару минут для дополнительной страховки, он двинулся следом.

Оказалось, что «пункт прибытия» находится совсем недалеко. Проехав несколько кварталов, Лиза завернула во двор одной из многоэтажек и, припарковавшись среди уже стоявших там автомобилей, снова взялась за трубку.

На этот раз разговор был еще короче, и Лев сделал вывод, что девушка сообщила кому-то о своем приезде. Осматривая дом, самый обычный и не особенно презентабельный на вид, а также обратив внимание на марки автомобилей, припаркованных во дворе, он решил, что об экстренном контакте с Бероевым здесь речь не идет. Навряд ли квартира «крупного бизнесмена», как охарактеризовал его Орлов, могла находиться в подобном месте, где даже не закрывался двор.

Догадка его оправдалась. Минут через пять после звонка Лизы из ближайшего подъезда вышел высокий молодой человек и направился прямиком к синей «Мазде».

«Не иначе, это тот самый «хороший парень», про которого рассказывала разговорчивая дамочка из коммунальной кухни», — снова подумал Лев.

Осматривая мускулистую, поджарую фигуру «то ли альпиниста, то ли парашютиста», он в очередной раз убедился, что выдвинутая им версия очень близка к истине.

Такому атлету, гибкому, легкому и хорошо развитому физически, были бы вполне под силу все те «упражнения», которые должен был проделать человек, задавшийся целью проникнуть в коттедж Развалова через слуховое окно.

Парень сел в машину, и между ним и девушкой завязался довольно эмоциональный разговор. Из осторожности Гуров припарковался довольно далеко от «Мазды», поэтому не мог слышать, о чем шла речь, но, судя по порывистым жестам, которыми сопровождала свою речь Лиза, тема задела ее за живое.

Помня, что она не знает, кто он такой, и ни разу не видела его в лицо, Лев решил рискнуть и попробовать подслушать хотя бы часть разговора. От наплыва эмоций оба пассажира «Мазды» закурили и открыли стекла, и он посчитал момент очень подходящим. Выйдя из машины, неспешно направился к самому дальнему подъезду дома и, проходя мимо интересующей его парочки, еще больше замедлил ход. Внимательно изучая окна и балконы многоэтажки, Гуров даже не смотрел в сторону «Мазды», старательно отворачивая лицо, чтобы и его самого не взяли на заметку. Но скоро понял, что так напрягаться совсем не обязательно. Двое в машине были слишком заняты своими делами, чтобы обращать внимание на то, что происходит вокруг.

— ...да мало ли, кто там приходил, — лениво и чуть пренебрежительно говорил парень. — Она же сама сказала, твоя тетя Люда, — он хотел опросить тебя как свидетеля. Они всегда всех опрашивают, такая работа. С чего ты взяла, что они что-то разнюхали?

— Да? Правда? Всегда всех опрашивают? — возбужденно возражала девушка. — А почему тогда в прошлый раз никто ко мне не приходил? И в позапрошлый, и в позапозапрошлый? Почему именно сейчас? Нет, ты как хочешь, а я...

Больше ничего Гурову услышать не удалось, но просто остановиться возле «Мазды» и подслушивать было бы уже чересчур. Продолжив путь, он лишь пожалел, что у него не было возможности заранее поставить пару микроскопических микрофончиков еще и в машину Лизы.

«Наверняка они сейчас наговаривают целые гигабайты «компромата», возможно, даже фамилию Бероева поминают, — думал Лев, неспешно двигаясь к последнему подъезду. — И такой материал уходит между пальцев. Обидно.

Каким образом можно вынудить Лизу сказать что-то компрометирующее по телефону? Нужно что-то такое, что доказывало бы ее личную связь с Бероевым. Например, если бы она сама позвонила ему, это было бы очень неплохо. Они бы поговорили, мы бы послушали. Но как заставить ее сделать это?»

Перебирая в уме возможные варианты провокаций, Гуров наобум тыкал пальцами в кнопки кодовой двери, выжидая время. Что-то подсказывало ему, что разговор в «Мазде» не будет очень продолжительным. И он в очередной раз оказался прав. Услышав, как кто-то завел двигатель, Лев резко обернулся. Высокий парень направлялся к своему подъезду, а синяя «Мазда» выруливала со двора.

Когда машина скрылась из виду, он оставил в покое кодовую дверь и тоже вернулся за руль. Следить за Лизой больше не имело смысла, все, что собиралась сделать, узнав последние новости, она, по-видимому, уже сделала. Гораздо полезнее сейчас он считал прослушивание записей телефонных разговоров и выяснение личности мускулистого абонента.

Заведя двигатель, Гуров поехал в Управление.

— Да нет, ничего особенного, — минут через сорок уверял его рыжеватый веснушчатый Юра, парень из техотдела, на долю которого выпало прослушивание телефона Бероева. — Обычные деловые переговоры. Звонки в основном входящие, сам звонил редко. Звонили из его бизнес-офисов, звонили по финансовым вопросам, опять же связанным с фирмой. Звонили просто знакомые. По крайней мере, судя по содержанию разговоров.

— Точнее, судя по их бессодержательности? — усмехнулся Лев.

— Да, или так. Как жизнь да как дела. Все в таком духе. Так что ничего особенного. Среднестатистический день бизнесмена.

— А сам куда звонил?

— Пару раз какому-то Владику, разговаривали тоже в основном на деловые темы. Возможно, это юрист. Но

139

явно лицо, как говорится, доверенное. Общались очень свободно, на «ты». Да и вообще... по тону понятно, что свои люди. Еще звонил в турфирму, просил оформить ему путевку в Израиль и привезти в офис. Сам, дескать, очень занят, некогда по туроператорам ездить.

— В Израиль? — сразу насторожился Гуров. — Как интересно... А время? О конкретных числах шла речь?

— Просил как можно раньше. Желательно, мол, на выходные. Дескать, просто слетать ненадолго в теплые края, развеяться. Потом они ему перезвонили, сообщили, что есть горящий тур на воскресенье. Но для одного, поэтому и завалялся, «развеиваться» ведь с подругами предпочитают.

— Про подруг это тоже ему туроператоры разъясняли? — снова усмехнулся Лев.

— Нет, это я уж от себя, — смущенно признался Юра.

— Жизненный опыт?

— Типа того.

— Так он взял тур?

— Да, как ни странно, согласился. Оформляйте, говорит, и везите ко мне в офис. Жду с нетерпением.

Однако Гурову этот выбор странным не показался. Наоборот, на фоне последних событий он выглядел вполне логично и подтверждал худшие опасения.

«Не иначе, этот гад уже пронюхал о том, что я лазил к Развалову на чердак. Сообразил, что к чему, и теперь втихаря слинять хочет. От греха подальше. Типа — поехал на отдых, да так понравилось, что там и остался. С Израилем нет договора о выдаче, мы его потом никакими клещами оттуда не вытащим. Черт! Значит, в воскресенье. А сегодня у нас среда. Времени в обрез, и хоть бы одна улика. Что же делать?!»

Стараясь не выдавать бушевавшие в душе эмоции, Лев вновь обратился к Юре:

— Записи переговоров у тебя имеются?

— Разумеется, Лев Иванович. Затем и сидим здесь, чтоб материал собирать.

— Отлично. Скинь мне куда-нибудь, я на досуге послушаю. Хочется поподробнее узнать, какие там «деловые темы» обсуждает наш уважаемый товарищ.

— Не вопрос, Лев Иванович. На диске устроит?

— Вполне. Кстати, у меня тут еще один абонент «забронирован». Некая Елизавета Брыкалова. Есть у вас такая?

— Брыкалова? Это, кажется, у Лехи. Леша, Брыкалову ты слушаешь? — повысив голос, обратился Юра к одному из сидевших за аппаратурой высокому световолосому парню.

— А? — переспросил тот, снимая правый наушник.

— Брыкалова у тебя? — повторил Юра.

— Брыкалова? Да, есть такая. Только по ней немного. Один или два вызова.

— Давай и ее мне сюда же, на этот диск, — сказал Гуров, — заодно и эти два вызова послушаю.

Получив диск с записями дневных переговоров Бероева и краткого общения Елизаветы Брыкаловой со своим другом, он отправился в кабинет, чтобы внимательно все это прослушать и по возможности получить подтверждение или опровержение своим очередным догадкам.

Но, отслушав разговоры Бероева, Лев вынужден был констатировать, что узнал ненамного больше того, что сообщил ему Юра. Бероев на самом деле почти весь день совершенно спокойно общался с деловыми партнерами и не проявлял никакой паники. Даже его разговор с представителями турфирмы выглядел вполне естественно, и у постороннего слушателя никогда не возникло бы подозрений, что таким образом этот человек собирается уйти от преследования полиции.

Но это мнимое спокойствие не усыпило бдительность опытного сыщика. Слушая разговоры, среди которых действительно было несколько бесед «ни о чем» с обычными знакомыми, Гуров отметил одну характерную особенность, которая подтверждала его подозрения. Ни с кем из друзей, не говоря уже о деловых партнерах, Бероев не обсуждал свою предстоящую поездку. Фактически он обсуждал этот вопрос только с представителями туроператора, больше никто об этих планах не знал. Наверняка и в офис к ним не хотел ехать именно поэтому. Не потому, что так уж занят чрезмерно, а просто, чтобы лишний раз не светиться.

Эти соображения вновь усилили тревогу Гурова и заставили вспомнить о доказательствах. Точнее, об их полном отсутствии. Задерживать Бероева, не имея на руках ни одной улики, просто не имело смысла. Можно было не сомневаться, что, виртуозно владея искусством совершения «недоказуемых» преступлений, он не забывал и о том, чтобы обезопасить себя и всевозможными «легальными» способами. Уровень дохода «крупного бизнесмена» вполне позволял ему и адвокатов нанимать, и в любой момент с самыми опытными юристами консультироваться. Не говоря уже о возможности освободиться под залог, совершенно независимо от размера назначенной суммы.

О некоторых интересных особенностях работы фирмы «Хозяюшка», несомненно, могла бы поведать Елизавета Брыкалова, тем самым создав определенную почву для предъявления обвинений Бероеву. Но Гуров вполне отдавал себе отчет, что кого попало Бероев не возьмет в ближайшие помощницы, и раскрутить на показания саму Елизавету будет очень непросто. Вспомнив о девушке, он включил запись ее телефонных переговоров.

Вызов оказался всего один. Тот самый короткий взволнованный разговор с «альпинистом-парашютистом», который она вела, спешно покинув коммуналку после общения с соседкой по коридору.

— Макс! Надо встретиться. Срочно, — доносился из динамика высокий взволнованный голос.

— Здрасте! — отвечал ему низкий и совершенно спокойный. — Расстаться не успели. Ты же только уехала, минут двадцать всего прошло. Что, уже соскучилась?

— Я не шучу, Макс. У меня... Здесь у нас форс-мажор.

— А что стряслось? Дима в коридоре наблевал?

— Да перестань ты! Все твои шуточки дурацкие. Ты дома?

— Ну да.

— Ладно. Не уходи никуда, я сейчас приеду.

142

— А что стряслось-то? Хоть бы сказала.

— Это не телефонный разговор. Все, пока.

Судя по тону Лизы, новость о том, что ее персоной заинтересовалась полиция, действительно не на шутку разволновала ее.

«А ведь она-то, в отличие от Бероева, навряд ли в курсе того, что я уже побывал на чердаке, — подумал Гуров. — Наверняка он бережет эту девушку как зеницу ока и после ограблений близко не подпускает к тем домам, где она подменяла внезапно заболевших горничных. Думаю, дополнительные сведения приходят к нему из других источников. И, если даже зная лишь то, что с ней хотят поговорить как со свидетелем, она устраивает вселенский переполох и «поднимает на уши» своего парня, что же будет, когда она узнает...»

— Эврика! — озаренный внезапной идеей, вслух воскликнул он.

В ту же секунду открылась входная дверь, и в кабинете появился Стас.

— Ты с кем это? — подозрительно оглядывая помещение, в котором, кроме напарника, никого не было, спросил он.

— Да это я так... Мысль удачная пришла, обрадовался.

— А-а! Смотри только, не переусердствуй с радостями-то. А то мало ли... Температурку не хочешь померить?

— Да иди ты к черту, Стас! — счастливо улыбаясь, ответил Гуров. — Я, может быть, придумал, как доказательства на Бероева получить, а ты тут ерунду всякую мелешь.

— Хе! Доказательства, — пренебрежительно бросил Крячко. — Нашел проблему. Забыл, с кем работаешь? Так я напомню. В напарниках у тебя не кто-нибудь, а сам Станислав Васильевич Крячко. Имея такого партнера, всякими пустяками, типа получения доказательств, можно даже не заморачиваться. Ты еще только придумки свои придумываешь, а у меня эти доказательства уже готовые в кармане лежат.

— Нет, вы посмотрите, как он заговорил! А важный-то, важный какой, так и распирает изнутри. Смотри, не лопни. Что случилось-то? Выяснил, что Бероев действительно хотел продать Развалову украденные у него же картины?

— Развалову или не Развалову, а продать он их, разумеется, хотел. И благодаря неусыпным трудам следствие в моем лице вышло на человека, который был посредником между Бероевым и одним из потенциальных покупателей на картины, — горделиво произнес Стас.

— Он контактировал с Беровевым лично? — сразу стал серьезным Гуров

— Представь себе! И что теперь скажешь по поводу доказательств? Вот они — все перед тобой. На блюдечке с голубой каемочкой. Но неукротимый сыщик Стас Крячко никогда не останавливается на достигнутом. Выйдя на этого человечка, я начал раскручивать тему и выведал от него такое, что тебе лучше слушать сидя.

— Так я сидя и слушаю, если ты заметил.

— Вот и слушай. Поскольку к упомянутому человечку я явился не с улицы, а вышел на него через очень хороших людей, он моментально проникся ко мне безоговорочным доверием. А уж когда я сказал, что хочу с его помощью кое-что приобрести, так и просто полюбил как родного. Поскольку предполагаемая тема нашего разговора была довольно интимной, я решил продолжить беседу в каком-нибудь приличном заведении, где подают хорошее вино. Пришлось, конечно, потратиться...

— Если хочешь намекнуть на возмещение убытков, даже не надейся, — тоном, не допускающим возражений, прервал Гуров. — Я тебе этого «человечка» не заказывал, что ты там выведал от него, не знаю, насколько необходимо было тащиться с ним именно в ресторан, не в курсе, поэтому...

— Да ладно уже, успокойся. Зачастил. Я давно в курсе, что натура у тебя жлобская, поэтому на возмещение даже не рассчитывал. Да и вообще... В целом расходы, пожалуй, окупились. Знаешь, что он мне рассказал?

— Скажи, узнаю.

— Оказывается, наши с тобой предположительные догадки оказались не в бровь, а прямо в глаз. За бутылочкой очень недурного шартреза я шепнул на ушко этому парню, что хочу купить картину, и назвал одну из тех, что увели у Развалова. Сказал, что в курсе о том, будто экспонат в данный момент, так сказать, находится на нелегальном положении, и надеюсь на этом немного сэкономить. Поняв, что я в доску свой, парень стал откровенным до чрезвычайности и поделился со мной самым сокровенным. Оказывается, я не первый, кто заинтересовался этими картинами. Он уже вел переговоры для одного человека и совсем было договорился, но тут неожиданно появилось непредвиденное обстоятельство. Бывший хозяин экспонатов узнал, кто его «освободил» от части коллекции, и вышел на сцену с конкретными претензиями. Он требовал вернуть все на место, Бероев не соглашался, ситуация накалилась. В таких условиях, как сам понимаешь, заключать договоренности о сделках было весьма проблематично. Как покупать картину, когда непонятно, у кого? С кем договариваться о цене? С Бероевым или с Разваловым? В общем, та сделка у него, к сожалению, сорвалась, и начинать процесс снова, уже для меня, он, по его словам, пока не готов.

— А с Разваловым он тоже был знаком лично?

— Насколько я понял, нет. Но он знал людей, которые могли вывести на него. От них-то, кстати, он и узнал о последнем печальном происшествии.

— И тебе, как своему лучшему другу, конечно же, тоже сообщил?

— Обязательно! Если бы ты видел итоговую цифру на счете, ты бы не спрашивал. Под большим секретом и будучи уже немного подшофе, человечек сообщил мне, что Игорь Развалов недавно скоропостижно скончался, но о причине смерти история умалчивает. Так что вопрос о купле-продаже его картин в ближайшее время вообще поднимать не планируется.

— На фоне трагедии нескромно? — усмехнулся Лев.

— Официальная версия приблизительно такая, но реально, думаю, дело в другом, — ответил Стас. — В этом тесном мирке, где все свои и все всё про всех знают, секретов в сухом остатке бывает немного. Вслух они, конечно, не

145

скажут, но в глубине души наверняка догадываются, кто и по какой причине убрал Развалова. Так что могу только повторить — угадали мы с тобой не в бровь, а прямо в глаз.

— Нет, мне это нравится! — состроил недовольную мину Лев. — Главное — мы с тобой. Кто угадал-то, вспомни. Тебя там и близко не было.

— Значит, вот так вот, да? Вот она, твоя благодарность. За мои неустанные труды, за создание изощреннейших комбинаций, за собранные доказательства. Вот так, значит?

— Хороши труды — в кабаках винцо попивать. Он на протокол готов говорить, «человечек» твой?

— Шутишь? Он и мне-то и после бутылки вина еле-еле наговорил. Протокол ему! Нет бы порадоваться, что хоть какая-то информация есть, что версии подтверждаются, что расторопный напарник фактики в клювике принес. Куда там! Обязательно нужно повыпендриваться, претензию свою заявить. Протокол ему!

— Но, Стася, согласись, если эта ваша интересная беседа с «человечком» нигде не зафиксирована, реальной ценности для следствия она не имеет. Где они, эти твои «фактики»? Только в твоем личном пересказе всей этой истории?

— Почему же в моем личном? Диктофоны у нас, к счастью, пока еще никто не отменял.

— Так это все у тебя записано на диктофон?

— Ну а ты как думал? — теперь уже готовый обидеться всерьез, проговорил Стас. — Ты думал, я после всех титанических трудов по поиску этого жука антикварного на такую вот эпохальную встречу пустой отправлюсь? Обижаешь, Иваныч! Мы все-таки не в скаутов играем.

— Так никто и не говорит про скаутов, — поспешил успокоить его Гуров. — Так, значит, у нас теперь есть запись, где прямым текстом говорится о том, что Развалов знал, кто именно его ограбил, и хотел добиться, чтобы ему вернули картины. Получается так?

— Получается, — угрюмо буркнул Стас. — Стараешься тут, из кожи вон лезешь, а в итоге... никакой благодарности.

— Ладно уж, не бурчи, — улыбнулся Лев. — Как маленький. Я, между прочим, тоже без дела не сидел. И кое-что насчет доказательств могу и со своей стороны добавить. У нас ведь не только «антикварная» линия. Есть еще сообщники.

— Только не говори мне, что ты раскрутил горничную на показания. Все равно не поверю.

— На показания я ее пока не раскрутил, но произвести кое-какие конкретные действия уже заставил. Думаю, осталось лишь немного поднажать, и она самолично выведет нас на Бероева.

— Ух, ты! Это как же она нас выведет? Так за ручку и приведет?

— Не за ручку, конечно, а вот приблизительно так, как вывел тебя на нужную информацию этот твой «человечек». Девушка эмоциональная, и, похоже, с реальной угрозой того, что ее могут вычислить, пока еще ни разу не сталкивалась. Сегодня она получила намек на возможность такой угрозы и не на шутку занервничала. Стала звонить своему парню, подняла тревогу. Ну, и все прочее в таком духе.

— Какому еще парню?

— Да, кстати, про парня тоже довольно интересно. Он увлекается альпинизмом и работает там же, в «Хозяюшке». Скорее всего, один из тех, кто занимается внешними работами.

— Моет слуховые окна? — многозначительно взглянул Стас.

— Именно. То есть и тут у нас все тепло и семейственно. Девочка выходит на замену, узнает особенности «внутреннего режима» и обычное повседневное расписание хозяев. Кроме этого, по мере необходимости выполняет и некоторые специальные поручения. Подбирает ключи, меняет замки, узнает секретные коды. Всю собранную информацию она передает любимому, и тот, пользуясь ее наработками, осуществляет уже конкретные действия. Проникает в квартиру на последнем этаже, дежурит «на подхвате», чтобы было кому передать украденные драгоценности, или готовит спортивную сумку для трех миллионов наличкой.

147

— Или пробирается на чердак, — логически завершил Стас.

— Да, или так. Ее телефонный разговор с дружком, где она сообщает о форс-мажоре, у нас есть, но для полноценного доказательства его, конечно, маловато. Поэтому я хочу сделать так, чтобы о форс-мажоре она сообщила самому Бероеву. Тогда у нас, во-первых, появится реальный факт, подтверждающий их личную связь, а во-вторых, запись самого разговора, который наверняка тоже окажется чрезвычайно интересным.

— Девушку уже слушают? — спросил Крячко.

— Разумеется.

— Здорово! Только что-то как-то у меня большие сомнения, что она возьмет и так вот прямо и позвонит «самому Бероеву». Разве что она совсем уж конченая идиотка. Хотя, посылая на такое дело, какие-то начальные сведения о конспирации ей все-таки должны были сообщить. В том числе и о том, что нельзя по каждому пустяку тревожить босса. Да и вообще, судя по тому, как ловко провернули они все в коттедже Развалова, идиотов там нет.

— А на идиотов никто и не рассчитывает. Мой расчет — на эмоции. И еще, пожалуй, на фактор времени. Ведь завтра уже четверг. Времени остается просто в обрез.

— Ты это сейчас о чем?

— Это я сейчас о том, что в воскресенье Бероев уезжает в Израиль.

— Куда?! — изумленно вытаращил глаза Крячко.

— Ты слышал. Уезжает, типа, на отдых, но знает об этом почему-то только туристическая фирма, которая делает ему билеты. Ну, и мы еще, как ты, наверное, и сам догадываешься.

— Еще бы! Семь потов сошло, пока уговаривали Орлова поставить его телефон на прослушку.

— Зато теперь можем радоваться, что не напрасно старались. Его разговоры за сегодняшний день я внимательно изучил и результат тебе докладываю. Думаю, в коттедже Развалова у Бероева имеется дополнительный источник информации, и он уже в курсе, что я осматривал чердак.

Учитывая обстоятельства, при которых это происходило, и подмененный замок, нетрудно догадаться, какие выводы может сделать наш осторожный товарищ.

— Думаешь, он все понял?

— Не сомневаюсь. Не удивлюсь даже, если он догадывается, что его слушают. Возможно, поэтому и не распространяется по телефону о своей склонности к путешествиям. Но мы его провоцировать на разговорчивость и не будем. Мы спровоцируем девушку, и Бероев поневоле вынужден будет совершить нужные нам действия как ответные. Поскольку отвечать ему придется одному из «своих», у нас будет самая надежная гарантия того, что от ответа он не уйдет.

— Он-то, может, и не уйдет, — с сомнением произнес Стас, — только как ты собираешься спровоцировать эту самую девушку?

— А вот как...

Глава 8

Объяснив Стасу свой план, Гуров набрал номер Елизаветы Брыкаловой.

— Добрый вечер, — вежливо поздоровался он, когда девушка наконец взяла трубку. — Вас беспокоит старший оперативный уполномоченный по особо важным делам Главного управления уголовного розыска. Меня зовут Гуров Лев Иванович. Я расследую дело об ограблении коллекционера Игоря Развалова, опрашиваю свидетелей. По моей информации, вы некоторое время работали у него в качестве горничной. Мне необходимо побеседовать с вами. Я заезжал сегодня утром к вам домой, но вас не было. Вы не могли бы сами подойти ко мне в кабинет? Скажем, завтра утром, часов в десять?

— Завтра? — донесся из трубки после длинной паузы дрожащий голосок. — А куда это? Где оно, это ваше Управление? Я ни разу не была, не знаю.

Подробно объяснив испуганной девушке, как пройти, Гуров еще раз напомнил, что ждет ее ровно в десять, и попрощался.

— Итак, удочка закинута, — довольно потирая руки, проговорил он. — Противник в смятении, в волнении и в полной растерянности. Не знает, что и подумать, и воображает себе все казни египетские. Завтра к утру будет полностью в нужной кондиции.

— Эх, Лева, жестокий ты человек, — вздохнул Стас. — Я бы даже сказал, изверг. Так издеваться над слабой женщиной.

— Ничего, — мрачно произнес Гуров. — Они тоже не особенно церемонились. Девочка наверняка знала, зачем второй раз пошли к Развалову. Да и ходил-то, скорее всего, не кто-нибудь, а дружок ее этот гуттаперчевый, который в любое окно пролезет. Так что не надо. Мы не с детсадовцами дело имеем и не в игрушки играть собираемся. Все будет по-взрослому.

На следующее утро в половине десятого все уже было готово к приему «дорогой гостьи».

— Ты, главное, не свети здесь, не стой полчаса, — выдавал Гуров последние инструкции Стасу. — Увидишь ее, скинь мне эсэмэску и марш-марш на лестницу. Надо, чтобы она меня до конца дослушала, а при тебе девушка, не ровен час, застесняется. Тогда весь план насмарку пойдет.

— Да понял уже, понял, — изображая безмерное утомление, проворчал Стас. — Сотый раз объясняешь.

Гуров ушел в кабинет, а Крячко остался в коридоре дожидаться урочного момента, когда задуманный хитроумный план предстояло привести в исполнение.

Без пяти десять дежурный доложил полковнику, что к нему на прием явилась некая Елизавета Брыкалова, и, приказав пропустить, Гуров выглянул из кабинета.

— Она поднимается, — заговорщицким тоном сообщил он дежурившему возле лестницы Стасу и вновь скрылся за дверью.

Крячко дождался, когда с лестницы донесется звук шагов, и отошел подальше, чтобы, перед тем как совершить запланированный «марш-марш», иметь время набрать эсэмэску. Пройдя несколько метров, он развернулся и на-

150

правился обратно к лестничному пролету, сосредоточенно глядя в экран телефона и совершенно не обращая внимания на то, что происходит вокруг.

Высокую светловолосую девушку, заходившую с лестницы в коридор, он практически не заметил. Лишь слегка оглянулся, чтобы убедиться, что она двигается в нужном направлении, и, когда девушка приблизилась к их общему с Гуровым кабинету, нажал «отправить». После этого, в точности выполняя инструкцию, свернул на лестницу и скрылся из вида. Она осталась в длинном коридоре совершенно одна. Пробежав взглядом по номерам на закрытых дверях, быстро отыскала тот, который был ей нужен, и уже протянула руку, чтобы вежливо постучать, как вдруг что-то ее остановило.

Тем временем Гуров, получивший условный сигнал, старательно осуществлял свою часть запланированного действа. Для большей достоверности он даже приложил к уху телефон и громко говорил в выключенную трубку:

— Да, у нас все готово. Думаю, начать нужно с самого Бероева. Навестим его в понедельник. Я бы хоть сегодня пошел, но ведь нужно подготовить документацию. Ордер на арест, разрешение на изъятия, на опечатку компьютеров. Все должно быть официально. К понедельнику, я думаю, успеем. Как раз и сам он в свою «Хозяюшку» явится. Вот и встретим его там. Ладно, после договорим. Я сейчас человека жду. Кстати, как раз по этому делу. Давай, до связи.

Проговорив этот монолог, Лев положил трубку на стол и прислушался. Из коридора не доносилось ни звука.

«Надеюсь, она не в обмороке, — с беспокойством подумал он. — Может, с арестом мы чересчур? Может, перестарались?»

Но уже в следующую минуту он смог убедиться, что беспокойства его были напрасны. Елизавета Брыкалова, несмотря на свою эмоциональность, несомненно, имела очень устойчивую нервную систему.

Гуров услышал возле двери шорох, потом в нее нерешительно постучали.

— Можно? — слегка приоткрыв дверь, скромно поинтересовалась Лиза.

— Да, конечно. Проходите, присаживайтесь. Брыкалова Елизавета?

— Да, это я.

— Очень приятно. Меня зовут Лев Иванович. У меня к вам несколько вопросов относительно работы в доме коллекционера Игоря Развалова. Кажется, я уже говорил вам, мы опрашиваем всех, кто так или иначе мог иметь отношение к этому человеку и бывал в его доме.

— Но я была там всего один раз, — невинно округлив глазки, проговорила Лиза. — Выходила вместо одной девушки. Она, кажется, уезжала куда-то. Или приболела... Сейчас даже не вспомню точно. Если такое случается, наше руководство посылает кого-нибудь на замену.

— И в этот раз послали именно вас?

— Да, меня.

— А по какому принципу ваше руководство выбирает, кого именно посылать?

— Не знаю, — растерянно взглянула Лиза. — Может быть, просто посылают тех, кто не занят.

— А вы в тот момент как раз не были заняты?

— Да, не была.

— У вас нет постоянной работы?

— Я работаю в «Хозяюшке».

Лиза произнесла эти слова довольно жестко, сбросив на секунду маску милой простушки, и Гурову показалось, что в ее взгляде мелькнуло отчуждение и неприязнь.

Ему почему-то сразу вспомнились циничные комментарии Димы, соседа Лизы по коммуналке, и он подумал, что сомнения «вонючего алкаша» в том, что девушка с утра до ночи неусыпно трудится, имели вполне реальные основания.

«Наверное, за каждую такую «замену» эта милая барышня получает столько, сколько обычной горничной не заработать и за год, — внимательно вглядываясь в лицо Лизы, размышлял он. — Единственное, в чем Дима слег-

152

ка ошибся, это в том, что она такая уж «конченая шалава». Синяя «Мазда» явно профинансирована из другого источника».

— Когда вы выходили вместо той девушки, вы общались с хозяевами? — решил уйти от неудобной темы Лев.

— Практически нет.

— Но, если я правильно понял, вы были в этом доме впервые, даже не знали, что и где там расположено. Кто же объяснял вам, что нужно делать?

— Там работали еще две горничные, они уже давно прибирались в этом коттедже. Что именно нужно делать, где прибирать, они мне объясняли.

— Когда вы занимались уборкой, в доме было много людей?

— Нет, только хозяева. Один раз были муж с женой, наверное, вот этот самый коллекционер, про которого вы говорите. А потом я видела только женщину. Мужчины не было. Или, может быть, просто не попадался на глаза.

— Потом? — многозначительно переспросил Гуров. — Вы же сказали, что были в этом доме только один раз?

— Я имела в виду, что выходила на одну неделю, — ничуть не смутившись, ответила Лиза, к этому времени уже справившаяся с волнением. — В неделю мы обычно выходим три раза через день. Например, в понедельник, среду и пятницу. Я дежурила за нее одну неделю, следовательно, выходила три раза.

— Понятно. Какие комнаты вам приходилось убирать?

— Комнаты? — изумленно взглянула девушка. — А какое это имеет значение?

— Имеет, раз спрашиваю.

— Ну... сейчас в точности и не припомню... В первый день я, кажется, прибиралась только в цоколе. Как новенькую, в другие помещения меня не допустили. А потом... потом практически везде. Да, кажется, везде. Мыла лестницу, пылесосила диваны, кресла. У них там много всего, мы приходили утром и заканчивали не раньше трех.

Начав свой монолог неуверенно и явно очень старательно подбирая слова, Лиза закончила речь снова в той же бодрой тональности, в какой говорила до этого. Гуров, очень внимательно за ней наблюдавший и не упускавший ни одной детали, тут же сделал соответствующие выводы.

«Не хочет говорить, где именно бывала, — мысленно резюмировал он. — И про комнаты все перезабыла, и о «музее» ни слова. Хотя к этим помещениям подход особый, там, наверное, одних предварительных маневров с сигнализацией столько, что и захочешь, не позабудешь. А она вот не помнит. Думаю, это — лучшее доказательство, что «внутреннее содержание» коттеджа она выучила просто наизусть. Иначе как бы сориентировалась, что именно следует ей в первую очередь «забыть?»

— Получается, в доме вы находились практически целый день? — уточнил Лев.

— Да, пожалуй. У них большой коттедж, уборка занимала много времени.

— И что же, все это время только и делали, что убирались? Даже перерыва на обед не было?

— Почему, был. У них в цокольном этаже кухня, там всегда имелись какие-нибудь продукты, и хозяйка разрешала нам готовить, только чтобы потом все помыли, грязи не оставляли после себя.

— Ну, уж для вас, как для профессионалов, это наверняка не оставляло труда, — улыбнулся Лев.

— Да, грязи мы не оставляли, — не поддержав его тон, серьезно ответила девушка.

— Во время своего пребывания в коттедже вы не наблюдали каких-то скандалов, размолвок? Вы ведь сами сейчас сказали, что находились там почти весь день. За это время не случалось чего-нибудь... экстраординарного?

— Я ничего не замечала. Даже не слышала, как они общались друг с другом. Мы имели дело в основном с хозяйкой, а мужчину я видела только один раз, я уже говорила вам. Он разговаривал с кем-то по телефону, причем совершенно спокойно, без всяких скандалов.

«Надо же, какие интересные подробности, — мысленно усмехаясь, подумал Гуров. — И то, что по телефону говорил, запомнила, и даже интонацию уловила. А вот в каких комнатах бывала — как отрезало. Вот не запомнилось, и все тут».

Основной целью вызова Лизы была задуманная им провокация, поэтому допросу как таковому он не придавал особого значения и не собирался именно сейчас «колоть» девушку. Все главные вопросы Лев собирался задать несколько позже. А сейчас, решив, что поговорили они с Лизой вполне достаточно, попрощался и выписал пропуск.

— Я могу идти? — кажется, очень удивленная, что так легко отделалась, спросила она.

— Да, конечно, — великодушно разрешил Гуров. — Пока у меня больше нет к вам вопросов. Если появятся, я свяжусь с вами дополнительно. Всего доброго!

— До свидания!

Девушка взяла пропуск и, не желая даже лишней секунды оставаться в этом «нехорошем» месте, поспешно вышла из кабинета.

Не стал медлить и Гуров. Предупредив группу наружного наблюдения, уже дежурившую неподалеку от синей «Мазды», что хозяйка идет к своей машине и пора выдвигаться на старт, сам он отправился в технический отдел, где его дожидался Стас.

— Ну что, сработало? — едва завидев Гурова, с интересом спросил он.

— Думаю, да. Когда она вошла ко мне, то дрожала, бедная, как лист. Но пришла в себя довольно быстро, надо отдать ей должное.

— А что, если она теперь успокоилась и решила, что все это — ложная тревога? Что время еще терпит и звонить никуда не нужно?

— Тогда будем считать, что не сработало, — нахмурился Лев. — Только мне кажется...

— Есть звонок!

— И у меня!

Юра, который слушал переговоры Артура Бероева, и его коллега Алексей почти одновременно зафиксировали соответственно входящий и исходящий вызовы.

155

— Ага! — победоносно воскликнул Гуров. — Значит, все-таки сработало.

— Ну, и чего теперь орать? — недовольно скривился Стас. — Ты лучше слушай.

Однако слышны были пока только гудки. Бероев довольно долго не брал трубку, вновь заставляя двух полковников волноваться, но вот наконец они прекратились, и послышалось долгожданное: «Алло?»

— Артур Халилович, — звучал в эфире взволнованный женский голос. — У нас тут... у нас форс-мажор.

— Что случилось?

— Меня сейчас вызывали в ментовку. Они все раскрыли, Артур Халилович, и... и... и...

— Что «и»? Успокойся, Лиза, и объясни толком. Кто «они»? Что раскрыли? Кто тебя вызывал?

— Не знаю. Какой-то Гуров. Он вчера приходил ко мне домой, поднял там всех на уши. Сказал, что опрашивает свидетелей по делу этого... ну... коллекционера с Калужского шоссе.

— Да я понял. Но что тебя так напугало? Они всегда всех опрашивают. Ничего особенного. Или он предъявил тебе что-то конкретное?

— Да нет... нет, вроде ничего конкретного не предъявил. Спрашивал, где я убиралась, и не ссорились ли в это время хозяева. Но дело не в этом. Артур Халилович, они... они...

— Что «они»? Лиза, говори толком, я не понимаю!

— Они вас арестовать хотят! — в ужасе выдохнула девушка.

— Меня? Арестовать? Что за вздор? Кто тебе это сказал?

— Это точно, Артур Халилович. Даже не сомневайтесь.

Волнуясь и спотыкаясь на каждом слове, девушка изложила Бероеву содержание разговора, который она подслушала, стоя возле двери кабинета Гурова.

— А ты не ошиблась? Он именно так и говорил — в понедельник придут ко мне в офис? — В тоне Бероева слышалось больше недовольство, чем озабоченность.

— Да, да, Артур Халилович, — с чувством убеждала Лиза. — Именно так. Сказал, что нужно оформить какие-то бумаги и что до понедельника они как раз успеют.

— Хорошо, я понял тебя, Лиза. Ты, главное, не волнуйся. Ничего они не успеют.

— То есть как? Артур Халилович, это совершенно точно. Почему вы мне не верите? Я сама слышала, своими ушами.

— Я верю, Лиза. Ты, главное, не волнуйся. Мы ведь с тобой люди бывалые, нас голыми руками не возьмешь. Сейчас тебе нужно просто расслабиться и отдохнуть. Не думать обо всем этом.

— Но как же не думать, Артур Халилович. Ведь они...

— Просто не думай. Все будет хорошо.

— Но...

— Слушай, что я говорю. Просто доверься мне. Я ведь тебе доверяю.

— Да, конечно. Я тоже. Я тоже доверяю, Артур Халилович. Только они...

— Вот и хорошо. Значит, успокойся и послушай, что я скажу. Сейчас нам не нужно ничего предпринимать. Просто не думать обо всем этом. Какое-то время. Взять тайм-аут. Отдохнуть, расслабиться. Съездите с Максом куда-нибудь на недельку-другую. Я переведу тебе деньги. Отдохнете, наберетесь сил. А за это время, глядишь, и все эти форс-мажоры закончатся. Сами собой на нет сойдут. Что они могут нам предъявить? Абсолютно ничего. Никаких конкретных фактов у них нет и быть не может. А значит, и волноваться нам с тобой нечего. Правильно?

— Наверное, — как-то неуверенно произнесла Лиза. — Только я боюсь, что... почему он именно ко мне пришел? Меня ведь тогда уже не было в доме. Я ведь почти за две недели до того, как... ну, в общем, намного раньше ушла, чем ребята там работать начали. С чего он именно ко мне приперся?

— Да мало ли с чего, — спокойно сказал Бероев. — Информации у них нет, вот они и тычутся туда-сюда. Надеются хоть что-нибудь раздобыть. Только ничего у них не выйдет. Ты не волнуйся, Лиза. Все будет хорошо. Просто сейчас всем нам надо взять небольшой тайм-аут, — повторил он.

— Но в понедельник...

— Не волнуйся за понедельник. До понедельника еще дожить надо. А уж когда доживем... там видно будет. Съездите куда-нибудь с Максом. Я же сказал, что переведу деньги.

— Спасибо, Артур Халилович. Только вы тоже, вы... будьте осторожны.

— Я всегда осторожен, Лиза. За меня не волнуйся.

Собеседники попрощались, и из миниатюрных динамиков послышались короткие гудки.

— Однако немного наговорили, — с некоторым разочарованием протянул Стас.

— Не важно, — сказал Гуров. — Главное, у нас есть сам факт — девушка звонила, чтобы предупредить Бероева о готовящемся аресте. Тут и без разговоров все понятно. Кроме того, он назвал имя этого Макса и прямым текстом подтвердил его связь с Лизой. Да и с собой самим тоже. А Лиза и Макс — прямые исполнители всех этих интересных «заказов». Хотя в случае с кражей, думаю, там и другие были, но главную работу сделали все-таки наши ребята. Так что главное у нас есть — непосредственное доказательство личной связи заказчика и исполнителей. Да еще какой теплой связи. Видал, как она заботливо: «Артур Халилович, будьте осторожны». Просто дочь родная.

— Ну а что ты хотел? Ей из ее коммуналки только и светило, что горничной поработать. А тут такое счастье привалило, и тачка крутая, и покровители высокие. И «съездите с Максом отдохните». Деньги он переведет. Девушка благодарна, это вполне естественно.

— Кстати, нужно будет еще этого Макса пробить. Интересный парень.

— Видел его?

— Да, я, когда от коммуналки ее вел, как раз к нему и привел. Ездила переживаниями делиться. Имя и дом мы знаем, осталось добавить фамилию и номер квартиры. Возможно, за ним туда и придется идти.

— Возможно, и за девчонкой тоже. Где еще ей быть в воскресенье, как не у любимого?

— Может быть. Если они не уедут куда-нибудь еще раньше Бероева.

— Куда уж раньше — сегодня четверг, — с сомнением произнес Стас. — За день они только в Простоквашино могут успеть собраться. А в какое-то место посерьезнее, типа Израиля, это вряд ли. Сам Бероев-то, считай, последний шанс отхватил.

— Везучий, — хмыкнул Лев.

— Да уж. Ты, кстати, заметил, что он с девушкой хотя и по-отечески нежно разговаривал, но о том, что отваливать собирается, ей не сказал?

— Заметил. Думаю, это только еще раз подтверждает, что отваливать он собирается вовсе не с туристическими целями. Так что все идет по плану.

— И что же у нас там дальше по этому твоему плану?

— Ничего особенного. Плотно «пасем» их всех до воскресенья, а в воскресенье берем.

— И всего-то? — саркастически усмехнулся Стас. — Действительно, пустячок.

— Не пустячок, конечно, но ты про план спрашивал, я тебе ответил. Так что айда к Орлову дополнительные ресурсы выбивать. Нам теперь еще две группы наружного наблюдения понадобятся, для Бероева и для этого Макса, да еще один номер на прослушку поставить, да спецы на арест...

— Тебя послушать, половину Управления придется мобилизовать, — снова усмехнулся Стас.

— А ты как думал? Этого Бероева все девяностые достать не могли, а мы собрались сейчас его брать, когда он, можно сказать, столпом отечественного бизнеса заделался. И предприниматель образцовый, и налогоплательщик аккуратный. Не говоря уже о том, что со всех сторон адвокатами и юристами закрыт.

— Ну да. Пионер, всем ребятам пример. Куда там девушка-то наша отправилась? Не хочешь узнать?

Связавшись с группой, которая вела Лизу, Гуров выяснил, что она поехала к Максу.

— Минут десять сидела в машине, говорила по телефону, — доложил Сергей Купцов, руководитель группы. — Потом снялась с места. Сейчас подъезжаем к Свиблову.

— Ну, точно, к Максу, — отметил Гуров. — Куда же еще? Он живет там же, в паре кварталов от нее.

— А может, домой? — предположил Стас.

— Чего ей там делать? С «вонючими алкашами» переживаниями делиться? Нет, она, когда нервничает, сразу к любимому едет. Проверено.

Предоставив следить за Лизой группе наружного наблюдения и за телефонными переговорами — Юре и Алексею, два полковника отправились к генералу.

— Ставить на прослушку больше никого не буду! — с порога отрезал тот. — Даже не просите! Пора уже самим работать начинать. Не все вам на халяву...

— Да ты погоди, Петр Николаевич, не нервничай, — успокоил Гуров. — Мы и сами работаем, трудимся, не щадя живота, даже не сомневайся. И наработали уже кое-что.

— Правда? — с нажимом спросил Орлов. — И когда же мы берем убийц Развалова?

— В воскресенье, — спокойно ответил Лев.

— То есть... в каком смысле? Как это — в воскресенье? — смутился генерал, явно не ожидавший, что на свой заданный в лоб конкретный вопрос получит столь же конкретный ответ.

— Очень просто. Связь заказчика и исполнителей подтверждена конкретными фактами, так что теперь мы можем спокойно брать всю теплую компанию и постепенно раскручивать на разные интересные рассказы о разных интересных нюансах работы разных интересных клининговых компаний.

— Какими фактами? — тут же спросил генерал.

Поощренные неподдельным любопытством начальства, Гуров и Крячко в два голоса стали рассказывать о последних событиях, параллельно убеждая Орлова в необходимости поставить на прослушку еще один телефон и выделить дополнительных людей.

— До воскресенья-то еще дожить надо, — сказал Стас. — Целых три дня еще.

— Два, — уточнил Орлов.

— Ну, пускай, два. Тоже немало. За два дня, знаешь... за два дня что угодно сделать можно. А мы здесь промахнуться не имеем права. Шанс-то у нас всего один будет. Смоется Бероев в Израиль, и поминай как звали. Как его потом оттуда вытащишь? Замучаешься разговоры разговаривать. Поэтому нам сейчас так их «пасти» нужно... глаз не спускать.

— И брать всех нужно одновременно, — внес свою лепту Гуров. — Если одного взять, а другого оставить, этот другой в тот же миг в воздухе рассеется, как мираж.

— Потому что предупредят, — заботливо пояснил Стас.

— Так это что же получается? Это получается, что мне на задержание нужно будет сто человек отправлять? Где я вам столько спецназовцев наберу? И потом, аэропорт... Черт! Аэропорт — это опасно, Лев, — многозначительно взглянув в глаза Гурову, сказал Орлов. — Там все-таки люди, мало ли что.

— Но ведь он нас там не ждет. Мы же в понедельник должны прийти, в офис. Ребят оденем в гражданское, саквояжами снабдим. Комар носа не подточит.

— Не знаю, — продолжал сомневаться генерал. — Все-таки... мало ли что.

— А может, на подходе его взять? — предложил Стас. — Например, когда будет из машины выходить, встретить. Ведь за ним все равно следить будут до последнего. И когда выехал, нам будет известно, и куда путь держит.

— Правда? И где припарковаться захочет, тоже заранее угадаешь? — саркастически поинтересовался Орлов. — Или хочешь, чтобы группа захвата сто километров к нему бежала, чтобы он пристрелил кого-нибудь или заложника взять успел? Нет, это не вариант. Надо... что-то другое надо.

— Тогда предлагаю не на выходе из машины, а на входе в здание вокзала его взять, — сказал Гуров. — Здесь-то уже не будет вариантов, вход там один. Точно будем знать, куда пойдет, даже угадывать не понадобится. Предположим, он входит, а наши ребята — навстречу ему, типа, выходят. Там, конечно, тоже люди будут, но это, возможно, даже и к лучшему. Среди тех людей наши люди будут еще незаметнее. А в остальном фактор внезапности сыграет. По поводу стрельбы или заложников — он даже сообразить ничего не успеет. Без шума и пыли возьмем, чисто физически.

— Думаешь? — с сомнением покачал головой генерал.

— Уверен, — твердо ответил Гуров. — Группу на захват, группу на контроль. Никуда не денется.

— Ну, смотри. Если хоть одна жертва...

— Да какие жертвы, Петр Николаевич? Мы им даже оружие не разрешим брать, если ты так переживаешь.

— Да за своих-то я не переживаю, — озабоченно проговорил Орлов. — Им заложников брать незачем. А вот Бероев этот твой... От него чего угодно ожидать можно.

— Так для этого мы и возьмем вторую группу. Опытные ребята будут контролировать, так сказать, внешний периметр. Каких еще тебе гарантий?

— Ну, смотри. Если что... головой отвечаешь.

— Лады.

Договорившись с Орловым и обеспечив предстоящую операцию людскими и техническими ресурсами, Гуров переключился на улаживание необходимых формальностей.

Небольшой спич, сочиненный им специально для того, чтобы его услышала Лиза, содержал не только ложные сведения о том, что Бероева придут арестовывать в понедельник. Та часть его, которая касалась подготовки документов и ордеров на арест, вполне соответствовала действительности. У большинства сотрудников ведомства, в отличие от Гурова, рабочее расписание было вполне стандартным, и на то, что кто-то выйдет в свой законный выходной только для того, чтобы подготовить какие-то там официальные бумажки, рассчитывать не приходилось.

— Так что, как делимся? — вернувшись вечером в кабинет после насыщенного трудового дня, спросил Стас. — Тебе мальчик с девочкой, мне — Бероев? Или наоборот?

— Наоборот. В аэропорту действительно опаснее, не могу же я подставить лучшего друга. Кроме того, если что случится, Орлов обещал мне голову оторвать, а не тебе. Согласись, обидно будет, если ты проколешься, а мне отвечать придется.

— Это я-то?! — возмущенно воскликнул Крячко. — Это я проколюсь? Ну, ты, Иваныч, обнаглел! Про меня, непревзойденного аса, вот так вот говорить? Ладно. Я запомню. И учти — моя месть будет жестокой.

— Ладно, учту. Ты к ребятам не заходил? Новенького ничего нет о наших друзьях?

— Представь себе, заходил, — язвительно проговорил Стас. — Я дело на середине не бросаю, в отличие от некоторых. Хотя новенького там немного. У Бероева все тихо-мирно, никаких авралов и резких движений. Правда, с неким Владиком он как-то очень уж многозначительно разговаривал.

— В смысле? — сразу насторожился Гуров.

— В смысле, в гости приглашал. Зайди, говорит, побеседовать нужно. Срочно. Так вот я и подумал — не на эти ли темы?

— Владик? Погоди-ка, помнится, мне Юра тоже что-то о нем говорил.

— Какой Юра?

— Парень, который слушает Бероева.

— А, этот. И что же он тебе говорил?

— Говорил, что по разговору Бероева с этим Владиком можно понять, что он что-то вроде юриста или адвоката. В общем, из этой братии. Я потом, когда записи отслушивал, тоже обратил внимание. Судя по вопросам, которые задавал ему Бероев, он действительно из этой сферы.

— И какой же вывод?

— Бероев хочет негласно передать кому-то контроль над фирмой и прочими своими делами. Возможно, даже этому самому Владику. Ведь до отъезда осталось не так уж много.

163

— И такие интимные вопросы они, конечно же, не стали обсуждать по телефону?

— Разумеется. Поэтому и пригласил в гости. Не мешало бы этого Владика тоже пробить. Если он такой близкий друг Бероева, вполне возможно, что и его нужно будет брать. До кучи.

— Все может быть, — согласился Стас. — Жаль, в его кабинете нельзя поставить прослушку. Вот уж когда набрали бы мы доказательств. Можно было бы сразу дело в суд передавать. Без всякого предварительного следствия.

— Мечтатель ты, Стася. Начинай же сам работать, как совершенно справедливо заметило начальство, а то все бы тебе только на халяву продовольствоваться.

— Угу, — буркнул Стас. — Я вообще первый халявщик в Управлении.

За два дня, оставшиеся до намеченного задержания Бероева и его подельников, Гурову удалось оформить все необходимые документы, а также подтвердить свои подозрения насчет Владика. Выяснилось, что это действительно профессиональный юрист, причем контора его находится в том же здании, что и главный офис «Хозяюшки».

Краевский Владислав Игоревич занимался частной адвокатской практикой, а также давал консультации по самым разнообразным вопросам гражданского и уголовного права.

— Все под руками, — поделился со Стасом в пятницу вечером Лев. — Тут же тебе и воры, тут же и адвокаты.

— Удобно, — кивнул тот, — не надо далеко ходить. Там у них наверняка и нотариус где-нибудь в укромном уголке притаился. Здание-то большое, площади позволяют. Все доверенности и прочие бумажки, необходимые для того, чтобы со спокойной душой свалить из страны, можно оформить, как говорится, не отходя от кассы.

— Да, эти моменты нам проконтролировать, к сожалению, не удастся. Но ничего, будет и на нашей улице праздник. Когда возьмем его, все наверстаем. Как там, кстати, наши ребята? Присматриваешь за ними?

— Обязательно. Не могу же я бросить неопытную моло-дежь на произвол судьбы. Но в целом у них, кажется, ниче-го глобального не намечается. По телефону говорят мало, видимо, все вопросы тоже предпочитают обсуждать лично. Пару раз беседовали насчет того, в какой стране приятнее климат и лучше сервис.

— И в какой же? — с интересом спросил Гуров.

— Пока не определились. Но уезжать насовсем, как Бе-роев, точно не собираются, речь только об отдыхе. Я же сказал, ничего глобального.

— Может, потому и не собираются, что не знают, что босс сваливает?

— Может быть. А он не сказал им об этом, чтобы было кого подставить. Если ты говоришь, что Бероев сориентиро-вался после того, как ты слазил на этот чердак, он наверняка учел и то обстоятельство, что лазил туда не он. Даже если мы и догадались о том, кто исполнитель, не факт, что можем знать, кто заказчик. Ведь на Бероева мы фактически вышли через контакты Развалова. А это уже совсем другая история.

— Получается, что парень решил свалить, оставив эту свою «сладкую парочку» нам на съедение?

— Типа того. Взяв исполнителей, мы очень обрадуемся, что дело сделано, и о заказчике наверняка даже не вспом-ним.

— А исполнители не расскажут?

— Если будут знать, что патрон на свободе и находится неподалеку, возможно, что и нет. Сам посуди, кто для них мы, и кто он.

— Царь и бог? Всевластный и всемогущий? — с усмеш-кой произнес Гуров.

— Именно! Вспомни, сколько ограблений им уже схо-дило с рук. И это мы наверняка еще далеко не все знаем. С какой же стати они будут его закладывать? Скорее, на-оборот, станут терпеливо ждать в надежде на то, что до-брый «папа» очень скоро их вытащит. Так, значит, гово-ришь, у них все спокойно?

— Да, абсолютно. Полный штиль. Девочка то дома, то у парня, сам парень... Кстати, сам парень фигура довольно интересная. Некто Максим Николаевич Плотников, ужасно спортивный спортсмен, чуть ли не с детского сада занимается альпинизмом, выезжает на горные базы, есть в активе несколько серьезных восхождений.

— Ух, ты!

— Вот-вот. Причем это еще не все. Вдобавок к этому своему креативному увлечению, он еще и служил в десантуре. По контракту, правда, не остался, хотя предлагали.

— Вот это парень! — вновь выразил восхищение Гуров. — Что ж, тогда я тебе что хочешь ставлю — Развалова именно он и прикончил. Зачем приглашать кого-то со стороны, когда в своем коллективе такие блестящие кадры имеются? Не будет же он пробираться через чердак и снова проделывать весь этот сложный путь только для того, чтобы впустить в дом какого-нибудь отморозка, который не побоялся бы всадить пулю в лоб спящему человеку? Думаю, он и сам вполне способен был с этой задачей справиться.

— Весьма вероятно, — согласился Стас. — У тебя-то какие новости? Бероев собирает вещички?

— Если и собирает, то втайне и в режиме строгой секретности. Внешне все выглядит как обычно. По утрам приезжает в офис, в обед едет в ресторан, вечером возвращается домой. По телефону тоже ничего интересного. Да и не стоило ждать. Не такой простак этот Артур, чтобы по телефону свои отходные пути комментировать. Хотя наверняка под сурдинку прокручивает что-то, я нюхом чую. Даже кое-какие свои негласные связи двинул, чтобы мне про его банковские счета рассказали.

— И что же тебе рассказали? — с интересом спросил Стас. — Бероев все капиталы перегнал в офшор?

— Да нет, он так грубо не действует. Там комбинация, похоже, посложнее. Но движения заметны довольно явные, причем именно в последние дни. Перегоняет деньги со счета на счет, какие-то открывает, какие-то закрывает. Банки, разумеется, не только российские. Пока непонятно, какая там у него конечная цель, но все это явно неспроста.

166

— Ладно, будем надеяться, что скоро сам на допросе расскажет.

— Ладно, будем. Самолет у него в десять утра, так что в восемь все уже должны быть на боевых постах. Ты с ребятами в Свиблове, я в аэропорту.

— Так мне две группы брать или все-таки одну? — уточнил Стас. — Девушка-то, скорее всего, у парня будет. Выходные же. Если они так близко знаются, думаю, для нее не проблема и с ночевкой остаться.

— Все может быть. Но поскольку в голову ты ей не залезешь, где ей там остаться взбредет, то действуй, как планировали изначально — то есть две группы, по одной на каждый адрес. Когда Бероев прибудет в аэропорт, связываемся, докладываешь мне, где девушка. Если оба голубка в гнездышке, значит, второй группе отбой. Сам в любом случае будь возле дома парня. Потенциальные проблемы возможны только с ним.

— Да уж, десантура — это серьезно, — чуть улыбнувшись, проговорил Стас.

— Вот именно. Девчонку-то по-любому возьмем, даже если сопротивляться вздумает. А Макс этот... темная лошадка. Если Развалова и правда пристрелил он... В общем, сам будь с той группой, которая в его адрес отправится.

— Ладно, как скажешь. Так что, значит, прощаемся до счастливого уик-энда? — взглянув на часы, произнес Стас. — Рабочий день уже закончился, пора расходиться. Отдыхать, набираться сил перед ответственным мероприятием.

— Иди, набирайся, обессилевший наш. Следующий рабочий день начинается в семь утра в воскресенье. Попрошу не опаздывать.

— Как в семь?! — возмущенно возопил Крячко. — Ты же сказал, в восемь!

— В восемь все уже должны быть на местах. А утренняя перекличка состоится в семь.

— Изверг ты, Иваныч, вот что я тебе скажу. В воскресенье поднимать людей в такую рань, это... это антигуманно!

167

Несмотря на возмущенные протесты Стаса, ранним воскресным утром и он, и прочие участники операции были бодры и полностью готовы к самым решительным действиям.

Группы захвата, поголовно явившиеся в Управление в обычной гражданской одежде, после краткого инструктажа, проведенного Стасом, разъехались по адресам, Гуров поехал в аэропорт прямо из дома.

— Все на местах и полностью готовы, — ровно в восемь бодро рапортовал Стас.

— Отлично, — ответил Гуров. — Ждем Бероева и приступаем. Девушка дома?

— Нет. Девушка наша со вчерашнего вечера гостит у своего друга, как мы и предполагали. Так что, думаю, вторую группу можно отпускать.

— Пока не трогай. До окончания операции все должны быть на своих местах. У парня какой этаж?

— Восьмой.

— Пускай ребята входят в подъезд и поднимаются туда поближе. Не толпой, разумеется, а по одному, по двое. Занимают шестой, девятый, как им там будет удобнее, и ждут команды. Как только Бероев зайдет в аэропорт, я дам отмашку.

— Лады. Ждем с нетерпением.

Припарковавшись в бесконечном ряду машин, «дежуривших» возле здания аэровокзала, Гуров наблюдал за тем, как один за одним в это здание заходят крепкие молодые люди, не слишком обремененные поклажей. Войдя, они по разным причинам задерживались неподалеку от дверей. Кто-то изучал внутреннюю структуру зала, будто раздумывая, к какой кассе ему пройти, кто-то просто останавливался, очевидно, ожидая кого-то.

Когда минутная стрелка показала без пяти девять, возле аэровокзала притормозила самая обычная машина с шашечками и из нее вышел Бероев.

— Всем внимание! — судорожно схватив рацию, объявил Гуров. — Он у входа. Желтый «Форд» прямо напротив дверей. На такси приехал, гад, и тут про конспирацию не забыл.

168

Солидный, очень упитанный господин с небольшой дорожной сумкой окинул взглядом окружающее пространство и неспешно направился к входным дверям.

Глава 9

— Да кто же его знал, что он в окно ринется?! Там же восьмой этаж!

Задержание Артура Бероева действительно прошло «без шума и пыли», как и обещал Гуров. Все было сделано молниеносно и с ювелирной точностью. Бероева, входившего в дверь, тактично подхватили под руки сразу четверо молодых людей, идущих навстречу, и он сам не понял, каким образом уже через секунду оказался без саквояжа и со скованными за спиной руками.

Попытки выразить возмущение или спровоцировать на грубость вызывали в ответ лишь неодобрительное молчание.

При обыске огнестрельного и других видов оружия у гражданина Бероева обнаружено не было, и его спокойно препроводили к «Ниссану», стоявшему неподалеку. Никакой специальной маркировки на автомобиле не было. Единственно, чем он выделялся среди большинства других, — очень густой тонировкой на стеклах.

— Это произвол! — возмущенно говорил Бероев, когда его тушу пытались пристроить на заднем сиденье. — Вы за это ответите!

Эти две короткие фразы были последним, что сказал Артур Бероев в качестве свободного гражданина. Все дальнейшие действия ему пришлось производить уже в качестве арестованного.

А вот у Стаса все шло далеко не так гладко.

Получив сигнал от Гурова, он дал команду спецназовцам, уже «оккупировавшим» подъезд, начинать. Один из парней позвонил в дверь и, понизив голос до уровня полной нелегальности, сообщил, что принес записку от Артура Халиловича.

169

— Нужно, чтобы вы прочитали и сразу уничтожили. При мне, — близко наклонившись к двери, произнес он.

Для воскресенья девять утра — довольно ранний час, поэтому нежданный визит застал молодых еще в кровати. К двери подошла Лиза, в то время как Максим, лениво развалившись на простынях, вполуха слушал, что происходит в прихожей.

Упоминание имени босса, с которым еще совсем недавно Елизавета разговаривала об очень неприятных вещах, сразу согнало блаженную утреннюю расслабленность. И без того постоянно находившаяся на взводе, Лиза сильно обеспокоилась и поспешила открыть дверь.

— Э-э, осторожнее... Что вы делаете?! — тут же донеслось до слуха Максима.

Девушку действительно удалось задержать без труда, как и предсказывал Гуров. Хотя она и оказала поистине яростное сопротивление и даже пыталась кусаться, но мужество победило, и бравым парням удалось скрепить ее запястья наручниками.

Однако, войдя в спальню, они обнаружили ее пустой.

— Он по балконам ушел, гад! — готовый рвать на себе волосы от досады, сетовал Стас. — Альпинист, мать его! Вылез в окно, а там рядом балкон соседский. Вот, буквально — руку протянуть. Он — туда. А оттуда на крышу. А уж с крыши... Я уж вторую группу из коммуналки вызвал, приказал за всеми подъездами в оба глаза следить, да только... Не знаю. Такой скользкий этот гад!

— Думаешь, просто улетел? Как Икар? — сочувственно взглянул на него Гуров.

— Да иди ты, Иваныч!! — в сердцах воскликнул Крячко. — У человека горе, а он...

— Не переживай так, Стася, куда он из дома денется? Разве что действительно улетит. А по-другому ему не выйти, только из подъезда. А подъезды ты контролируешь. Люди ведь дежурят?

— Да люди-то дежурят, — тяжко вздохнул Стас. — Только... что, если он опять в окно ломанется?

— И снова на крышу? — усмехнулся Лев. — Ну, так

и пусть скачет, сколько ему вздумается. Если энергию девать некуда, так и флаг ему в руки.

— Нет, я не об этом. Я имею в виду, а вдруг он из окна на улицу выпрыгнет? Спустится на нижние этажи и того — аста ла виста, беби!

— Так ведь до этого окна еще добраться надо, — резонно заметил Гуров. — Из подъезда не вариант, а от кого-нибудь из жильцов тоже проблематично. Кто же будет впускать к себе в квартиру кого попало? Да еще утром в воскресенье. К тому же... я надеюсь, ты людей на обе стороны дома поставил, а не только с той стороны, где подъезды?

— Ну, ты, Иваныч, совсем уж меня за идиота не держи, — обиженно проговорил Стас. — Само собой, дом контролируется по всему периметру. Да только... Не знаю. Какое-то предчувствие у меня нехорошее. Вот так и шепчет внутренний голос, что нечего там уже контролировать.

— Думаешь, ушел?

— Сильно подозреваю. Гад!

— А ты сам, когда ребята вошли, где был?

— На улице, где же еще. Контролировал, так сказать, подходы.

— И парня этого не видел? В какую сторону он там по этой крыше ринулся?

— С земли крышу девятиэтажки? — вытаращил глаза Стас. — Шутишь? Сам попробуй как-нибудь что-нибудь разглядеть на такой высоте. Чисто для эксперимента.

— Так, значит, не видел?

— Разумеется, нет. Ребята мне сообщили, что он ушел, но я, наоборот, предпочел внизу остаться, подумал, что, кроме подъездов, деваться ему некуда. Думал, дождусь, подкараулю, откуда выйдет, да и возьму его здесь, тепленького. Только не угадал. Он, похоже, хитрей хитрого оказался. Гад! Да и они тоже... видимо, не сразу поняли, в чем фишка. В спальне пусто, у девчонки стали спрашивать, а та, видать, тоже сообразила быстро и давай кричать, что она здесь одна. Ну, и потеряли время. Пускай немного, но в такой ситуации, сам понимаешь, каждая минута на вес золота ценится.

— Ладно, не переживай, — снова попытался Лев успокоить расстроенного друга. — Отвлекись на что-нибудь. Сейчас в «Хозяюшке» документы изымают, съезди, поучаствуй. Развеешься, забудешь о плохом. А я, пожалуй, займусь девушкой. С пылу с жару, думаю, оно в самый раз будет. Самое время сообщить ей, что Бероев собирался свалить, а их с дружком в качестве козлов отпущения полиции сдать. Да еще специально подсказал идею на отдых уехать, чтобы создать впечатление, что это не он, а они бежать собираются.

— Хорошая мысль, — без энтузиазма отозвался Стас. — Попробуй, может, и сыграет.

— Должно сыграть, — уверенно произнес Гуров. — А ты не переживай. Никуда он от нас не денется.

Дружески похлопав Стаса по плечу, Лев отправился в изолятор, но если бы он мог предвидеть, каким образом оправдается его очередное предсказание, то от его благодушного спокойствия наверняка не осталось бы и следа.

Тем временем события развивались. Елизавета Брыкалова после очередной истерики наконец поняла, что этим способом в изоляторе ничего не добьешься, а только наживешь себе неприятности от соседей по камере, и сменила тактику.

— Я хочу поговорить со своим адвокатом, — важно заявила она дежурному охраннику.

— Еще раз меня без дела побеспокоишь, я сам с тобой поговорю, — красноречиво смерив взглядом девушку, ответил тот и захлопнул дверь камеры прямо у нее перед носом.

Увидев, что «цивилизованные методы» тоже не действуют, Елизавета призадумалась, а потом и вовсе сникла. К тому моменту, когда в изоляторе появился Гуров, она тихо сидела в самом дальнем углу камеры, не желая общаться с подругами по несчастью, и украдкой утирала слезу.

— Готова, — весело подмигнув, сообщил Гурову дежурный.

— Что, сдулась? — понимающе взглянул тот.

— Двух часов не посидела, — исчерпывающе информировал охранник.

Еще при первой своей встрече с Елизаветой Брыкаловой Лев определил ее для себя как девушку эмоционально неустойчивую и с реальными жизненными трудностями сталкивавшуюся не так уж часто. Уже одно ее стремление при возникновении любой проблемы или затруднения тут же кому-нибудь пожаловаться или обратиться за помощью говорило о многом. Узнав, что Гуров побывал в коммуналке, она тут же позвонила Максиму, а подслушав монолог в его кабинете, поспешила «доложиться» Берову. К сожалению, сейчас жаловаться было некому.

После стандартных вопросов об имени и дате рождения Гуров неожиданно поинтересовался:

— Артур Халилович не говорил вам, что собирается уезжать из страны?

— Что? — изумленно округлила глазки Лиза. — То есть как уезжать?

— Очень просто. Как обычно уезжают? Берут билет на самолет и... аста ла виста, беби, — вспомнил Лев выразительную цитату Крячко. — Он уезжал, а вы оставались. Как думаете, кому бы пришлось отвечать за все эти ограбления и убийства? Скорее всего, пойманным исполнителям, а вовсе не загорающему на израильском солнышке организатору. С этой страной у России нет договора о выдаче преступников, так что, за неимением других обвиняемых, вся вина пала бы на вас. Вы вообще представляете, на сколько это тянет по совокупности? В годах, я имею в виду. Про денежный эквивалент даже говорить не хочу, вам такую сумму за десять жизней не выплатить. Ваш молодой человек быстро сообразил, что к чему, и уже дает показания.

— Максим?! — еще больше изумилась Лиза. — Но он же... Он ушел. Убежал от вас. Вы все врете!

— Да, он попытался, — не моргнув глазом, ответил Лев. — Но уж слишком силы были неравны. Две группы спецназа на одного альпиниста-любителя... согласитесь, расклад невыгодный.

173

— Неужели и его взяли? — в тоне девушки сквозило отчаяние.

— И его, и вашего уважаемого босса.

— Артура Халиловича?! — Эта новость повергла бедную Лизу в настоящий шок.

— Да, именно его. Вас это удивляет? Напрасно. Какой нам смысл взять исполнителей и дать уйти главному организатору? Ведь основная часть вины лежит на его плечах. То есть это, конечно, в том случае, если вы не захотите взять все на себя.

— Я?! С какой стати?

— Вот и я тоже так подумал. Зачем такой молодой и симпатичной девушке проводить лучшие годы своей жизни за решеткой? Ведь изначально инициатива всех этих ограблений исходила не от вас. Так зачем же вам брать на себя то, чего вы не совершали. Вот Максим, он очень быстро это понял. Сообразил, что босс, на которого он честно и преданно работал, рискуя свободой, а иногда даже и жизнью, что этот босс фактически предал и подставил его. И вас тоже. Бросить вас здесь, а самому быстренько сделать ноги — как еще можно это назвать? Только предательством, больше никак.

— Но как вы... откуда вы узнали, что он уезжает?

— У нас свои методы, — уклончиво ответил Лев. — И, как видите, они вполне результативны. Мы не дали сбежать господину Бероеву и подставить вас. Теперь наша задача — разобраться, сколько во всех этих преступлениях его вины, а сколько вашей, и постараться представить суду объективные материалы, на основании которых он мог бы определить меру ответственности каждого и назначить справедливое наказание. Вы ведь не хотите нести наказание за те поступки, которых не совершали?

Но Лиза, казалось, уже не слушала того, о чем говорил Гуров. Невидящим взглядом она смотрела в пространство и иногда беззвучно шевелила губами, как бы силясь сформулировать какую-то мысль. Очевидно, в ее маленькой головке происходила сложная умственная работа, результаты которой вот-вот должны были вылиться в некий «окончательный ответ».

Гуров не мешал этому напряженному процессу. Он перелистывал бумаги, делал вид, что производит какие-то пометки, и терпеливо ждал.

— Так, значит, Макс дает показания? — выйдя наконец из летаргии, переспросила девушка.

— Разумеется. Он оказался весьма здравомыслящим молодым человеком. Какой смысл покрывать того, кто тебя предал?

— Да, действительно, — неуверенно, как бы все еще сомневаясь, произнесла Лиза. — А вы... вы правда арестовали Артура Халиловича?

— Сомневаетесь? — улыбнулся Лев. — Что ж, постараюсь вас убедить.

Он достал телефон и набрал номер Стаса.

— Станислав Васильевич, как там у нас с изъятием документов из офиса «Хозяюшки»? Все идет по плану?

— Э-э-э... Да, Лев Иванович, все проходит так, как и запланировали, — с легким недоумением в голосе ответил Стас, удивленный таким непривычно официальным обращением. — Сейфы опечатали, бумажные носители изъяли. Сейчас приступаем к цифровым. А... что-то случилось?

— Нет, ничего особенного. Просто хотел убедиться, что все в порядке. Ну вот, видите, — вновь обратился Гуров к Лизе. — Как вы думаете, смогли бы мы хозяйничать в офисе, если бы там находился сам владелец фирмы? Тем более учитывая, что сегодня выходной день.

Но Лиза снова ушла в себя. Похоже, новость о том, что в главном офисе хозяйничают полицейские, окончательно добила ее. «Все пропало» — так и читалось на побледневшем личике.

— Что ж, если так, — наконец выговорила она. — Если действительно все... Хорошо, я расскажу. Что именно вы хотите знать?

...Допрос Елизаветы Брыкаловой занял больше трех часов. Девушка долго сомневалась, но, решив давать показа-

175

ния, рассказывала все без утайки. Записывая ее слова, Гуров во многих случаях находил подтверждение уже имевшейся информации или догадок и предположений. Но иногда узнавал действительно что-то совершенно новое.

В частности, ему удалось наконец-то прояснить для себя загадочный вопрос, как преступники узнавали секретные коды сейфов и сигнализации в домах, где проживали жертвы ограблений. Разгадка оказалась столь же простой, сколь и гениальной. Воры воспользовались тем же приемом, которым в некоторых «экстренных» случаях пользуются полицейские: просто укрепили в нужных местах микроскопические видеокамеры и внимательно отсмотрели заснятый материал.

— Мне их сам Артур Халилович дал, — рассказывала Лиза. — Объяснил, как работают, где нужно крепить, чтобы «глаз» смотрел именно туда, куда нужно.

— У Развалова, наверное, пришлось половину дома камерами облепить? — усмехнувшись, поинтересовался Лев.

— Да, у него в нескольких местах ставили, — серьезно ответила Лиза. — У него там и своих камер хватает. Хорошо еще, что девчонки предупредили меня, а то бы через пять минут «засветилась».

— Сигнализацию отключал Максим?

— Да, он. Выключил там все, потом дверь открыл. Черный ход. Оттуда и вынесли все эти его шедевры.

— А сам снова через чердак вышел?

— Откуда вы про чердак знаете? — удивленно взглянула Лиза на Гурова.

— Я много чего знаю, — улыбнулся он. — Замок ты подменила?

— Да, я. Замучилась открывать его. Даже ноготь сломала.

— Что, ногтем открывала?

— Нет, открывала отмычкой. Но торопилась, времени совсем не было. Поэтому и ноготь сломала.

— А как оно вообще появилось у тебя, это время? На это ведь двух минут не хватит. Там один этот спуск-подъем минут десять как минимум займет.

176

— Я прибираться там осталась, в цоколе. Остальные на верхние этажи пошли, а я сказала, что, дескать, для первого раза займусь тем, что попроще.

— Если ты первый раз, откуда же так подробно внутреннее расположение знала? И то, что секретный ход на чердак имеется, и то, что замок там навесной? И даже на подмену еще один припасти успела.

— Как откуда знала? — снова удивилась Лиза. — Ведь наша фирма там уже сто лет работает. Там и Максим с бригадой несколько раз бывал. Фасад им чистил, ремонтировал кое-что.

— Заодно и раму в слуховом окне заменил? — многозначительно произнес Гуров.

— Ну да, и это, — смущенно ответила Лиза. — Про ход на чердак тоже он рассказал, и о том, что камер там нет. Артур Халилович это запомнил, а потом и придумал план.

— План всегда он придумывал?

— Да, как правило. Он вообще... у него голова гениальная просто. Мы ни разу не попадались. Даже не подозревал никто. Вы вот только... И как только вы догадались? — Лиза подняла глаза на Гурова, некоторое время с любопытством осматривала его, как какую-то диковинку, и задумчиво покачала головой: — Даже удивительно.

Закончив с девушкой, Гуров, вдохновленный успехом, вызвал в комнату для допросов Бероева, но уже после первых слов убедился, что здесь совсем другой случай.

Упитанный бизнесмен даже не желал замечать его и, с пренебрежительным презрением сообщив свое имя и год рождения, наотрез отказался говорить еще что-либо без адвоката. В отличие от впечатлительной Лизы сообщение о том, что его подельники арестованы и дают показания, не произвело на Бероева никакого впечатления.

«Да, этот, кажется, пока не готов, — подумал Гуров, вспомнив замечание охранника насчет Лизы. — Что ж, пусть посидит, подумает. Глядишь, через денек-другой и он дойдет до нужной кондиции.

Приказав увести Бероева, Лев снова поехал в Управление. Был уже восьмой час вечера, но ему не терпелось хотя бы поверхностно ознакомиться с документацией «Хозяюшки» и собрать сведения о клиентуре. Он не забыл о своем намерении сравнить статистику нераскрытых ограблений и данные о клиентах клининговой фирмы. На волне успехов этого дня ему хотелось успеть все и сразу, и, несмотря на позднее время, он спешил на рабочее место.

В кабинете Лев застал Крячко, задумчиво созерцающего целую гору картонных коробок, и лаконично поинтересовался:

— Привезли?

— Угу, — меланхолически ответил Стас. — Вот думаю теперь, что со всем этим богатством делать.

— А я тебе сейчас расскажу.

После того как Гуров объяснил задачу, оба углубились в изучение информации, имевшейся на жестких дисках.

Часа через три кропотливой работы общими усилиями был создан файл, где в алфавитном порядке перечислялись фамилии всех до единого клиентов «Хозяюшки» за все годы ее существования. К фамилиям прилагались адреса.

— Хорошо бы еще уровень дохода указать, — устало потягиваясь, проговорил Лев.

— Да и так понятно, что не маленький, — отозвался Стас. — Ты посмотри на их расценки. Дороже только у стоматологов.

— Это ты еще к адвокатам не обращался.

— Чур меня! Слушай, Иваныч, на дворе двенадцатый час ночи. Ты можешь мне аргументированно объяснить, какого черта мы с тобой до сих пор делаем на работе?

— Легко. Мы с тобой до сих пор здесь, потому что решили состряпать один очень полезный файлик, благодаря которому прямо завтра без особого труда сможем узнать, к каким именно из ограблений, не раскрытых в последние несколько лет, причастна уважаемая фирма под названием «Хозяюшка».

— Серьезно?! Мы сделали это?

— Да!

— Вау! Тогда получается, что мы молодцы!

— Еще какие!

— Значит, нам полагается заслуженный отдых. Это твое завтра, между прочим, наступит уже через полчаса. Я бы хотел встретить новый день в своей кроватке, а не за рабочим столом. Закрываем лавочку. На сегодня точно уже хватит.

Предложение показалось Гурову вполне резонным, и минут через десять приятели тормошили полусонного дежурного, призывая выпустить их из родных до боли стен Управления.

Подъезжая к дому, Лев не испытывал никаких желаний, кроме желания упасть в кровать и отключиться. День действительно выдался напряженный.

Припарковав машину и заглушив двигатель, он медленно направился по слабо освещенному двору к своему подъезду. Разросшиеся на газоне деревья создавали таинственную тень, отовсюду неслось пение ночных насекомых, а свежий и прохладный ночной воздух, казалось, сам собой, без всяких посторонних усилий входил в легкие.

Лев уже почти прошел периметр газона с деревьями и вот-вот должен был выйти на открытую площадку перед подъездом, когда до его слуха донесся какой-то слабый шорох. Еще секунда, и он уже лежал на земле, отбиваясь от невидимого бандита, набросившего ему на шею удавку.

Все произошло так молниеносно, что Гуров успел лишь сообразить — чтобы не дать задушить себя сразу, он должен создать усилие, противоположное усилию тонкого шнурка, стягивающего его шею. Он резко подался назад, опрокинув на землю нападавшего, и упал вместе с ним.

Неожиданный маневр дал ему пару секунд форы и возможность перехватить удавку рукой. Но неведомый бандит и не думал отступать от своего намерения. Находясь в довольно неудобном положении, он лишь сильнее стягивал веревку, видимо, уверенный, что так или иначе, а доведет процесс до конца. И уже очень скоро Лев ощутил, что это

179

ему удается. Напавший на него человек был хорошо развит физически и прекрасно умел пользоваться этим своим преимуществом.

Чувствуя, что воздуха начинает катастрофически не хватать, Гуров собрался с силами и правым локтем нанес удар в корпус противника. По тому, как сразу ослабло натяжение веревки, он понял, что сумел достичь желаемого эффекта. Удар пришелся прямо в печень и оказался достаточно болезненным.

Не имея особенно широкого пространства для маневра, он еще несколько раз повторил свой «урок», пытаясь если уж не избавиться от коварной удавки, то хотя бы уменьшить силу ее давления.

Результат даже несколько превзошел его ожидания. Взбешенный непрерывным «долблением» по чувствительному месту, противник решил ответить и, бросив веревку, начал действовать кулаками.

Первым делом он тоже врезал Гурову по печени. «Подарок», полученный в правый бок, оказался настолько чувствительным, что от боли Лев перегнулся пополам. Это и решило исход схватки.

Почуяв, что противник следом за ним поднимается с земли и готовится снова напасть, он схватил его за лодыжки и со всей силой дернул на себя. Он намеревался вновь опрокинуть нападавшего на землю, чтобы получить еще пару «запасных» минут, но в этот момент почувствовал у себя под пальцами некий твердый предмет. Моментально определив, что на щиколотке бандита укреплен нож, выхватил его и, недолго думая, полоснул парня под коленом.

Тот заорал в голос от дикой боли, а Лев наконец-то смог отдышаться и рассмотреть нападавшего.

Сухое мускулистое тело и знакомые черты лица быстро подсказали ему, что перед ним не кто иной, как «альпинист-парашютист» Максим Плотников.

— А, вот это кто, — вполголоса произнес он. — Значит, убивать нам и правда не в диковинку. Что ж, рад встрече. Чего ж ты убежал-то от нас? Испугался? Вот видишь, все равно дорожки сошлись. Давай-ка вставай! А то еще простудишься, что я тогда невесте твоей скажу?

— Да пошел ты! — прорычал Максим, держась за колено и раскачиваясь на земле. — Ссука... Мент поганый... у-у-у...

Перерезанные связки причиняли нешуточные страдания, и Гуров дивился, как Максим вообще умудряется еще находиться в сознании. Но этапировать преступника в «свободном состоянии» было рискованно, и, при всем сочувствии, он все-таки сковал запястья Максима наручниками. Затем, подогнав машину вплотную к сидевшему на асфальте парню, вылез из машины и помог ему подняться.

— Давай, залезай, — устраивая его на заднем сиденье, сказал Лев. — В изоляторе дежурный врач есть, перевяжет тебя. А то сейчас вся твоя молодая кровь вытечет, замучишься потом переливания делать.

— Да пошел ты!

Возвращение в изолятор и оформление нового «постояльца» заняло большую часть ночи, и домой Гуров попал только в четвертом часу утра.

«Прощай здоровый сон и полноценный отдых», — с грустью думал он, осторожно поворачивая ключ в замке и вообще стараясь действовать как можно тише.

Но чуткая супруга уже ждала в коридоре.

— Лева, ты с ума сошел? — с укором произнесла она. — Четыре утра! Ты видел хотя бы одного нормального человека, который в такое время приходит с работы?

— Нормального — нет, — честно ответил Гуров. — Но опера, они все такие. Там нормальных искать бесполезно.

— Кто бы сомневался. Есть бу... — Мария осеклась, увидев кровь, и тон ее резко изменился: — Боже! Лева, что это такое?! Ты ранен? Надо «Скорую». В «Скорую» звонить немедленно!

— Да нет, — начал успокаивать Гуров расстроенную супругу. — Не надо. Не надо никуда звонить. Это не я ранен, это кое-кто другой не сориентировался. А я целехонек-здо-

181

ровехонек. Только устал немного. Денек сегодня выдался... жаркий. Покорми меня и уложи баиньки. Больше мне для счастья сейчас ничего не нужно.

На следующее утро в положенное время Гуров явился на утреннее совещание к генералу. Дисциплина есть дисциплина, и скидок на недосыпание не полагалось.

— Здравствуйте, Лев Иванович. Рад вас видеть, — как-то странно взглянув на него, сказал Орлов. — После совещания задержитесь, пожалуйста. Нужно будет... поговорить.

— Чего это он? — вполголоса спросил Гуров присевшего рядом Стаса.

— А я знаю? Вообще-то разнос мне полагается, ведь это я альпиниста упустил. У тебя-то все прошло просто идеально. Не знаю, почему тебе велел задержаться.

Все объяснилось очень скоро. Когда совещание закончилось и в кабинете остались только Орлов и Гуров, генерал озабоченно и с беспокойством взглянул на него и проговорил:

— Послушай, Лева. Мне тут доложили с утра... вместо адреналина, так сказать. Оказывается, этот Бероев и в СИЗО времени даром не терял. У него, похоже, связи практически везде, так что и среди «сидельцев» быстро сориентировался. Не знаю уж, как он нашел там «нужных людей», но вчера вечером ему удалось послать записку на волю и... в общем... похоже, тебя «заказали».

— Да ну? — с удивлением воскликнул Лев. — Это за что же такая честь?

— А ты не догадываешься? Бероев все «лихие девяностые» от правосудия уходил. А тут и «легальное положение» не помогло. Понятно, что он недоволен. Так что ты будь осторожнее. Меры прими. Если хочешь, могу в отпуск отправить. Внеочередной. Отдохнешь, расслабишься. Заодно и исчезнешь на время. От греха подальше. Дело-то, в принципе, уже на мази, дальше с ним и другие справятся. Да и Стас остается. Так что ты подумай.

— Нормально. Я, значит, столько трудов положил, ночей недосыпал, куска недоедал, раскрыл «нераскрываемое» дело, а теперь получается, что с ним «справятся и другие»? Хорошенький финал.

— Лева, не паясничай! Тут дело серьезное. Они ведь шутить не будут. Бероев за решеткой и наверняка уже понял, что быстро оттуда не выйдет. А этот его шустрый парень, который так ловко от вас ушел, и подавно в игрушки играть не склонен. Ведь на нем убийство, как-никак. Да, может быть, еще и не одно.

— Погоди-ка! Так это он меня своему альпинисту, что ли, «заказал»?

— А кому же еще? Кто еще может быть до такой степени заинтересован в твоей смерти? Кроме самого Бероева, только он. Знает ведь, что живой ты от него не отстанешь.

— Вот оно что, — усмехнулся Лев. — Так могу тебя порадовать, Петя, эта новость уже не актуальная.

— То есть?

— А то и есть. Парень, похоже, решил действовать оперативно и долго ждать с исполнением этого «заказа» не стал. Решил привести приговор в исполнение тем же вечером, то есть вчера.

— Так это... он что, уже нападал на тебя?! — воскликнул Орлов, озаренный догадкой, и стал с беспокойством осматривать Гурова, будто стремясь найти на его теле кровоточащую рану или еще какой-нибудь несовместимый с жизнью изъян.

— И нападал, и в ответ свое получил, — улыбаясь, ответил Лев. — И в СИЗО теперь загорает. Кстати, забыл. Надо пойти обрадовать Стаса. А то он, бедный, наверное, ночь сегодня не спал, все переживал, что упустил злодея.

В кабинете, который занимали два полковника, Гуров и Крячко, было непривычно многолюдно. В конце рабочего дня «в гости» зашли коллеги-следователи Алексей Степанов, Дима Зайцев и Геннадий Калинин. С того момента, как арестовали Артура Бероева и его сообщников, прошло две недели, и неутомимые труженики уже могли подвести некоторые промежуточные итоги.

— Вы бы хоть чаем угостили, если коньяка нет, — улыбаясь, произнес Степанов. — Когда еще соберемся вот так вот посидеть.

— Да, Алексей Николаевич, коньяка нет, здесь ты прав, — сокрушенно вздыхая, признал неопровержимый факт Крячко. — А все из-за кого? Все из-за него, — кивнул он в сторону Гурова. — Уж сколько раз говорил ему, втолковывал. Иваныч, говорю, если тебе дают взятку, надо брать. Судьба не так часто посылает нам шанс в жизни. Так ему ж разве объяснишь?

— Да мне и не дают взяток, — усмехнулся Лев. — Всем уже известно, что я тупой. Хоть объясняй, хоть не объясняй мне — все едино.

— Да уж, Лев Иванович, всем бы такими тупыми быть, как вы, — подольстился Зайцев. — Сколько лет ограбления нераскрытые висели, а вы взялись и — пожалуйста. И преступник вам тут, и доказательства. Все как на блюдечке с голубой каемочкой выложено.

— А кстати, сколько всего там вышло у этой «Хозяюшки» ограблений? — поинтересовался Калинин.

— Всего двенадцать, — ответил Гуров. — Когда мы со Стасом фамилии клиентов с нераскрытой базой сравнили, сразу «своих» выделили. Все богатенькие, у всех ценностей «изъято» на весьма приличную сумму.

— И у всех один и тот же общий признак — полное отсутствие улик, — логически закончил этот ряд Степанов.

— Именно так, — подтвердил Лев. — Но тут уж мы нашли способ. Начало, как говорится, было положено, а уж, поймав нужную ниточку, раскрутить весь клубок — дело техники.

— Спасибо Лизавете, — заметил Крячко. — Это с ее легкой руки так бойко все у нас пошло-поехало.

— У Лизаветы вообще, похоже, не руки, а золото, — улыбнулся Лев. — Сам Бероев ее хвалил. На первых делах у него другие помощницы были, но как эту девушку принял, сразу понял, что лучшего «кадра» для своих делишек ему просто не найти. Все подметит, везде успеет, все разузнает и в лучшем виде любимому боссу доложит.

— Он, наверное, и работать начал так бойко, потому что эта Лиза у него «в активе» появилась, — предположил Зайцев. — Ведь поначалу, как я понял, ограбления случались изредка, в виде исключения.

— Да, но это не потому, что Лизы под руками не было, — сказал Гуров. — Просто сначала Бероев боялся, осторожничал. Ведь репутация его была хорошо известна, и воспоминания, как говорится, были еще свежи. На допросах он говорил, что изначально, когда открыл фирму, ничем «параллельным» вообще заниматься не планировал. Хотел и впрямь взаправдашним бизнесменом заделаться, действовать исключительно «по закону».

— А что же потом расхотел? — спросил Степанов.

— Говорит, скучно стало. Захотелось порезвиться, прошлые времена вспомнить. А когда увидел, что, как и в прошлые времена, все ему с рук сходит, то и во вкус вошел. Первое время соблюдал осторожность, большие перерывы делал, чтобы связи между ограблениями не заподозрили. А потом освоился, обнаглел. Я его спрашивал, кстати, чего это он в последнее время заторопился-то так, чуть не каждый месяц квартиры бомбил? А он ответил — налоги отрабатывал. Слишком, говорит, высоко планку подняли, честному предпринимателю совсем невмоготу стало.

— Да уж, Бероев из всех предпринимателей самый честный, — усмехнулся Степанов. — Я, честно говоря, вообще удивляюсь, как тебе, Лева, на показания раскрутить его удалось. Это ведь... кремень. Из него и под пытками «чистосердечного признания» не вытянешь.

— Зачем же под пытками? Мы и цивилизованными методами пока справляемся. Стас верно подметил, все началось с показаний Лизы. Она назвала сообщников, которых Максим впустил в коттедж Развалова в ночь ограбления.

— Для того, чтобы они вынесли картины?

— Да, именно. Этих людей мы взяли, поработали с ними, они указали на других. Те — на третьих. Так постепенно и раскрутили всю шайку. Степень вины у всех, конечно, разная, кто-то просто информацию сливал, а кто-то и перед убийством не останавливался. Но по итогам этой «кампании» у нас столько материала набралось, что Берое-ву молчать уже смысла не было.

— Не сам, так ребята всю подноготную раскроют?

— Конечно. Им-то какой смысл чужое на себя брать?

— А кстати, этот «скалолаз» в убийстве признался? — с интересом спросил Степанов. — Я его по своему делу допрашивал, парень, похоже, неразговорчивый.

— Это точно, — подтвердил Гуров. — Его признательных показаний по убийству у меня пока нет, но я над этим работаю. У нас с ним вообще взаимоотношения... сложные.

— Алексей Николаевич, вы упомянули про свое дело, — вступил в разговор Гена Калинин. — Так, значит, к вашим они все-таки через крышу залезли?

— Ну, не такие уж они «наши», — снова усмехнулся Степанов. — Но залезли действительно через крышу. Как раз этот вот самый «альпинист-многостаночник». Парень, похоже, на все горазд. Как отключить сигнализацию, узнала, разумеется, Лиза, она ведь выходила на замену к этому чиновнику. А потом, когда настал подходящий момент, «альпинист» пробрался в квартиру и впустил туда еще двух сообщников.

— Так же, как и у Развалова, открыл дверь изнутри?

— Да, именно. Они и людей таких специально подобрали, чтобы на кого-то из жильцов были похожи, и одежду им купили специальную. Чтобы те могли просто на лифте спуститься и спокойно мимо охраны пройти. Ведь через крышу иконы транспортировать некомфортно.

— Надо же, сколько хлопот, — заметил Гена. — А у меня просто зашли, взяли «бирюльки» и спокойно вышли.

— Да ну? — удивленно вскинул брови Степанов. — Так вот, прямо на глазах у всех и забрали?

— Хотите верьте, хотите нет, а именно на глазах у всех. У этого Белкина, как я понял, дома всегда столпотворение. Постоянно какие-то гости, причем иногда даже сами хозяева незнакомы с теми, кто у них гостит. Этим и воспользовались наши остроумные друзья. И уж, само собой разумеется, не обошлось без вездесущей Лизы.

— Это она узнала коды для сейфа?

— И коды, и фишку с этой секретной кнопкой. Там у него кнопка такая была — если ее не нажать, даже после «легального» открытия дверцы все равно срабатывала сигнализация, — объяснил Гена, обращаясь ко всем присутствующим.

— Но Лиза сориентировалась? — с усмешкой спросил Гуров.

— Само собой, — улыбнулся в ответ Гена. — Лиза сориентировалась и передала нужную информацию боссу. Тот навел справки, и очень скоро в гости к Белкиным пришли его люди. Те ведь общительные, знакомятся быстро. Новые знакомые открыли сейф, сложили драгоценности в небольшую красивую дамскую сумочку и через некоторое время, вежливо попрощавшись, ушли.

— А те даже заметили не сразу?

— То-то и оно. До того как пропажа обнаружилась, эти воры еще пару раз успели у них в гостях побывать. Ведь нельзя было сразу исчезать в неизвестном направлении, могли что-то заподозрить.

— Да, ловко, — похвалил Степанов. — Вот что значит хорошо ориентироваться во внутренней обстановке.

— Нет, вы послушайте, как они мою обчистили, — с чувством произнес Дима Зайцев. — Вот это действительно ловко. Тут не только хозяева ничего не чуяли, тут даже сам Бероев не знал.

— Да брось! — удивленно взглянул на него Степанов. — Как такое могло случиться?

— А вот так. В этот раз наша вездесущая Лиза вышла на замену вполне «легально» без каких-либо специальных целей. Но определенные привычки у нее, похоже, уже сформировались, поэтому, подметив, что хозяйка ведет, так сказать, богемный образ жизни, камеру она поставила, так сказать, чисто инстинктивно. Узнала код от сейфа, а потом, уже после того, как девушка, которую она подменяла, выздоровела, нечаянно узнала от нее же о том, что в этом самом сейфе в данный момент лежит весьма солидная сумма наличными. Режим дня Милы был ей хорошо известен, и о том, что с эфиров она приезжает поздно, Лиза

187

знала. Шепнула пару слов своему «скалолазу», объяснила, как можно незаметно проникнуть в дом, и — вуаля! Денежки в кармане.

— Наглость — второе счастье, — сентенциозно заметил Крячко.

— Наверное, — ответил Дима. — Но есть и другая пословица — плохо не клади. Та же Лиза по секрету призналась, что у такой дуры, как эта Мила Мирова, просто грех было не украсть. Она бы, говорит, эти деньги еще посреди комнаты на стол выложила. И ходила бы потом, удивлялась, куда пропали.

— Да, дерзости этим ребятам не занимать, — покачал головой Лев. — Но маневры в коттедже Развалова, это, я бы сказал, просто высший пилотаж. Разгуливать туда-сюда прямо «под носом» видеокамер, зная, что во дворе дежурит охрана, вынести картины и при всем при том остаться незамеченными — это надо еще суметь.

— А кстати, как они умудрились найти эту «невидимую» дорожку через парк? — обратился к нему Стас. — Я, честно говоря, так и не понял. Это ведь надо было несколько раз пройти, убедиться, что ты нигде не попадаешь в объективы, и только потом, методом, так сказать, проб и ошибок, определить стопроцентно безопасную траекторию. Как это им удалось?

— Не им, а ему, — поправил напарника Гуров. — Тут, похоже, определенную роль сыграло везение. Эту самую «стопроцентно безопасную траекторию» искали еще на начальных этапах разработки плана, потому что без нее все остальное просто не имело смысла. Для чего отключать сигнализацию и вытаскивать картины, если их нельзя будет незаметно вынести за пределы участка? Вот этот незаметный путь и взялся отыскать наш бравый альпинист. Если верить его рассказу, он просто шел наобум. В парке бывать ему приходилось, и о том, что камеры берут далеко не все потаенные места, он знал. Примерно определив для себя линию, которая эти места связывала, он однажды ночью решил совершить пробную вылазку. Придумал себе шутливую отговорку на тот случай, если его заметят, мол, бдительность стражей проверить хотел, и «пошел на дело». Перебрался к Развалову с соседнего участка и по намеченной линии двинулся к коттеджу. Подошел, постоял и пошел обратно.

— И ничего? — спросил Стас.

— И ничего. Ни в эту ночь, ни на следующий день, когда он под каким-то предлогом зашел к охранникам «в гости», никто никаких претензий ему не предъявил.

— То есть угадал с первого раза?

— Получается, что так. Я и на следственный эксперимент с ним выезжал, проверял эту его «дорогу жизни». Действительно, ни одна камера не зафиксировала. Траектория, конечно, немного замысловатая, местами даже по принципу «шаг вперед, два назад» складывается. Но нужный результат в итоге достигается, а это все, что требуется доказать.

— Да, «доказать» в этом деле просто ключевое слово, — заметил Степанов. — Как думаешь, Лев, удастся нам под соусом этих ограблений кое-какие старые делишки Бероеву припомнить?

— Навряд ли, — с сомнением ответил Гуров. — Там уже и срок давности прошел, и с этими самыми доказательствами предвидится большая напряженка. Дай с ограблениями разобраться, Алексей Николаевич. Здесь и без прошлых его дел столько всего намешано, что без пол-литра не разберешься. У нас одних фигурантов уже целый взвод набирается. И, кстати, не только мелкая сошка. Этот Краевский, с которым он перед своим предполагаемым отъездом так активно консультировался, фигура интересная просто до чрезвычайности.

— Его тоже задержали? — спросил Степанов.

— Пока под подпиской. Но я надеюсь на лучшее. Уже сейчас понятно, что со многими «покупателями», которым Бероев сбывал краденые ценности, он связывался именно через этого своего «юриста».

— Правильно, какой смысл воровать, например, те же иконы, если не будет канала, через который можно перевести их в денежный эквивалент.

— Вот именно. Это уже вторая стадия преступлений, и в работе над этой стадией я предвижу тоже очень много интересных открытий.

— Что ж, удачи тебе, Лева, — подняв чашку с чаем, как поднимают фужер с вином, проговорил Степанов. — Выпьем чайку за твое здоровье, да и распрощаемся. Посидели хорошо, но надо и честь знать. Завтра — новый день.

— С новыми «нераскрываемыми» делами, — ввернул Крячко.

— Это уж как водится. Что за жизнь без «глухарей»? Сплошная тоска и рутина.

— Твоя правда, Алексей Николаевич, — подтвердил Гуров. — Что бы мы без них делали? — И, вслед за Степановым высоко подняв чашку, торжественно добавил: — За «нераскрываемые» дела!

Жизнь взаймы

повесть

Глава 1

Старый обшарпанный «Фольксваген» ехал по пыльной проселочной дороге. За рулем сидел молодой мужчина типичной кавказской внешности. Худое смуглое лицо, крупный нос с горбинкой, кончик носа слегка опущен вниз. Густые черные волосы жесткими прядями спадали на воротник несвежей рубашки. Они давно требовали стрижки, но, видимо, это мужчину мало беспокоило. Глубокие борозды, прочертившие лоб, и хмуро сдвинутые кустистые брови говорили о том, что на данном жизненном этапе владельцу неряшливой прически проблем хватает. Заботы о внешности явно отошли на задний план.

Жилистые руки так вцепились в рулевое колесо, что казалось, он собирается вырвать его с корнем и вышвырнуть в открытое окно. Желваки на скулах ходили ходуном, тонкие губы прятались в усах, которые не могли скрыть напряжение молодого мужчины. Но главным подтверждением того, что у мужчины не все гладко в жизни, являлось то, что, находясь в салоне один, он разговаривал вслух. Нет! Он не просто разговаривал, а ругался, на чем свет стоит проклиная всех и вся, при этом обращался сам к себе по имени.

— О чем ты только думал, Рауф! Как мог подписаться на такое? С каких пор в роду Гулиевых появились недоумки? Черт бы тебя побрал! Тебя и всех твоих кредиторов. Нет, лучше бы только кредиторов, но разве это зависит от твоего желания?

Впереди идущая машина сбавила ход, собираясь остановиться у обочины. Рауф резко вывернул руль, пытаясь

избежать столкновения. Он высунулся из окна и грубо обругал водителя. Тот в ответ выставил в форточку средний
палец. Рауф резко ударил по тормозам, собираясь продемонстрировать зарвавшемуся, как он относится к непри-
личным жестам, но вовремя одумался.

— Остынь, Рауф, — вновь набирая скорость, приказал
он себе. — Тебе только дорожных разборок не хватало. Этого подонка и без тебя проучат рано или поздно. Таких при-
дурков всегда настигает расплата.

Автомобиль-нарушитель остался далеко позади, Рауф
тяжело вздохнул.

— Его ты считаешь придурком, кто же тогда ты? — выез-
жая на шоссе, философски изрек он. — Нарушение правил
дорожного движения по сравнению с твоими художества-
ми — просто детская шалость. Черт, ну почему, почему так
происходит? Ведь все было просчитано!

Какое-то время он ехал молча, но тревога не отпуска-
ла. Эту поездку он предпринял в надежде все исправить.
Не вышло. Теперь придется все начинать сначала, а время
поджимает. Не просто поджимает, его уже не осталось. Совсем. На завтрашний день назначена встреча. Что она при-
несет? Рауф полагал — ничего хорошего.

— Еще и эта сука, — в мыслях Рауф переключился на
другую волну, и ругательство само сорвалось с губ. — Мерз-
кая, грязная шлюха. Как она могла поступить так с тобой?

Он снова грубо выругался и даже сплюнул в форточку.
Встречный ветер подхватил плевок и вернул в салон. Мокрое пятно растеклось по несвежей рубашке.

— Отлично, — проворчал Рауф, стирая слюну рукавом. — Может, заодно и помочишься сам на себя? Для полной гармонии.

Делать этого он, разумеется, не стал. Досадное происшествие на некоторое время отвлекло его от печальных мыслей, к тому же дорога подошла к магистральной развязке:
Рауф въезжал в Москву. Ехать оставалось недолго. По прямой по шоссе Энтузиастов до следующей развязки, миновав лесопарковую зону Измайлово и преодолев запутанный
лабиринт дорог, перебраться на улицу с нелепым названи-

ем Электродная, где он занимал однокомнатную квартиру в многоэтажном доме. Квартира эта ему не принадлежала, но он находился не в том положении, чтобы проявлять щепетильность и отказываться от дармового жилья.

— Ладно, ладно, сейчас главное — успокоиться. — Рауф вновь заговорил вслух. — Ситуация такова, какова есть, и, раз уж ты влип, постарайся хотя бы не паниковать. Холодный душ тебе не повредит. Думай об этом. Завтра будет новый день, и кто знает, может, на этот раз тебе повезет.

«Фольксваген» свернул на знакомую улицу, миновал сетчатое ограждение автомобильной стоянки, устроенной жильцами дома для личного пользования. Толку от ограждения было немного, но кое-кого из владельцев авто это успокаивало. Притормозив у самого въезда, Рауф поискал глазами свободное место. Как всегда, практически все места оказались заняты, большая часть жильцов возвращалась домой раньше Гулиева. Присмотрев место в углу стоянки, Рауф проехал вдоль плотного ряда машин, произвел нехитрые манипуляции и втиснул «Фольксваген» между подержанным «Пежо» и новехонькой «Калиной». Заглушив мотор, он опустил голову на руки, которые все еще сжимали рулевое колесо. Так он просидел довольно долго.

Особых причин сидеть в машине, вместо того чтобы идти домой, у Рауфа не было. Уже много месяцев он жил один. Ему не нужно было ни перед кем отчитываться за позднее возвращение. Некому было устраивать скандалы и разборки. Уже некому. Просто в салоне своего «Фольксвагена» он чувствовал себя увереннее. Но домой идти все же было нужно. Завтра его ждет трудный день, очередной трудный день, перед которым следовало хорошенько выспаться.

Усилием воли Рауф заставил себя поднять голову. Встряхнувшись, он вышел из машины. В ночной тишине звук закрывающейся дверцы прозвучал слишком громко. Рауф нажал кнопку, активируя сигнализацию. Фары дважды моргнули и потухли. Сунув ключи в карман, Рауф медленно двинулся вдоль припаркованных авто.

Мысли его были далеко. Видимо, поэтому он слишком поздно сообразил, что на стоянке он не один. А поняв это, застыл как вкопанный. От черного силуэта его отделяло не больше трех метров. Рауф пытался рассмотреть выражение лица человека в черном, но было слишком темно. Освещения от уличного фонаря едва хватало на то, чтобы вообще хоть что-то разглядеть. И все же Рауф его узнал. Нельзя сказать, что это принесло Рауфу облегчение, но язык развязало.

— Снова ты, — превозмогая страх, произнес он. — Мы ведь договорились. У меня еще есть время, ведь так?

Человек в черном молчал. Рауф выдержал небольшую паузу и снова заговорил:

— Не подумай, я не собирался сбегать. Просто решил прокатиться. Это ведь не запрещено? Если вас это беспокоит, надо было предупредить. Я бы и носа из дома не высунул, — голос Рауфа звучал заискивающе.

Слова Рауфа на человека в черном не произвели должного эффекта. Он переступил с ноги на ногу, и Рауф увидел то, что до этого скрывала тень. Огромный, тяжелый пистолет с навинченным на дуло глушителем. По спине пробежали мурашки, в желудке что-то перевернулось, к горлу подступила тошнота. «Надо что-то сказать, — пронеслось в голове. — Не молчи, Рауф, только не молчи».

— Послушай, зачем это тебе? Я ведь обещал, что завтра все будет. Хочешь, отдам тебе ключи от машины? Забирай ее. Только не дури, моя смерть ничего не даст, ты и сам это понимаешь, — быстрой скороговоркой заговорил Рауф. — Знаю, у нас были разногласия, но все это в прошлом. Теперь я понимаю, насколько глупо я вел себя поначалу, но ведь это не повод, чтобы...

Договорить Рауф не успел. Он не услышал звука выстрела, лишь слабый хлопок, будто кто-то разрядил новогоднюю хлопушку. Но алое пятно в области сердца, расползающееся по светлой рубашке, рассмотреть успел. Еще до того, как пришла боль. До того, как пришло осознание, что его, Рауфа Гулиева, больше нет. Как в третьесортных боевиках, он поднял руку и дотронулся до алого пятна. Пальцы тут же окрасились кровью.

— Зачем? — поднимая глаза на человека в черном, прошептал Рауф.

Тело его медленно, очень медленно осело на землю. Он крепко зажмурил глаза. «Не хочу видеть смерть. Пусть уж так». Это была его последняя осознанная мысль. Дальше все произошло быстро. Рот наполнился кровавой слюной, тело начали сотрясать конвульсии, и через тридцать секунд все было кончено.

Падая, Рауф задел одну из машин. Сработала сигнализация, еще минуту назад тихий двор огласил рев сирены, настолько мощный, что от ее вибрации сработала сигнализация еще пары машин. Из окон начали высовываться головы автовладельцев.

— Какого хрена вы там творите? — грубо пробасил мужчина со второго этажа. — Сейчас спущусь, задницы вам надеру!

— Лухов, опять твоя оглашенная орет, — заверещал женский голос с шестого этажа. — Дождешься, накатаю жалобу в прокуратуру, они заставят тебя чужой сон уважать.

— Тебе-то что за дело, Катерина? Ты все равно ночи напролет своего сопляка ублажаешь, — весело парировал женский голос откуда-то сбоку. — Или с ритма сбиваешься?

Высказывание второй женщины развеселило публику. Громкий смех перекрыл затихающие звуки сигнализации.

— А ты не завидуй, Наталья, будет и на твоей улице праздник, — не растерялась Катерина. — Вот надоест мне мой сопляк, я его тебе по сходной цене сплавлю.

— Ох, охальники, — ворчливо произнес старческий голос с первого этажа. — Языки бы вам горчицей намазать.

— Лучше хреном, дед Василь, — рассмеялась Наталья. — Катьке точно больше понравится.

— Да погодите вы ржать-то, — остановил Наталью дед Василь. — Чегой-то там не того. Вроде у луховской колымаги лежит кто-то. Может, дурно человеку. Лухов, спустись, глянь.

— Делать мне больше нечего, — огрызнулся Лухов. — Небось Демид опять нажрался, вот и валяется. Ничего, до утра проспится, сам уйдет.

— Да не похож на Демида. Чернявый он, а Демид к соломе ближе, — возразил дед Василь. — Сходи, Лухов, не мне же, старому, тащиться.

197

— Ладно, черт с тобой, спущусь, — пообещал Лухов. — Но если это Демид, я его к тебе притащу. В качестве компенсации.

Слова деда заинтересовали жильцов. Пока Лухов спускался вниз, любопытные взгляды скользили по двору, ожидая продолжения веселья. Дед Василь наблюдал, как Лухов выходит из подъезда, как неохотно плетется к своей машине. Наблюдали и остальные жильцы, разбуженные резкими звуками луховской сигнализации. Все они видели, как Лухов вдруг застыл на месте, точно на невидимую преграду напоролся.

— Ну, чавой там? — окликнул Лухова дед Василь. — Демид?

— Твою-то Дерибасовскую, — в сердцах выпалил Лухов. — Ну, дед, спасибо тебе.

— За что благодарность? — переспросил дед Василь.

— «Скорую» вызывай! — взревел Лухов. — А лучше полицию. Тут человека убили.

Из окон зазвучали охи и ахи, а спустя две минуты двор заполнился любопытными жильцами. Сколько Лухов ни орал, чтобы не толпились возле тела, сколько дед Василь ни стращал всевозможными последствиями, кольцо зевак сжималось вокруг тела. К моменту приезда полиции автостоянка во дворе была забита до отказа, следы потенциального преступника затоптаны, а предшествовавшие трагедии реальные события в головах свидетелей густо перемешались с красивыми, но выдуманными подробностями.

* * *

Вот уже час полковник Гуров мерил шагами кабинет на Петровке. От одной стены до другой, вдоль окна до угла, по диагонали и обратно. Он пребывал в бешенстве, а в таком состоянии на одном месте не усидишь. В бешенство же его привел не какой-то зарвавшийся бандюган, не вездесущие журналисты и даже не желторотые стажеры, которыми вторую неделю кишело Главное управление Московского угрозыска, а лучший, как всегда считал Гуров, проверенный годами друг. И сейчас не имело значения, что этот самый друг по совместительству был еще и непосредственным начальником полковника, к тому же выше его чином и званием. Плевать Гуров на это хотел! То, как поступил с ним генерал Орлов, не оправдать ни званием, ни чином, ни полномочиями.

«Мальчик на побегушках, вот кто я теперь, — Гуров завершил очередной круг, но облегчения не почувствовал. — Такими темпами я скоро сбежавших котов с деревьев снимать начну. А почему нет? Все остальное меня делать уже обязали. Да что вообще нашло на Орлова?»

Дня не прошло после завершения дела «Девушки в чемодане», его напарник, полковник Крячко, все еще находился на излечении в госпитале, сам Гуров едва-едва бумаги заполнить успел.

По мнению Гурова, генерал должен был проявить больше такта и понимания. Все-таки полковник — не последний человек, а по словам того же генерала Орлова, надежда и опора уголовного розыска. Ему поручают самые запутанные и безнадежные расследования, и он справляется. Так почему же вдруг он стал тем, на кого сваливают уголовный хлам, которым даже районные опера пренебрегли, посчитав недостойным внимания?

— Товарищ полковник, машина ждет, — приоткрыв дверь ровно настолько, чтобы пролезла голова, бодро объявил дежурный.

— Да иду я, иду, — Гуров махнул рукой, отпуская дежурного.

«Теперь еще и с соглядатаем на шее весь день таскаться, — недовольно подумал он. — Ладно бы Шестакова дали, так нет, новенького подсунули. Человек он не проверенный, ни по телефону при нем разговор откровенный не заведешь, ни передвижения от начальства не скроешь. И что за день такой! Ну почему, почему моя машина сломалась именно сегодня? И почему Шестаков взял отгул как раз тогда, когда он мне необходим? Сплошное разочарование».

Перебирая в мыслях все перипетии минувшего утра, Гуров спустился вниз. У крыльца служебной машины видно не было.

199

«Странно, дежурный сказал, что все готово, — Гуров нахмурился. — Не хватало еще по всему двору бегать в поисках машины».

Бегать Гуров не стал, вместо этого вернулся к дежурному. Тот заверил Гурова, что автомобиль был на месте, и поспешил связаться с водителем. Выслушав объяснение водителя, дежурный положил трубку и чуть смущенно объявил, что авто ждет у ворот. Гуров даже комментировать не стал. У ворот так у ворот. Пройти двадцать метров пешком — не проблема. Возможно, новому водителю не объяснили, как здесь, в Главном управлении принято работать. Озабоченный взгляд дежурного Гуров проигнорировал. Развернулся на сто восемьдесят градусов и зашагал к выходу.

У ворот стояла отечественная «Приора» без традиционной раскраски оперативных ведомств. За рулем сидел сухощавый мужчина лет сорока в строгого покроя костюме и с вычурной формы усами. В совокупности с бритой наголо головой впечатление мужчина производил весьма противоречивое. Гуров уселся на переднее сиденье, коротко кивнул водителю в знак приветствия и, откинувшись на спинку, закрыл глаза. Он ожидал, что машина тронется, но этого не произошло. Гуров открыл глаза и бросил вопросительный взгляд в сторону водителя. Тот смотрел в глаза полковника и улыбался. Гуров решил, что тому не назвали пункт назначения и он попросту не знает, куда ехать. «Все приходится делать самому», — мысленно проворчал Гуров, вслух же произнес:

— Улица Электродная, дом пятнадцать. Это по шоссе Энтузиастов, район Перово.

— Да, да, я знаю, — радостно заявил водитель. Улыбка прорезала худое лицо от уха до уха, отчего он стал похож на Буратино. Лысый череп поймал солнечный луч и отбросил его на лобовое стекло.

— Тогда почему мы до сих пор стоим? — несколько обескураженный ответом, спросил Гуров.

— Процедура знакомства, — все так же радостно произнес водитель. — Предшествует любой совместной деятельности.

Гуров ждал, что тот продолжит. Представится или потребует полковника назвать себя, раз уж тот сам завел разговор, пусть и своеобразным способом. Но водитель продолжал таращиться на Гурова блаженным взглядом, не предпринимая попыток начать «процедуру знакомства».

«Что ж, пойдем навстречу новичку», — поняв, что без выполнения формальностей машина с места не тронется, решил Гуров.

— Полковник Гуров Лев Иванович, старший оперуполномоченный по особо важным делам, — Гуров протянул руку для рукопожатия.

— Я знаю, — пожимая руку, объявил водитель. — Ваше имя — не проблема.

— Тогда в чем, по-вашему, заключается проблема?

— В моем имени, — желая подчеркнуть важность сказанного, водитель сделал характерный жест головой, подавшись вперед и как бы подчеркивая фразу движением подбородка.

— Так избавьте себя от этой проблемы, — разговор начал слегка раздражать Гурова. — Назовите свое имя и дело с концом.

— Теперь могу, — водитель повторил движение головы, и Гуров понял, что этот жест будет преследовать его целый день. — Раньше не мог, теперь могу. Видите ли, в большинстве случаев люди не слышат имени водителя. Так уж устроен человеческий мозг. Водителя считают обслуживающим персоналом, чем-то вроде обязательного приложения к машине, и поэтому не утруждаются, чтобы запомнить его имя. Но мое личное убеждение состоит в том, что оперативному работнику жизненно важно знать имя того, кто прикрывает его тыл во время сложных и опасных операций. Вы так не считаете?

— Назовите свое имя, и обещаю, я запомню его на всю жизнь, — не желая вступать в дискуссию, заявил Гуров.

— Леонид Мейерхольд, — еще радостнее объявил водитель.

«Ничего себе! Боится, что такое имя не запомнят? Что же тогда остается Иванам Ивановым?» — мысленно присвистнул Гуров, а водитель самозабвенно продолжал:

— Мейерхольд — фамилия по отцу, хотя национальную принадлежность у нас определяют по материнской линии. Имею воинское звание «капитан». В полицию перевелся всего шесть месяцев назад. Сорок два года. Не женат, детей нет. Уроженец Поволжья, в настоящий момент проживаю в Москве на постоянной основе. Получил наследство, комнату в коммунальной квартире.

— Заводите двигатель, Леонид Мейерхольд. Улица Электродная, дом пятнадцать, — приказал Гуров. — Мы и так потеряли много времени.

Удовлетворенно кивнув, Мейерхольд повернул ключ зажигания, вывернул рулевое колесо и покатил к шоссе Энтузиастов. К вящей радости Гурова, больше Леонид Мейерхольд желания поговорить не изъявлял, и до Электродной улицы они доехали молча. Там, во дворе дома номер пятнадцать, их уже ждал участковый инспектор. Гурову он был знаком, пару-тройку раз они пересекались по параллельным расследованиям. Звезд с неба лейтенант Юшкин не хватал, но восполнял недостаток сыщицкой интуиции дотошностью и исполнительностью, а Гурову в данной ситуации ничего другого и не нужно было.

— Здравия желаю, товарищ полковник, — поприветствовал Гурова Юшкин. — Добро пожаловать на «землю».

— И тебе не хворать, лейтенант, — Гуров пожал протянутую руку. — Рассказывай, что у вас стряслось.

— Полный отчет или результаты оперативных действий? — тон Юшкина сразу стал деловым.

— В курс дела меня не вводили, если ты об этом, — сообщил Гуров. — Около полуночи на придомовой автостоянке застрелен жилец дома номер пятнадцать, это все, что мне известно на данный момент.

— Ого, у журналистов и то больше данных, — не сдержался Юшкин.

— Вот-вот, из-за проклятых журналистов и начался весь этот сыр-бор, — проворчал Гуров. — Раздули шуми-

202

ху: в пяти шагах от районного отдела москвичей убивают. В Управлении все на ушах стоят. Думаешь, почему я здесь?

— Да вы не расстраивайтесь, товарищ полковник, дело-то несложное, — выдал сомнительное утешение Юшкин. — В конце концов, не депутата же грохнули.

— Поговори мне, — Гуров покосился на водителя, который, вместо того чтобы оставаться в машине, застыл в двух шагах от полковника и впитывал каждое слово. — Для нас, сотрудников правоохранительных органов, не должно быть разницы, чье убийство расследовать — депутата или пьяницы беспробудного. Или тебя в школе милиции недоучили?

— Так точно, разницы нет, — перехватив взгляд полковника, охотно поддержал Юшкин. — Итак, ситуация следующая: около полуночи на стоянке сработала сигнализация сразу на нескольких машинах. Жильцы дома проявили бдительность и обследовали стоянку. В результате осмотра было обнаружено тело одного из жильцов дома. Вызов по «Скорой» прошел одновременно со звонком в дежурную часть. Полиция и медики прибыли в течение десяти минут. Мужчина, Рауф Гулиев, тридцати трех лет, был обнаружен лежащим на земле с огнестрельным ранением в области груди. Медики констатировали смерть и уехали. Дальше работала опергруппа. Произвели осмотр места происшествия, опросили свидетелей, составили отчет и уехали. Тело забрала труповозка, оно сейчас в Перовском морге.

— Осмотр места происшествия что-то дал? — спросил Гуров.

— Практически ничего, — Юшкин виновато потупился. — Любопытные соседи так все затоптали, что мама не горюй.

— Хоть гильзу-то нашли?

— Никак нет, товарищ полковник, гильзы на месте происшествия не обнаружили.

— Что говорят свидетели?

— Много чего говорят, — Юшкин выдержал паузу, собираясь с мыслями. — Показания противоречивые. Единственное, в чем сходятся все, — было слишком темно, чтобы что-то разглядеть.

— А конкретнее? — потребовал Гуров.

— Кое-кто из соседей утверждает, что незадолго до того, как сработала сигнализация, на стоянке видели мужчину. Вроде бы он был без машины, но утверждать не берутся.

— Кое-кто, это кто?

— Старик с первого этажа, Василий Путочкин, он имеет привычку слушать двенадцатичасовые новости по радио. В эту ночь он тоже сидел возле окна, там антенна ловит лучше, ждал начала новостей. Новости еще не начались, когда он заметил мужчину. По его словам, тот прогуливался между рядами автомобилей, вроде как выискивал что-то. Старик отвлекся, чтобы налить чай, а когда снова выглянул в окно, мужчины уже не было. Еще женщина с третьего этажа. Она работает в круглосуточном гипермаркете, с работы возвращается ближе к двенадцати. Так она тоже заявляет, что видела мужчину возле стоянки. По ее словам, он явно не желал, чтобы его заметили, так как при ее приближении спрятался за трансформаторной будкой. Третий свидетель видел курящего мужчину без четверти двенадцать. Мужчина стоял в дальнем углу стоянки. Свидетель подошел к подъезду, хотел окликнуть незнакомца, поинтересоваться, что тот делает на частной территории в столь поздний час, но не стал. Решил, что это не его дело.

— Насколько правдивы эти сведения? — спросил Гуров.

— На мой взгляд? — уточнил Юшкин.

— Разумеется, на твой.

— Старик, может, что-то и видел, — подумав, выдал Юшкин. — Женщина тоже вроде не врет, а вот третий свидетель, скорее всего, просто в сводку новостей попасть хочет. Он трижды менял показания.

— Какие показания, там рассказа-то всего на три строчки? — удивился Гуров.

— Так я вам последнюю версию выдал, а в первом варианте он выглядел настоящим героем. Окликнул незнакомца, обругал его и даже за телефоном потянулся, вроде как полицию собирался вызвать. А мужчина испугался, через забор перемахнул и был таков, — говоря это, Юшкин улыбался.

— Свидетелей ты опрашивал? — догадался Гуров.

— Так точно, я. Да там и работы особой не было, — оправдывая нерадивость местных оперов, заявил Юшкин. — Они же все сами во двор вывалились. Знай вопросы задавай.

— Полагаю, после выстрела этого эфемерного мужчины во дворе никто из свидетелей не обнаружил?

Вопрос задал водитель, вид у него при этом был до смешного сосредоточенный. Юшкин покосился на водителя, перевел недоуменный взгляд на Гурова, ожидая его реакции. А Гуров и сам опешил: с чего это водителю вдруг вздумалось лезть в расследование?

— Я к тому, что, если бы он оставался на месте, его бы кто-то наверняка заметил, — ответил водитель на вопросительный взгляд Гурова. — Полагаю, к тому времени он успел уйти.

— Прошу прощения, Леонид Мейерхольд, но ваше дело крутить баранку, а вопросы задавать здесь уполномочен я, — раздраженно заявил Гуров. — Думаю, вам лучше вернуться в машину.

— Позвольте с вами не согласиться, товарищ полковник, — Мейерхольд не выглядел ни смущенным, ни оскорбленным. — Мой военный опыт может вам пригодиться. Осмелюсь сказать больше: он будет неоценим в рамках данного расследования.

— Когда мне потребуется ваша консультация, как бывшего сотрудника военного ведомства, я дам знать, — сухо проговорил Гуров. — Возвращайтесь в машину. Думаю, нам лучше перейти к опросу свидетелей.

Последняя фраза была обращена к Юшкину. Тот понял, чего от него ждет Гуров, и быстро зашагал к подъезду. Леонид Мейерхольд остался на месте. Он провожал полковника полным скорби взглядом, но Гуров этого не видел. Он шагал вслед за Юшкиным, желая поскорее избавиться от назойливого водителя.

В доме номер пятнадцать Гуров пробыл до трех часов дня. Выслушал не меньше трех десятков версий того, что случилось накануне ночью, с подробностями и без них. Осмотрел квартиру убитого, получил весьма четкое представление о том, каким человеком при жизни был Рауф Гулиев. Он не был аккуратистом и педантом. В его квартире чувствовалось запустение и безнадега. Единственное место, где хоть как-то прослеживался порядок, — это долговая книга. Вот она производила впечатление. В ней были собраны записи за последние три года. Чем занимался Гулиев до этого, можно было предположить по тому, насколько внушительными были его долги.

Судя по всему, Гулиев занимал у всех, кто имел глупость поддаться на его уговоры. В самом начале шли фамилии и комментарии к ним, типа «Роман Бурцев, Северо-Западный регион, флорист, — пятьдесят». Видимо, к этому времени Гулиев набрал уже столько долгов, что боялся забыть, кто же такой этот Бурцев. Затем начали появляться названия организаций. Большая часть записей имела отметку «расчет», но после каждой такой записи долг последующему кредитору становился еще выше. Это могло означать только одно — Гулиев перезанимал средства только для того, чтобы покрыть предыдущие долги.

Когда же частные лица перестали давать в долг, Гулиев перешел на заемные организации. Их за последний год было не меньше двух десятков, причем последние четыре остались без пометки о расчете. Соседи подтвердили предположение Гурова о том, на какие средства жил Гулиев. Занимал он всегда под какой-то грандиозный проект, который с треском проваливался, загоняя Гулиева в еще большие долги.

По словам соседей, квартира, в которой проживал Гулиев, ему не принадлежала. Это была собственность его бывшей жены. Полгода назад ей надоело терпеть авантюры мужа, она подала на развод и ушла к другому. На вопрос: почему она позволила бывшему мужу жить в ее квартире, точного ответа Гуров не получил. Соседи предполагали, что она пыталась выселить мужа из квартиры, но до конца дело так и не довела. Почему? Они не знали, это предстояло выяснить у самой экс-супруги.

К концу опроса у Гурова нарисовались две основные версии: конфликт с экс-супругой или с ее новым мужем, и — разборки с владельцами микрофинансовых организаций-кредиторов.

Оказалось, что никто не удосужился оповестить супругу о случившемся. Гуров решил воспользоваться моментом и навестить Людмилу Гулиеву. У соседки, живущей напротив, нашелся новый адрес Людмилы. Теперь она жила в пригороде, как утверждала соседка, на жилплощади нового мужа. Переписав адрес и забрав записную книжку Гулиева, Гуров вернулся в машину.

Мейерхольд был на месте. Гуров сообщил ему новый адрес следования, тот молча выслушал, завел двигатель и выехал со двора. Всю дорогу он всем своим видом показывал, что положение бессловесного водителя оскорбляет его военное достоинство, но Гурову было не до его детских капризов. Он пытался упорядочить полученные сведения. Ему не хватало напарника, полковника Крячко. Было бы неплохо обсудить с ним положение, но тот находился на излечении, а с травмами головы, как известно, не шутят.

«Ничего, пару дней как-нибудь потерплю, а там и Стас вернется, — думал Гуров. — Возможно, генерал был не так уж не прав, направив меня на это расследование. Что-то мне подсказывает, что дело Гулиева выйдет за рамки бытовых разборок. Говорить об этом пока еще рано, но как знать?»

Когда на планерке генерал Орлов объявил, что огнестрелом на Электродной будет заниматься отдел Гурова, тот страшно разозлился, полагая, что с этим делом могли бы справиться и ребята из районного отдела. Где Перово, а где Петровка! Почему дело решили отдать ему? Ведь, как верно заметил лейтенант Юшкин, не депутата же грохнули? Таких дел по Москве сотни, с чего это дело Гулиева решили возвести в ранг особо важных?

Сейчас Гуров считал иначе. Вариантов развития событий — два. Либо дело окажется простым, и тогда он закроет его за пару дней, получив при этом процент к раскрываемости. Либо прогноз генерала окажется верным, и Гуров получит возможность поломать голову над сложной задачей. И в том, и в другом случае он в выигрыше, так что жаловаться причин нет. Жаль, что придется работать одному, но и это не проблема.

Что Гуров считал настоящей проблемой, так это присутствие странноватого водителя.

«Нужно поторопить ребят из автосервиса, — думал Гурова. — Даже если придется переплатить за скорость. Не нравится мне этот Мейерхольд, ох как не нравится».

Глава 2

Новое жилище Людмилы Гулиевой не шло ни в какое сравнение с прежней квартирой. Старенькая одноэтажная деревянная постройка, дышащий на ладан забор и удобства во дворе — так выглядел дом мужа Людмилы. Палисадник, правда, оказался ухоженным, а позади дома, на внушительных размеров огороде радовали глаз ровные ряды грядок.

Сама Людмила, к вящей радости Гурова, оказалась дома. Она копалась в огороде, подвязав густые каштановые волосы ситцевым платком и подоткнув подол юбки в полосатые гетры. Людмилу Гуров представлял себе иначе. Он ожидал встретить этакую городскую красотку с наманикюренными ногтями и подведенными глазами. Соседи Гулиевых сообщили, что раньше Людмила работала бухгалтером в какой-то столичной фирме, вот Гуров и решил, что она должна выглядеть достаточно презентабельно.

Собаки во дворе не оказалось, звонка на покосившейся калитке тоже, поэтому Гуров просто пересек двор и направился прямиком в огород.

Его присутствие Людмила заметила лишь тогда, когда он подошел к ней на расстояние трех шагов. Женщина обернулась и приветливо заулыбалась.

— День добрый, — голос у Людмилы оказался приятным, бархатным. — Вы за заказом или цены узнать?

— Цены? — повторил вопрос Людмилы Гуров.

— Ну, да, на овощи, — пояснила Людмила. — Птицу сейчас не бьем, уж извините.

— Торгуете овощами? — догадался Гуров.

— А вы думали, что я для личных нужд полгектара лу-
ком да томатами засадила? — рассмеялась Людмила.

— Об этом я подумать не успел, — признался Гуров. —
Огород впечатляет. Сами хозяйничаете или помогает кто?

— Муж в городе работает, ему с тяпкой по грядкам ходить некогда, — пояснила Людмила. — Я сама справляюсь.
Товар у меня высшего качества, и клиентов хоть отбавляй,
несмотря на то что занимаюсь этим не так давно. Так вы
не покупатель?

— Я не покупатель, — ответил Гуров и полез в карман
за удостоверением.

— Ого, красные корочки? По моему опыту, такое начало не предвещает ничего хорошего, — увидев удостоверение, проговорила Людмила. Глаза ее при этом утратили
веселость. — Насчет Рауфа пришли?

— Угадали.

— Нетрудно догадаться, — Людмила стянула перчатки,
бросила их на грядку. — Пойдемте в дом, нечего соседям
глаза мозолить. Не хватало еще, чтобы злые языки и здесь
мне кости перемывали.

Гуров не возражал. Людмила провела его в дом, жестом
указала на стул, сама осталась стоять.

— Выкладывайте, что он опять натворил? — произнесла она.

— Думаю, вам лучше присесть, — осторожно предложил
Гуров.

— Бросьте, — оборвала его Людмила. — Я была замужем
за Рауфом десять лет, и все эти годы имела от него только
проблемы и неприятности. Не думаю, что вы сможете чем-
то меня удивить.

— Тут другой случай, — настаивал Гуров.

Видимо, Людмила что-то прочла в глазах полковника,
так как выражение ее лица резко изменилось. Она поблед-
нела, слегка отшатнулась назад, будто от удара. Потом медленно придвинула стул, опустилась на него и прошептала:

— Говорите.

— Ваш муж мертв, — не зная, как более деликатно сообщить подобную новость, произнес Гуров.

— Он мне не муж, — машинально поправила Людмила и тут же добавила: — Вы уверены?

— Я уверен.

— Как это произошло?

— Его обнаружили соседи на парковке с огнестрельным ранением в груди. Рана оказалась смертельной, медики ничего не смогли сделать, — стараясь не выдавать лишней информации, сообщил Гуров.

— Ясно, — коротко произнесла Людмила и опустила глаза в пол.

Гуров выждал, давая Людмиле время осознать случившееся, затем начал задавать вопросы. Сначала Людмила отвечала медленно, как бы нехотя. Потом воспоминания о неудавшейся жизни захватили ее, и дальше рассказ потек без нажима со стороны полковника.

С Рауфом Людмила познакомилась в техническом колледже города Сумгаита, где оба проживали с рождения. Профессия бухгалтера у азербайджанских мужчин не пользуется популярностью, но по какой-то причине Рауф ее выбрал. В группе он был единственным парнем, девчонки так и ухлестывали за ним, тем более что внешностью его бог не обидел. А он выбрал Людмилу. С самого первого курса. Буквально прохода ей не давал. Выходить замуж за мужчину другой национальности, а тем более другого вероисповедания Людмила не собиралась. Целых три года она сопротивлялась, отклоняя ухаживания Рауфа, но в итоге все же сдалась.

Рауф подкупил ее далеко идущими планами. Оказалось, он не собирается оставаться в Сумгаите. Он планировал сразу по окончании колледжа переехать в Москву. Какие у него были планы! Просто грандиозные! И преподносил он их не как мечту, а как четко намеченный курс, которого он намерен придерживаться. Людмила и поплыла.

Поженились еще в Сумгаите, через месяц переехали в столицу. Там Рауф сразу взялся за выполнение грандиозных планов, а Людмила поступила в институт, чтобы иметь высшее образование. Параллельно нашла работу, ведь опыт требуется в любом деле. Ее родители помогли

210

с покупкой квартиры. Не великие хоромы, но для иногородних — просто сказка. Два года Рауф занимался тем, что начинал один проект за другим, а Людмила обеспечивала семью. Она и не предполагала, что все проекты Рауфа выливаются ему в приличную копеечку. О долгах Рауф не распространялся, но в конце концов у Людмилы появились подозрения.

Телефонные звонки, после которых Рауф ходил чернее тучи, участились. Людмила набралась храбрости и потребовала от мужа ответа. Тот заверил, что все под контролем, что беспокоиться совершенно не о чем, и она снова ему поверила. Так прошел еще год, и еще. А потом кредиторы начали приходить к ним домой. Грязные сцены разборок, угрозы и даже физическое насилие — с этим Людмила прожила до прошлого года. К тому времени она занимала в фирме место главного бухгалтера с хорошим окладом и репутацией. И тогда муж начал требовать деньги с нее. Не на содержание дома и его персоны, а на покрытие своих долгов. Людмила отбивалась как могла.

Когда же Рауф заявил, что придется продать ее квартиру, чтобы покрыть хотя бы часть долгов, терпению Людмилы пришел конец. Она подала на развод. Благо ее родители оказались людьми дальновидными и жилплощадь на дочь не оформляли, так что претендовать на квадратные метры муж не имел права. Однако выселить его из дома оказалось не так-то просто. Людмила не хотела обращаться в суд, чтобы на работе не узнали, в какой ситуации находится их главный бухгалтер, поэтому делала все сама.

А потом она встретила Юрия Ревошина, своего теперешнего мужа. Вернее, знакома с ним она была уже несколько лет. Юрий обслуживал их фирму, привозил канцелярские товары. Да, Юрий работал простым экспедитором, но его работа приносила стабильный доход, а это, по мнению Людмилы, было немаловажно. Ревошин почти с первого дня знакомства проявлял к Людмиле повышенное внимание, но сама она не принимала ухаживания Ревошина всерьез. Да и как иначе? Она замужняя женщина, к тому же Юрий на шесть лет ее моложе.

О том, что Людмила развелась с мужем, Ревошин узнал от секретарши и сразу же предложил ей жить вместе. Людмила думала всего неделю. После очередной разборки с мужем она собрала вещи и переехала к Юрию. А через месяц они поженились. Жалеет ли она о столь скоропалительном решении? Нисколько. О чем она действительно жалеет, так это о том, что не ушла от Рауфа раньше.

Знаком ли Юрий с ее бывшим мужем? Само собой, разумеется. С Рауфом Ревошин встречался несколько раз. Пытался добиться освобождения квартиры. В последний раз это случилось месяц назад. Тогда Рауф набросился на Юрия с кулаками, Людмила даже думала, что придется вызывать полицию, но обошлось. Ей удалось увести Юрия домой. Больше они тему выселения не поднимали.

— Надеюсь, вы не думаете, что Юра как-то связан со смертью Рауфа? — поняв, что затронула скользкую тему, спохватилась Людмила. — Юра никогда бы не стал совершать необдуманных поступков. В этом они с Рауфом совсем не похожи.

— В какой именно фирме работает ваш муж? — вместо ответа спросил Гуров.

— Зачем вам это? — в голосе Людмилы зазвучало беспокойство. — Вы ведь не собираетесь идти к нему на работу? Послушайте, это плохая идея. Юра хороший человек, ему не так легко было найти эту работу. Ваш визит может плохо отразиться на его репутации.

— Если человек невиновен, визит представителя правоохранительных органов ему не повредит, — догадавшись, что Людмила чего-то недоговаривает, заявил Гуров.

— Это вы так считаете, а у начальства на этот счет совсем иные взгляды, — настаивала Людмила.

— Выводы из личного опыта? Поэтому вы больше не работаете бухгалтером? — спросил Гуров.

— Нет, не поэтому. Вы правы, я больше не работаю бухгалтером, но моя личная жизнь тут ни при чем, — заявила Людмила. — Вам знакома поговорка: «Беда одна не приходит»? Мне-то уж точно знакома. Почти сразу после того, как я переехала к Юре, моя фирма закрылась. Обанкротилась. Я осталась и без жилья, и без работы. И все же Юра меня не бросил, наоборот, если бы не он, кто знает, где бы я сейчас была? Так что ваши предположения насчет него просто смехотворны.

— Я оставлю визитку, как только Юрий вернется домой, пусть позвонит, — Гуров протянул Людмиле визитку с номером телефона. — Я назначу ему встречу, и если он придет, ехать к нему на работу необходимости не будет.

— Спасибо. Огромное спасибо, — искренне поблагодарила Людмила. — Он обязательно позвонит, я прослежу.

— И вам спасибо за сотрудничество, — Гуров поднялся. — Еще одна просьба: не покидайте пределов области, вы можете нам понадобиться.

Гуров вышел на крыльцо, Людмила следовала за ним. Проводив полковника до самой калитки, женщина решилась задать вопрос, который тревожил ее все время их беседы:

— Скажите, я обязана его хоронить?

— Формально вы больше не являетесь его родственницей, — ответил Гуров.

— Но ведь у него больше никого нет. Родители умерли, братьев-сестер нет. Детей у нас, как вы понимаете, тоже нет, — Людмила волновалась. — Кто же его похоронит?

— В таких случаях заботы берет на себя государство, — сухо ответил Гуров.

— Хорошо. Это хорошо, — Людмила вздохнула с облегчением. — Быть может, я не права, но отдавать последний долг человеку, который сломал мне жизнь, я не намерена.

Заявление Людмилы Гуров комментировать не стал. Она провожала его взглядом до тех пор, пока полковник не сел в машину и та не скрылась за поворотом.

От Людмилы Гулиевой Гуров поехал прямиком в Управление. Уезжая с места преступления, он поручил лейтенанту Юшкину переслать отчет и изъятую запись с камер наблюдения соседнего магазина, и теперь пришло сообщение, что материалы отправлены. Гуров собирался изучить запись и еще раз пройтись по показаниям свидетелей.

В коридоре его перехватил дежурный, вручил пакет, отправленный участковым, и сообщил, что технический отдел предупрежден, а лучший специалист-техник Михаил Ханин ждет полковника в лаборатории. Гуров решил, что бумаги подождут, и направился в лабораторию. Получив от полковника электронный носитель, Ханин вывел изображение на экран. На поиск нужного момента записи ушло всего несколько секунд, цифровые технологии избавляли от нудной перемотки. Установив время записи на двадцать три часа, Ханин нажал кнопку «Пуск». Гуров принялся внимательно следить за тем, что происходило во дворе дома по улице Электродной.

Какое-то время двор оставался пустым, затем появился первый прохожий. Он двигался со стороны улицы Перовской и чувствовал себя во дворе вполне комфортно. По характерному наклону головы Гуров узнал в нем жильца с восьмого этажа. Сегодня при опросе он утверждал, что вернулся домой в одиннадцать и совершенно никого во дворе не видел. Запись с видеокамеры подтверждала его слова.

Сотрудница круглосуточного гипермаркета, похоже, тоже не лукавила. На записи было отчетливо видно, как она прошла треть подъездной дорожки, миновала магазинную дверь и вдруг на секунду застыла, будто кого-то увидела. Она даже голову влево повернула, после чего ускорила шаг и быстро скрылась в подъезде.

Гуров продолжал смотреть запись, затем попросил отмотать назад, прихватив конец предыдущего часа. В общей сложности во временном отрезке с двадцати трех до полуночи двор пересекли шесть жильцов. Семейная пара с последнего этажа прошла домой чуть позже одиннадцати. После них мужчина с Перовской. Почти следом за ним молодая девушка, допросить которую не удалось, так как к моменту приезда Гурова она уже ушла на учебу. После нее появилась женщина из гипермаркета, затем мужчина, хваставшийся Юшкину своей смелостью. И ни одного незнакомца. Ни намека на его присутствие.

— Проклятье, — в сердцах бросил Гуров. — Эта пленка совершенно бесполезна.

— Файл, — невозмутимо поправил Ханин.

— Что? — переспросил Гуров. — Какой файл?

— Вы сказали «пленка бесполезна», только это не пленка. Подобные технологии остались далеко в прошлом, — пояснил Ханин. — Теперь это определенный файл с цифровой видеозаписью. И это гораздо лучше, чем пленка.

— Какая теперь разница? — махнул рукой Гуров. — Все равно там никого не видно.

— И снова неверно, — заметил Ханин. — Стоит немного поколдовать над записью, и кто знает, какие сюрпризы нам откроются? Вы заметили странное движение в левом нижнем углу экрана? Камера захватывает совсем малый угол обзора, но если приблизить...

Говоря это, Ханин быстро-быстро стучал пальцами по клавишам, набирая цифры в определенной программе. Гуров ждал.

— Сейчас зададим параметры, загрузим файл в программу обработки и через минуту получим ее же, только разделенную на сектора и увеличенную в десятки раз, — объяснял Ханин. — А еще можно будет попробовать повернуть изображение. Иногда смена ракурса дает возможность получить изображение тени или чего-то подобного. Все, готово. Какой участок смотрим первым?

— Тот, в котором ты движение заметил.

— Ясно, вот он, увеличение прибавить?

— Посмотрим.

Гуров вглядывался в экран, где четкая тень скользила по асфальту. Тень появилась со стороны все той же Перовской улицы. Напротив магазина человек, которому принадлежала тень, притормозил. Постоял минуты две, затем двинулся дальше, но теперь тень едва можно было заметить, человек переместился ближе к стене, уходя из-под камеры. Просмотрев двадцать минут записи, Гуров снова заметил того, чья тень маячила перед камерой, но на этот раз картинка оказалась более четкой. Это, без сомнения, был мужчина, но ни его рост, ни возраст определить не представлялось возможным. Реальные параметры незнакомца расплывались на фоне тени от двух фонарей, в пересечение света которых тот попал.

— Думаю, остальные сектора просматривать смысла нет? — сделал предположение Ханин. — Вы были правы, запись пользы не принесла.

И тут фигура незнакомца оторвалась от стены. Это случилось так неожиданно, что Ханин вскрикнул.

— Смотрите, смотрите, товарищ полковник! Он идет прямо в камеру!

— Вижу, не слепой, — негромко ответил Гуров.

Гуров и Ханин не отрывали взгляд от монитора, будто пытаясь усилием воли заставить незнакомца выйти из тени и показать лицо.

— Ну же, давай! — шептал Ханин. — Поворачивайся!

Человек в черном будто услышал Ханина. Он сделал еще два шага и оказался прямо под камерой, после чего начал медленно поворачиваться.

— Отлично, отлично, — Ханин аж подпрыгнул от нетерпения. — Еще чуть-чуть, и он наш, а, товарищ полковник?

— Не сглазь, — прошептал Гуров.

И в этот момент из-за поворота появился новый персонаж. Та самая продавщица из супермаркета. На этой части записи ее видно не было, но и Гуров и Ханин поняли, кто именно спугнул незнакомца. Мужчина вздрогнул, вгляделся в темноту, с минуту соображал, что лучше предпринять, после чего бесшумно скользнул в сторону трансформаторной будки.

— Эх, вот ведь непруха! — забыв о субординации, в сердцах воскликнул Ханин. — Еще бы полминуты, и у нас был бы портрет убийцы.

— Жаль, — вздохнул Гуров, — но ничего не попишешь. Сегодня удача от нас отвернулась.

Дальше смотрели запись молча. Досмотрели до того момента, когда появилась машина Гулиева. Камера зафиксировала, как автомобиль остановился у ворот, как проехал до дальнего конца стоянки. Потом довольно долгое время запись отражала лишь стоящие авто да покачивание силового кабеля, бьющегося о металлическую ограду. Наконец Гулиев снова появился в поле зрения камеры, но совсем ненадолго. Он быстро миновал участок, попадающий

216

в объектив, и вскоре после этого двор начал заполняться людьми. Это соседи Гулиева выскочили из своих квартир, чтобы поглазеть на убитого.

— Плохо, что звука нет, — снова подосадовал Ханин. — Так бы хоть услышали происходящее. А то ни изображения, ни звука.

— Сбрось мне на электронку все эпизоды, — попросил Гуров.

— Заново смотреть будете? — догадался Ханин.

— После, — Гуров поднялся. — Спасибо за помощь.

— Боюсь, толку от моей помощи никакой, — вздохнул Ханин.

— Ничего, в следующий раз повезет, — ободрил Гуров и вышел из лаборатории.

После просмотра записи Гуров заглянул к капитану Жаворонкову в аналитический отдел и попросил собрать материалы по микрофинансовым организациям, которым задолжал Гулиев. Четыре фирмы, не успевшие получить с должника, требовали тщательной проверки.

Сам же Гуров в ожидании информации засел за разбор свидетельских показаний. В совокупности с просмотренной записью получалось следующее: во дворе дома Гулиева незнакомец в черном появился задолго до того, как приехал Рауф. В объектив он успел попасть трижды, поэтому логично было предположить, что во дворе он оказался не случайно.

Да, в тот момент, когда Гулиев вышел из машины и направился к подъезду, его тень перед камерой не мелькала, но это не значит, что он ждал не Рауфа. Камеру легко обойти, к тому же выстрел произошел тоже не на камеру. Куда и когда делся незнакомец, еще предстояло выяснить, а пока Гурова больше интересовало, есть ли возможность по отрывочным приметам и коротким видеозаписям составить если не фоторобот, то хотя бы словесный портрет.

Описания внешности незнакомца в показаниях свидетелей были под стать видеозаписи: такие же нечеткие, расплывчатые и отрывочные. И все же кое-что использовать было можно. Большинство свидетелей сходилось на том, что фигура незнакомца выглядела внушительно. То, что видел Гуров на записи, впечатления соседей подтверждало. Темная одежда, бесшумная походка: вот, пожалуй, и все. Кто этот мужчина? Убийца? Если так, то мог ли этим незнакомцем быть новый муж Людмилы, Юрий Ревошин? В доме Людмилы фотоснимков хозяина Гуров не видел, поэтому о внешности Ревошина не имел ровным счетом никакого представления.

Мог ли незнакомец оказаться Юрием Ревошиным? Вполне. Несколько раз Ревошин пытался убедить Рауфа освободить жилплощадь супруги, но тот не реагировал. Последняя встреча закончилась потасовкой. Возможно, именно в тот момент Юрий понял, что добровольно Рауф квартиру не отдаст, и решил действовать по-своему. Он достал оружие и поехал к Гулиеву.

Приехав, первым делом прошелся по стоянке, чтобы убедиться, что Гулиев дома. Но его машины на стоянке не оказалось, и тогда Ревошин решил подождать. Ушел в тень и затаился. Дождался, пока автомобиль Гулиева покажется у ворот стоянки, пропустил его, а затем проскользнул следом. Гулиев поставил машину и пошел к подъезду, но пройти не смог. Ревошин преградил ему дорогу. Он потребовал, чтобы Гулиев убирался из квартиры Людмилы. Рауф в очередной раз отказал, возможно в грубой форме. Нервы Ревошина не выдержали, и он выстрелил. Попал в сердце, Гулиев упал на машину соседа. Сработала сигнализация, Ревошин испугался и убежал.

Это одна из версий. Непреднамеренное убийство. Хотел попугать бессовестного мужа, а в итоге лишил его жизни. Но могло быть и по-другому. Ревошин не собирался просто пугать Гулиева. Он понимал, что добром тот квартиру не отдаст, но его это не устраивало. Что представляет собой жилплощадь Ревошина? Покосившийся домишко в захудалой деревушке. А что имеет Людмила? Квартиру в черте города, пусть и однокомнатную, но с хорошей площадью. Кто же смирится с тем, что на этих вожделенных метрах живет бывший муж твоей теперешней жены? И почему он должен наслаждаться удобствами, теплым туалетом, горячим душем и водопроводом, а хозяйка квартиры должна ютиться где-то в пригороде, пользоваться сомнительными удобствами и вообще во всем себя ущемлять? Да даже сдать эту квартиру внаем и то лучше, чем позволять подонку-мужу в ней жить.

Могли быть у Ревошина и такие мысли. И тогда он приехал на улицу Электродная вовсе не для того, чтобы попугать Рауфа. Он приехал затем, чтобы раз и навсегда избавиться от него. Поняв, что Гулиева дома нет, он не отказался от своего намерения. Он терпеливо ждал, а когда дождался, хладнокровно убил Рауфа. После спокойно покинул двор и поехал домой или в какое-то другое место. Скорее всего, он не посвящал Людмилу в свои планы, и об убийстве Гулиева она на самом деле ничего не знала. Версия не из худших. Квартирный вопрос во все времена стоял остро, а уж сейчас и подавно. Людей и за меньшее убивают, как это ни прискорбно.

С микрофинансовыми организациями дело обстояло несколько иначе. Насколько мог судить Гуров, убийство должников в их среде не практиковалось, хотя бы потому, что с мертвеца уже ничего не возьмешь. Но кто знает? Быть может, кому-то из них надоело ждать, а перспективы получить свои деньги с Гулиева выглядели туманно. Работы он не имел, с женой-бухгалтером развелся, и даже квартира, в которой проживал, ему не принадлежала. А средства от продажи подержанного «Фольксвагена» и десяти процентов долга не покрыли бы.

Одним словом, взять с Гулиева было нечего, так почему бы не устроить показательную порку? Расправа с одним из должников показала бы остальным серьезность намерений кредитора. Вот почему версию убийства за долги отметать не стоит. Четыре фирмы претендовали на возврат долгов, любая из них могла пойти на крайние меры. Проверить придется все, иначе и начинать не стоит.

Капитан Жаворонков задерживался с отчетом, а Гуров уже не мог усидеть на месте. Он связался с дежурным и поинтересовался, пришел ли отчет патологоанатома. Ответ оказался отрицательным, сотрудники морга молчали. Либо вскрытие еще не провели, либо кто-то забыл отправить отчет в Управление. Гуров выяснил, в каком из моргов делают вскрытие убитого Гулиева, сверился с телефонным справочником и позвонил туда.

— Судебно-медицинский морг номер девять, дежурный Москалев слушает, — зазвучал в трубке вялый мужской голос.

— Полковник Гуров, уголовный розыск, — представился Лев Иванович. — Мне нужен отчет по вскрытию гражданина Гулиева, кто занимается этим делом?

— Вся информация с девяти до трех, — все тем же вялым голосом произнес дежурный.

— По-моему вы не поняли, с вами говорит полковник Гуров, Главное управление, — повторил Гуров. — Сегодня к вам было доставлено тело Рауфа Гулиева, огнестрел в Перове. Результаты вскрытия нужны мне немедленно.

— Ничем не могу помочь. Вся информация с девяти до трех, — упоминание Главного управления не произвело на дежурного никакого впечатления. — Звоните завтра, заведующий моргом предоставит вам всю необходимую информацию.

— Послушайте, как вас там, Москалев? — Гуров начал закипать. — У меня на руках убийство. Его раскрытие во многом зависит от результатов экспертизы патологоанатома. Если вы не в курсе, как это делается, пригласите к телефону того, кто знает, как общаться с полковником полиции. Отчет нужен мне сегодня. Не завтра, не послезавтра, не через час, а немедленно! Так что оторвите свою задницу от стула и найдите врача, отвечающего за вскрытие Рауфа Гулиева. Иначе не позднее завтрашнего утра ваша жизнь окрасится во все цвета радуги, и не думаю, что вам это доставит удовольствие!

— Так бы сразу и сказали, — протянул Москалев. — Ждите, попробую выяснить о вашем трупе.

Гуров услышал, как телефонная трубка ударилась о столешницу, послышались удаляющиеся шаги, и на какое-то время все стихло. Ждать пришлось долго, Гуров даже подумал, что дежурный Москалев решил таким образом избавиться от назойливого просителя. Пообещал найти врача, а сам ушел в соседнее помещение и сидит себе чаи распивает. Но нет, свое обещание Москалев сдержал. В телефонной трубке раздался бодрый мужской голос:

— Здравия желаю, товарищ полковник, — проговорил новый собеседник. — Дежурный сказал, вы звоните по поводу парня с огнестрельным ранением, утренний завоз, верно?

— С кем я говорю, представьтесь, — сухо приказал Гуров.

— Дмитрий Сергеевич Давыдкин, — послушно представился тот. — Вскрытие Рауфа Гулиева поручено мне.

— Вы подготовили отчет?

— Отчета нет, так как вскрытие еще не проводилось, — заявил Давыдкин.

— Да что у вас там вообще творится? — Гуров все-таки взорвался. — Вы что, протокола не знаете? Случаи насильственной смерти отрабатывать в первую очередь.

— Моей вины в задержке нет, — принялся оправдываться Давыдкин. — Эту неделю я работаю один. Без сменщика и напарников, так что при всем желании обработать весь объем клиентов я не в состоянии. Требуется соблюдать очередность, вот что я вам скажу. Рауф Гулиев назначен на двадцать два часа тридцать минут сегодняшнего дня. И это я еще троих несрочных подвинул.

— Вы издеваетесь? Каких несрочных? Какие подвижки?

— Послушайте, товарищ полковник, я понимаю, что для вас важнее вскрытия Рауфа Гулиева нет ничего, но у меня здесь не конвейер. И потом, там все очевидно, никаких особых новостей вы все равно не получите. Мужика застрелили, в этом и заключается причина смерти. Ждите, утром отчет будет.

И Давыдкин бросил трубку. Некоторое время Гуров ошарашенно смотрел на аппарат, из которого звучали короткие гудки, потом осторожно положил трубку на рычаги. Такого поворота он никак не ожидал. Спас положение появившийся Жаворонков. Капитан заглянул в дверь и поинтересовался:

— Товарищ полковник, есть время выслушать отчет?

— Заходи, Валера, может, хоть ты меня порадуешь, — откладывая намерение немедленно связаться с заведующим моргом и устроить разнос, Гуров махнул капитану рукой, приглашая в кабинет. — Удалось узнать что-то интересное по микрофинансовым организациям?

— И да, и нет, — устраиваясь напротив полковника, сообщил Жаворонков. — Все организации зарегистрированы и действуют на законном основании. Здесь адреса, телефоны и данные на владельцев.

Жаворонков придвинул полковнику папку с подробным отчетом. Гуров начал просматривать записи, а Жаворонков продолжил доклад:

— Я тут погуглил и нашел интересный форум. Знаете, сейчас любая организация имеет своих восторженных поклонников и недоброжелателей. Так вот, на форуме, о котором я говорю, собраны отзывы о заемных организациях. В основном там обычный мусор. Обиженные должники ругают владельцев заемных фирм, «просвещают» тех, кто еще не имел удовольствия запутаться в этой паутине. Малые суммы, бешеные проценты, короткие сроки возврата долга и прочая ерунда. Но есть и кое-что особенное. Чаще всех на этом форуме упоминается некая фирма под названием «Акция-Займ». Пишут о ней не сами должники, а их родственники. Хотите ознакомиться? Я скрины сделал.

— Что в этих отзывах необычного? — уточнил Гуров.

— Лучше бы вам самому посмотреть, — предложил Жаворонков и выложил перед Гуровым стопку листов.

Первый же отзыв заставил Гурова забыть и о наглом дежурном судебно-медицинского морга, и о медлительном патологоанатоме Давыдкине. Отзыв был следующего содержания: «Внимание! Всем, кто хочет жить! Компания «Акция-Займ» — билет на тот свет!» А дальше шло описание ситуации. Сводилась она к тому, что родственник должника открытым текстом обвинял сотрудников фирмы в убийстве последнего. Тот занял в фирме крупную сумму, отдать, разумеется, не смог, долг рос как на дрожжах, а сотрудники фирмы не желали входить в положение клиента.

222

В итоге через некоторое время должник исчез. Две недели о нем не было слышно, а потом его тело обнаружили в пригородной гостинице. Официальная версия причины смерти — остановка сердца от естественных причин. Но родственник умершего не желал верить в случайную смерть. Он призывал всех, кто, так или иначе, пострадал от действий фирмы «Акция-Займ», поделиться своей историей на форуме.

И желающие нашлись, да еще в каком количестве! «Мой муж задолжал фирме «Акция-Займ» двенадцать миллионов. Откуда у него такие деньги? И откуда взялся такой долг, если брал он всего триста пятьдесят тысяч? А теперь мой муж мертв. Он уехал в Сергиев Посад в надежде получить работу, а спустя десять дней мне сообщили, что он умер от кровоизлияния в мозг».

«Двоюродный брат взял в долг у «Акция-Займ», а когда не смог расплатиться, они сначала грозились забрать его квартиру за долги, а потом убили его. Причина смерти в заключении патологоанатома обозначена как инфаркт, но я в это не верю! Он никогда ничем не болел, и его сердце было абсолютно здорово. Какой инфаркт? Мясники «Акция-Займ» попросту расправились со своим должником».

И каждая новая история начиналась и заканчивалась одинаково, точно под копирку. Гуров просматривал нескончаемый поток записей, которые заканчивались сообщением о смерти заемщика, и хмурился все сильнее.

— Впечатляет, правда? — прервал его молчание капитан Жаворонков.

— Да, что и говорить, информацию ты нарыл весьма интересную, — задумчиво протянул Гуров. — Какой-то марафон со смертельным итогом.

— Я подсчитал, на форуме с заявлением о причастности фирмы «Акция-Займ» к смерти родственников выступили порядка сорока пяти человек, — Жаворонков выложил перед Гуровым новый лист. — Тут график смертности клиентов фирмы за последний год.

Гуров взглянул на красную линию, обозначающую рост смертности, и присвистнул.

— Ничего себе результат. С десяти процентов в начале года до сорока в конце? Это что же получается: умирает каждый четвертый клиент фирмы? И никого это не настораживает?

— Почему никого? Родственников должников явно насторожило. Не зря же они эти отзывы в Интернет выложили.

— Что с остальными фирмами?

— По ним такой статистики нет. Если нужно, я могу проверить другие заемные организации на предмет смертности, — предложил Жаворонков. — Это ведь только один форум, наверняка есть и другие.

— Действуй, Валера, а я к владельцу фирмы смерти прокачусь. Уж больно любопытные цифры получаются.

— Все сделаю, — пообещал Жаворонков.

Капитан ушел, а Гуров еще какое-то время сидел и смотрел на график, составленный Жаворонковым. Затем сложил листы в папку и связался с дежурным:

— Найдите водителя Леонида Мейерхольда, пусть готовит машину, — приказал он.

Через двадцать минут служебный седан вез его к станции метро «Кропоткинская», где располагался офис фирмы «Акция-Займ».

Глава 3

Машина едва отъехала от Управления, когда позвонил Юрий Ревошин. Он заявил, что готов встретиться с Гуровым. Полковник взглянул на часы, стрелки приближались к восьми тридцати вечера. Прикинув, сколько времени потребуется на беседу с директором заемной фирмы, Гуров вздохнул и предложил Ревошину явиться в Управление к девяти утра. Ему страшно не хотелось откладывать допрос подозреваемого, но назначать встречу на одиннадцать ночи — это уж слишком. Ревошина же перспектива пропустить рабочий день, отпрашиваться у начальства, объяснять, что за срочное дело у него вдруг появилось, совершенно не вдохновила, и он принялся уговаривать Гурова не откладывать встречу на утро, а побеседовать прямо сейчас. Гуров объяснил, что в данный момент он занят и освободится разве что к полуночи, но Ревошин заявил, что готов ждать.

Рвение Ревошина настораживало. То, что полковник торопится получить представление о том, что собой представляет подозреваемый и стоит ли брать его в разработку, было вполне логично. Но чего ради Ревошин так рвется на встречу с Гуровым? Хочет поскорее снять с себя подозрения? Или выяснить, какие версии рассматривает полиция и стоит ли волноваться о собственной шкуре?

«Ладно, с этим разберемся позже. Сейчас лучше сосредоточиться на сотрудниках фирмы «Акция-Займ» и ее директоре», — оборвал собственные мысли Гуров.

Автомобиль как раз остановился напротив яркой вывески, рекламирующей услуги заемной фирмы. Леонид Мейерхольд поспешно выскочил из машины, обогнул капот и распахнул перед Гуровым дверцу. После утреннего конфликта он всеми силами старался сгладить негативное впечатление: с разговорами не лез, от комментариев воздерживался и выражение лица с оскорбленного сменил на деловито-профессиональное. Гуров еще не понял, по нраву ли ему эти изменения, но терпеть расшаркивания он точно не собирался.

— Больше так не делайте, — приказным тоном заявил он водителю.

Мейерхольд смутился, но взгляд Гурова выдержал.

— Я вас понял, товарищ полковник.

— Пожалуй, мне стоит обозначить свои представления о вашей роли. Дело в том, что я терпеть не могу подхалимство, в какой бы форме оно ни выражалось, — внезапно проговорил Гуров. Он не собирался болтать с Мейерхольдом по душам, ведь потерпеть его присутствие оставалось всего несколько часов, но слова сами собой сорвались с языка, и теперь уже Гуров не мог молчать: — Лизоблюдов и им подобных — тем более. Не выношу тех, кто сует нос в чужие дела. Не боюсь стукачей и кляузников... Ладно, забудьте. Давайте просто проживем этот день, не досаждая друг другу.

Мейерхольд не нашелся что ответить, но Гуров ответа и не ждал. Быстрым шагом он прошел к конторе и скрылся за дверью. Несмотря на поздний час, офис оказался открыт. Помещение состояло из центрального холла и нескольких кабинетов. В холле за шикарным столом сидела миловидная блондинка. Не из тех, что красуются на обложках глянцевых журналов, а из категории так называемых «теплых» блондинок.

— Доброго времени суток, меня зовут Татьяна, — при виде Гурова она встрепенулась. — Как я могу к вам обращаться?

Заученные фразы так и сыпались с уст девушки. В этом не было ничего удивительного, шаблонная система общения охватила всю страну. Теперь в организациях, предоставляющих услуги населению, невозможно было услышать простую человеческую речь. Только шаблоны, фальшивые улыбки и заверения в искренней любви и преданности. А за этими улыбками и стандартными фразами скрывалось всегда одно: желание раскрутить клиента на максимальную сумму, впарить ему низкопробный товар по баснословной цене. В таком мире теперь жил Гуров. В таком режиме жила теперь вся страна.

— Полковник Гуров, Московский уголовный розыск, — Лев Иванович достал удостоверение. — Проводите меня к вашему директору.

— Позвольте ознакомиться с документом, — попросила миловидная девушка, назвавшаяся Татьяной.

Гуров развернул удостоверение так, чтобы она могла сличить фото с оригиналом. К этому процессу Татьяна отнеслась серьезно: с минуту смотрела на снимок, время от времени переводя взгляд на полковника, после чего совершенно невозмутимо заявила, что выполнить просьбу Гурова не может.

— Господин Марочкин принимает только по предварительной записи, — улыбка во все тридцать два зуба. — Но вас может принять кто-то из менеджеров. Пожалуйста, пройдите в комнату ожидания, я все организую.

— Менеджеры меня не интересуют, — заявил Гуров. — А речи о предварительной записи советую оставить для клиентов. Все, что я хочу от вас знать, — в каком кабинете сидит директор фирмы.

— Понимаю ваше нетерпение, — продолжая играть роль, заученно улыбалась Татьяна. — Прошу вас, пройдите в комнату ожидания, я посмотрю, что можно для вас сделать.

«Да что ж за день такой сегодня, — мысленно простонал Гуров. — Сначала это тупое задание, затем выскочка-водитель, после хам-патологоанатом, а теперь еще это! Ну уж нет, играть по правилам этой конторы я точно не стану».

Гуров склонился над столом, всем телом навис над хрупкой девушкой Татьяной и тихо, но с нажимом произнес:

— Запомните одну простую истину, милочка, если не хотите навлечь на свою голову гнев начальства, лучше не спорьте с представителями власти, — после этой фразы Гуров развернулся и скрылся в коридоре.

Коридор, в который выходило с десяток дверей, был узким и длинным. Освещение подкачало: две тусклые лампочки в самом конце коридора и дверной проем давали возможность рассмотреть таблички, но и только. Одна из них, с надписью «Директор», отыскалась в самом конце коридора. Гуров толкнул дверь, та легко поддалась, и полковнику открылась картина, красноречиво показывающая суть работы директора заемной фирмы.

Господин Марочкин сидел за широким столом, вернее, не сидел, а растекался по спинке солидного офисного кресла. Глаза его были закрыты, ноги закинуты на стол, руки скрещены на груди. Комнату оглашало тихое сопение: господин директор попросту спал.

— Вижу, работы у вас невпроворот, — намеренно громко произнес Гуров, входя в кабинет и закрывая за собой дверь.

Марочкин вздрогнул, открыл глаза и уставился на Гурова. Ноги его автоматически слетели со стола и с громким стуком ударились о паркетный пол. Какое-то время он соображал, кем может быть вошедший. Гуров буквально видел, как в мозгу Марочкина идет сложный процесс обработки информации. Клиент, разгневанный родственник или проверяющий? От ответа на этот вопрос зависело, какой стиль поведения выбрать. Марочкин остановился на

227

варианте с проверяющим. Лицо его приобрело выражение учтивой доброжелательности, типа, смотрите, я полностью открыт и прозрачен, мне нечего скрывать.

— Ваша правда, день был тяжелым, — тон Марочкина соответствовал выражению лица. — Простите за это... за неподобающий вид, вы застали меня врасплох. Обычно офис-менеджер предупреждает о посетителях, но вы наверняка и сами знаете, как сложно найти достойных сотрудников.

— Тем более когда работа так утомительна, — поддел Гуров.

— Еще раз приношу свои извинения, — смутить Марочкина оказалось не так-то просто. — Могу я узнать, что привело вас в нашу контору?

— Ваша деятельность, — ответ прозвучал неопределенно.

— И какую из проверяющих инстанций вы представляете? Вы ведь действуете не как частное лицо, я правильно понимаю?

— Не как частное, тут вы правы. Московский уголовный розыск — для вас достаточно серьезная инстанция?

— Уголовный розыск? — Марочкин изменился в лице. — Не понимаю, каким образом наша деятельность могла заинтересовать уголовный розыск? ОБЭП, налоговая, гражданское право — это еще понятно, но уголовный розыск? Уверяю вас, мы действуем на законных основаниях. Если хотите ознакомиться с учредительными документами, я с радостью вам их предоставлю и даже не стану спрашивать, на каком основании вы ими интересуетесь.

— Я ими не интересуюсь, — ответил Гуров. — Скорее, меня интересуют ваши клиенты.

— Клиенты? Но позвольте, это же конфиденциальная информация! Скажите хотя бы, в каком контексте они вас заинтересовали? Кто-то из наших заемщиков совершил уголовное преступление? — Марочкин нервничал все сильнее. — Поверьте, я не имею намерения скрывать от вас информацию. Просто хочу знать чуть больше.

— Рауф Гулиев является вашим заемщиком? — перешел к конкретике Гуров.

— Гулиев? Нужно просмотреть базу данных. Клиентов очень много, всех не упомнишь, — заявил Марочкин.

— Так просмотрите, — приказал Гуров. По лицу Марочкина он видел, что имя Гулиева тому хорошо известно, и сейчас он просто пытается выиграть время.

Марочкин схватился за мышь, монитор его компьютера засветился ровным светом. Пару минут он щелкал кнопкой, наводя курсор на определенные графы.

— Гулиев, Гулиев, — бормотал он себе под нос, делая вид, что пытается удержать в памяти фамилию. — Как, вы сказали, его имя?

— Рауф, — терпеливо повторил Гуров.

— Не могу найти, — Марочкин продолжал щелкать мышью. — Быть может, у вас имеется его адрес? По адресу поиск идет быстрее.

— Улица Электродная, дом пятнадцать, квартира восемьдесят шесть, — по памяти продиктовал Гуров.

— Вот, готово, — минуту спустя заявил Марочкин. — Рауф Гулиев, в базе с шестнадцатого января. Сумму задолженности сообщить не могу, сами понимаете, коммерческая тайна.

— Сумма меня не интересует, — сообщил Гуров. — Думаю, и вас она тоже больше не волнует. Рауф Гулиев убит сегодня ночью.

— Убит? Убит? — растягивая слова, воскликнул Марочкин, но удивление в голосе звучало фальшиво. — Как? Я хочу сказать, каким образом? Вернее, за что?

— Полагаю, за то, что с шестнадцатого января не оплачивал свой долг, — спокойно произнес Гуров.

— О боже, вы думаете, что его убил я? Бред! Вы ведь понимаете, что это полный абсурд? — Марочкин выпустил из рук мышь и до боли честными глазами уставился на Гурова. — Если бы я убивал всех своих должников, мой бизнес давным-давно бы развалился. Зачем мне это?

— Этот вопрос я хотел задать вам, — проговорил Гуров. — Но раз уж вы сами об этом заговорили, то повторяться не стану. Итак, давайте обсудим, чем выгодна вам смерть Рауфа Гулиева?

— Да перестаньте, вы ведь несерьезно, — Марочкин заставил себя улыбнуться. — Вы меня разыгрываете.

— Считаете, полковнику уголовного розыска больше нечем заняться?

— Простите, не знаю вашего имени-отчества и не думаю, что дел у вас мало, но официально заявляю — к смерти Рауфа Гулиева я не имею ровным счетом никакого отношения.

— Имя мое Лев Иванович, фамилия Гуров, — наблюдая за реакцией Марочкина, представился Гуров. — И ваши заверения пока всего лишь пустой звук.

— Скажите, вы имеете представление о том, как построен бизнес микрофинансовых организаций? — сменил тактику Марочкин.

— Уверен, что вы меня просветите, — Гуров едва заметно улыбнулся, попытки Марочкина казаться удивленным его веселили. Притворяться Марочкин совершенно не умел. Гуров даже подумал, как он умудрился столько времени продержаться в бизнесе, где все построено на лжи.

— Мы ссужаем деньгами организации и частных заемщиков. Под определенный процент. Чем дольше заемщик пользуется нашими деньгами, тем выгоднее фирме. Объясню на примере Гулиева: он занял определенную сумму, каждый месяц он обязался выплачивать проценты, одновременно с этим гася сумму задолженности малыми частями. Проценты мы с него получали, а тот факт, что сумма заема оставалась непогашенной — случай вполне обыденный. За шесть месяцев мы и так вернули всю сумму, которую ссудили Гулиеву. То есть как организация — мы не внакладе, он не лишил нас средств, напротив, он являлся стабильным источником дохода. Ежемесячным источником дохода. Так что убивать его нам совершенно невыгодно, это вы понимаете?

— Вы говорите неправду, — спокойно заявил Гуров. — По крайней мере, за пять месяцев из шести он не погасил ни одного процента, начисляемого на сумму задолженности, не говоря уж о самом долге.

— У вас неверная информация, — начал возражать Марочкин, но Гуров жестом заставил его замолчать.

— У следствия имеется документ, подтверждающий этот факт, — резко произнес он. — Гулиев — ваш должник, из тех, кто никогда не расплатится. И это тоже факт. Так что у вас были причины желать ему смерти.

— Но ведь мертвые не платят, как ни цинично это звучит, — Марочкин предпринял очередную попытку оправдаться. — Ладно, поговорим откровенно. Мы знаем, что у Гулиева нет сбережений, в собственности нет объектов недвижимости. Все его наследство — подержанный автомобиль, рыночная цена которого едва ли покроет десятую часть долга. К тому же, по нашим сведениям, мы не единственная организация, заемщиком которой он является.

— Откуда вам это известно? — спросил Гуров.

— У нас хорошо поставлена система сбора информации, — ответил Марочкин. — Мы знаем, что в случае смерти Гулиева по меньшей мере три микрофинансовые организации имеют право претендовать на его собственность. Из этого следует, что в случае смерти клиента нам достанется четвертая часть от продажи копеечного автомобиля. Вы по-прежнему считаете, что это достаточно веский мотив для убийства?

— Будем считать, что относительно Рауфа Гулиева вы меня убедили, — внезапно произнес Гуров.

— Убедил? Правда? — Марочкин облегченно вздохнул. — Ну, надо же! Я-то думал, что вы решили меня арестовать.

— Но для того, чтобы снять подозрения с вашей организации, мы должны провести доскональную проверку по всем вашим клиентам, — как ни в чем не бывало продолжил Гуров. — Предоставьте мне список ваших заемщиков, и будем считать, что разговор окончен.

— Но... Позвольте... ведь это незаконно! Вы предлагаете мне нарушить закон? На это нужны санкции, разрешение прокурора, или что там делают в таких случаях?

— Есть и другой вариант: я ухожу, а через час возвращаюсь с разрешением на изъятие всей документации фирмы.

231

Заодно придется захватить и ордер на задержание. Ваше задержание. Трое суток проведете в следственном изоляторе, но зато не нарушите закон.

— Нет, это совершенно неприемлемый вариант, — Марочкин застонал. — Что же мне делать? Я не могу просто взять и выдать вам базу данных клиентов. Разве что вы сможете оформить надлежащие бумаги, чтобы в случае необходимости я смог прикрыть свою... шею. Необязательно предъявлять ее сейчас. Просто скажите, что такой документ будет оформлен.

— Договорились, — сдерживая улыбку, произнес Гуров.

Марочкин снова взялся за мышь и защелкал по клавиатуре. Через минуту заработал принтер. Собрав солидную стопку бумаг, Марочкин передал их Гурову.

— На этом все? — с надеждой в голосе спросил он.

— Пока да, — Гуров забрал листы из рук Марочкина. — Всего хорошего. И не уезжайте из города, вы можете понадобиться следствию.

Гуров вышел из кабинета, Марочкин проводил его печальным взглядом. Оказавшись на улице, Гуров дошел до машины, уселся на переднее сиденье и устремил задумчивый взгляд в пустоту. Мейерхольд искоса поглядывал на полковника, но рот держал на замке. Так Гуров просидел минут пять, не меньше. Потом, приняв решение, повернулся к Мейерхольду и задал вопрос:

— Леонид, в вашем телефоне хорошая камера?

Вопрос прозвучал неожиданно и застал Мейерхольда врасплох.

— Камера? Имеете в виду фотокамеру? — растерянно переспросил он.

— Да-да, фотокамеру. Мощная ли у вас фотокамера? — нетерпеливо повторил Гуров.

— Шестнадцать мегапикселей, одна фронтальная и две основные, — выдал Мейерхольд.

— Значит, мощная, — сделал вывод Гуров. — По крайней мере, звучит солидно. Еще один вопрос: вы все еще хотите принять участие в расследовании?

— Вы берете меня в команду? Серьезно? — слова Гурова настолько поразили Мейерхольда, что он начал заикаться. — Я буду вам помогать? На самом деле? По-настоящему?

— Леонид, не заставляйте меня сомневаться в своем решении, — с угрозой в голосе проговорил Гуров.

— Нет-нет, не нужно сомневаться. Я готов, честно, — затараторил Мейерхольд. Лицо его раскраснелось, то ли от волнения, то ли от удовольствия, и выглядел он при этом как школьник, которому объявили, что его наконец-то берут в футбольную команду.

— Отлично, этого ответа я и ждал, — голос Гурова смягчился. — Итак, запоминайте: сейчас вы достанете камеру, наведете ее на дверь конторы «Акция-Займ» и будете снимать всех, кто входит и выходит. Если же выйдет директор, вы будете следовать за ним, куда бы он ни пошел. Забейте номер моего телефона на быстрый набор и докладывайте обо всем, что происходит. Черт, вам же нужно будет держать наготове камеру!

— У меня есть гарнитура, — поспешно сообщил Мейерхольд. — Я могу снимать и звонить одновременно.

— Отлично, похоже, вы были правы, когда заявили, что можете оказаться весьма полезным, — похвалил Гуров. — Значит, так и поступим. Сидите здесь до тех пор, пока не выйдет директор или пока не получите других распоряжений.

— Как я узнаю его? — задал вопрос Мейерхольд. — Ведь я его ни разу не видел.

— Запоминайте описание, — приказал Гуров. — Ему под сорок, рост выше среднего, волосы русые, стрижка короткая, челка зачесана назад. Одет в светлую льняную рубашку с коротким рукавом, темные брюки, в кармане рубашки синий декоративный платок. Когда разговаривает, склоняет голову на левый бок. Это все.

— А если он меня заметит? Я имею в виду, когда придется следить за ним, — Мейерхольд волновался как мальчишка.

— Постарайтесь, чтобы этого не произошло. Если же он обратит на вас внимание, притворитесь озабоченным родственником. У Марочкина куча клиентов, а родственников у них еще больше, — посоветовал Гуров. — Как думаете, справитесь?

— В детстве я играл в школьном театре, — выдал Мейерхольд, и Гуров не сдержал улыбки.

— Тогда я за вас спокоен, — весело проговорил он. — Ну, все, я пошел. Удачи, Леонид. И спасибо за помощь.

— Рад стараться, товарищ полковник, — по-военному четко ответил Мейерхольд.

Гуров вышел из машины, поймал попутку и поехал в Управление. По дороге он набрал номер Юрия Ревошина, чтобы сообщить, что ждет его через полчаса на Петровке.

Мейерхольд остался в машине один. Его оживление сменилось сосредоточенностью. Приготовив камеру, он не отрывал взгляд от дверей заемной конторы. Минут двадцать все было спокойно, затем сотрудники конторы начали расходиться по домам, и Мейерхольд защелкал камерой. А спустя еще полчаса в дверях показался сам директор фирмы. Мейерхольд узнал его сразу. Сделал пару снимков и бросил телефон на соседнее сиденье, чтобы освободить руки.

Марочкин остановился на крыльце. Он разговаривал по телефону, голова его при этом склонилась на левый бок. Мейерхольд держал руку на ключе зажигания, уверенный, что, завершив разговор, директор заемной фирмы сядет в машину. Но этого не произошло. Марочкин убрал телефон в карман брюк и медленным шагом направился к перекрестку. Мейерхольд оказался в замешательстве: следовать за директором пешком или же поехать на машине? Если ехать, то Марочкин рано или поздно непременно заметит странный эскорт, и тогда миссия будет провалена, а Мейерхольду ужасно не хотелось оказаться человеком, провалившим первое же порученное задание. Идти за объектом пешком — тоже была рисковая затея. Что, если, дойдя до перекрестка, Марочкин поймает машину, а Мейерхольд к тому времени окажется без колес?

— Что делать? Какой вариант выбрать? — вслух размышлял Мейерхольд. — Надо что-то решать, иначе ты потеряешь объект. Спокойно, подумай, как бы на твоем месте по-

234

ступил полковник. Скорее всего, он бы рискнул и поехал на машине. Или же пошёл пешком?..

От тягостных раздумий его спас сам Марочкин. Дойдя до перекрёстка, он открыл дверь ближайшего кафе и скрылся внутри. Мейерхольд вздохнул с облегчением. Теперь не нужно было решать, какой из вариантов выбрать. Всё, что ему оставалось сделать, — это перегнать машину поближе к кафе. Так он и поступил. Выбрав место, с которого благодаря стеклянным витринам кафе просматривалось насквозь, он припарковал автомобиль и вышел. Он подумал, что будет неплохо осмотреться на месте. Вдруг в кафе имеется второй выход и Марочкин уйдёт незамеченным?

Войдя в кафе, Мейерхольд осмотрелся. Народу внутри было много, практически все столики оказались заняты. Он заметил Марочкина, который занял стол у стены. Перед ним уже стояла чашка дымящегося кофе, из которой он время от времени делал маленькие глотки. Парень за стойкой вопросительно посмотрел на Мейерхольда. Чтобы не вызывать подозрений, водитель заказал что-то из выпечки навынос и поинтересовался, где туалет. Получив ответ, прошёл в ярко освещённый коридор, открыл дверь с табличкой, изображающей человечка в брюках, убедился, что туалет пуст и вернулся к барной стойке.

Марочкин сидел на прежнем месте, но теперь перед ним стояла тарелка с мясным блюдом. Увидев всё, что хотел, Мейерхольд вернулся в машину. С водительского сиденья ему был виден затылок Марочкина. Мысленно похвалив себя за удачный выбор наблюдательного поста, Мейерхольд распаковал кекс, купленный в кафе, и с наслаждением впился в него зубами. С выпечкой он покончил задолго до того, как у столика Марочкина появился новый объект. Мейерхольд схватился за камеру.

В объектив он наблюдал за мужчинами. При появлении мужчины Марочкин не встал и руки ему не протянул, но Мейерхольд не сомневался, что со вновь прибывшим Марочкин знаком не первый день. Тот спокойно занял стул напротив, однако заказ делать не стал. Марочкин склонил голову набок, из чего Мейерхольд сделал вывод, что тот завел разговор. Пришедший молча слушал, время от времени кидая короткие реплики.

Затем пришла его очередь говорить. По губам Мейерхольд не мог понять слов, и тогда он принял решение, что следует вновь войти в кафе и попытаться подслушать разговор. Идея ему так понравилась, что он тут же вышел из машины, перебежал дорогу и вошел в кафе.

Столик возле Марочкина и его собеседника как раз освободился. Мейерхольд опередил немолодую парочку и плюхнулся на освободившийся стул с таким видом, точно дожидался этого места целый год. Немолодая парочка, которую он опередил, осуждающе покачала головой и направилась к другому столику, а к Мейерхольду поспешил официант.

— Доброго вечера вам, — приветствовал он Мейерхольда. — Готовы сделать заказ?

— Я только что сел, — недружелюбно бросил Мейерхольд. — Пойдите, обслужите кого-нибудь другого. Когда буду готов, я сам вас позову.

— В нашем заведении не принято занимать столик без заказа, — предупредил официант.

— Хорошо, принесите мне морковный салат, — отмахнулся Мейерхольд. — И больше меня не беспокойте, я жду звонка.

Мейерхольд демонстративно выложил на стол телефон. Официант скривился, но оставил Мейерхольда в покое. За соседним столиком продолжался разговор, но как водитель ни напрягал слух, слов разобрать не мог.

Тогда он решил действовать более решительно. Взяв в руки папку с перечнем блюд, он как бы невзначай уронил ее на пол. Та отлетела и упала в метре от стола Марочкина. Мейерхольд свесился со стула, пытаясь достать папку. При этом голова его оказалась на том же расстоянии. Долго висеть, не привлекая внимания, Мейерхольд не мог, но все же кое-что услышать успел.

— Вам помочь? — услышал он голос официанта.

— Я же сказал, что жду звонка и не желаю, чтобы меня беспокоили, — сердито проговорил Мейерхольд, вынужденный принять вертикальную позу.

— Ваш салат, — официант небрежно выставил тарелку перед Мейерхольдом.

— Надеюсь, вы в него не плюнули? — на полном серьезе спросил Мейерхольд.

— С вас двадцать четыре рубля, — сохраняя нейтральное выражение лица, объявил официант. — Желаете расплатиться?

Мейерхольд бросил на стол полтинник.

— Не забудьте принести сдачу, — предупредил он. — Дарить вам двадцатку я не собираюсь.

Официант ушел, а Мейерхольд предпринял новую попытку приблизиться к столу объекта. Сначала он сдвинул стул так, что расстояние сократилось на добрых полметра, затем выгнул спину, будто потягиваясь. Но эти манипуляции пользы не принесли. Тогда он снова проделал тот же трюк, что и раньше, но на этот раз уронил вилку. Случайно она упала дальше, чем рассчитывал Мейерхольд. Вилка оказалась под стулом Марочкина. Мейерхольд раздумывал, стоит ли ее поднимать. Если подойти слишком близко, Марочкин обратит на него внимание, и кто знает, насколько он наблюдательный и насколько хороша его память. Вдруг позже Мейерхольду придется идти за ним пешком? Если Марочкин его запомнит, то сразу поймет, что его преследуют.

И все же он решил рискнуть. Перегнувшись влево, он потянулся за вилкой, нащупал ее и на короткий миг задержался в таком положении. В этот момент говорил собеседник Марочкина, и Мейерхольд забыл об осторожности, пытаясь получить максимум информации.

— Вы что-то потеряли? — услышал он над ухом голос Марочкина.

— Вилка отлетела, простите, — не поднимая головы, пробормотал Мейерхольд. — Все, она у меня. Еще раз простите.

— Нужно было просто подозвать официанта, — посоветовал Марочкин. — Вы ведь все равно не станете есть грязной вилкой.

— Об этом я как-то не подумал, — заявил Мейерхольд и вернулся в исходное положение. На Марочкина он так и не взглянул.

Тот пожал плечами и вернулся к прерванному разговору. Мейерхольд поковырял морковный салат и через пять минут покинул кафе. Марочкин и его приятель пробыли в кафе чуть дольше. Когда они вышли, собеседник Марочкина запрыгнул в автобус, а сам директор вернулся к конторе, сел в машину и поехал по направлению к центру. Мейерхольд последовал за ним. Не доехав метров триста до метро «Свиблово», Марочкин свернул с центральной дороги и въехал во двор жилого дома. Там он припарковал автомобиль, включил сигнализацию и вошел в один из подъездов.

Мейерхольд выждал несколько минут и тоже вышел. В подъезд он заходить не стал, дошел до угла, прочитал название улицы и номер дома и позвонил полковнику Гурову.

Глава 4

В кабинете Гурова происходил допрос. Юрий Ревошин сидел напротив полковника, мял в руках кепку и пытался доказать, что никогда не имел намерения избавиться от бывшего мужа своей жены. Они беседовали больше часа, оба устали от повторяющихся вопросов и хотели только одного: спать. Ревошин производил впечатление простого, бесхитростного парня. Он снова и снова пересказывал события минувшей ночи, буквально по минутам расписывая свои шаги, и все же у Гурова не пропадало ощущение, что Ревошин чего-то недоговаривает.

График работы у Ревошина был плавающим. Его могли вызывать на заказ и в восемь утра, и в два часа ночи, так он заявил Гурову. В ночь убийства Гулиева его тоже вызвали, но звонок оказался пустым. Заказчик якобы отказался от заказа, и Ревошин вернулся домой, не доехав до конторы. Звонки диспетчера в фирме Ревошина не фиксировались, но при желании можно было заказать распечатку всех входящих вызовов на номер Ревошина у сотового оператора. На это требовалось время, а пока Ревошин оставался без алиби.

— Вам не кажется странным тот факт, что ложный звонок поступил как раз в ту ночь, когда произошло убийство? — в очередной раз задал вопрос Гуров.

— Я не силен в таких вопросах. Я просто выполняю свою работу. Пришел вызов — я еду. Отменили — возвращаюсь. На самом деле это происходит не так редко, как может показаться, — устало проговорил Ревошин.

— И как часто случаются ложные вызовы?

— Примерно каждый десятый, — подумав, ответил Ревошин. — Ночью чаще, чем днем.

— Давайте подытожим, — Гуров откинулся на спинку кресла. — Итак, вы работаете экспедитором в фирме «Стрела». В ваши обязанности входит сопровождение грузов от склада до заказчика, оформление документов приема-передачи и произведение расчета.

— Нет, расчет происходит по безналу. На руки мне денег никто не выдает, — в двадцатый раз повторил Ревошин. — И фирма работает не с одной организацией, поэтому я забираю товар не на одном конкретном складе, а с разных складов, разбросанных по городу. Диспетчерская служба единая, заказы распределяются не внутри нашей фирмы, а по нескольким фирмам-перевозчикам. Иногда это междугородные перевозки, но чаще — по Москве.

— Диспетчеры, передающие заказы, с вами лично незнакомы, так?

— Да, это верно. Мы никогда друг друга не видели. Чаще всего эти диспетчеры и друг с другом-то незнакомы. Работа удаленная, на дому. Им даже необязательно жить в Москве, — Ревошин покосился на графин с водой. Гуров перехватил взгляд и коротко кивнул. — Спасибо. Пить очень хочется.

— Мы с вами сидим здесь уже довольно продолжительное время, но я не слышал ни одного звонка. Почему? — Гуров понимал, что разговор нужно заканчивать, но все еще надеялся получить какое-то объяснение своему ощущению.

— Потому что телефон отключен, — объяснил Ревошин. — Так делают все водители-перевозчики, если не готовы принять заказ. У нас ведь нет выходных, отпусков

239

и прочих благ стабильной работы. Мы вынуждены сами устраивать себе выходные. Правда, нечасто. Если телефон будет отключен долгое время, заказы перестанут поступать. Диспетчерам ведь тоже сдельно платят, так что им неинтересно тратить время на пустые звонки.

— А прошлой ночью ваш телефон был включен, — произнес Гуров. — И на него поступил звонок. Ваша жена слышала разговор с диспетчером?

— Послушайте, мы уже все это обсуждали. Неужели так необходимо повторять все по сто раз? Я устал, хочу есть и спать. Отпустите меня домой, — взмолился Ревошин. — Я ведь пришел добровольно. Сам настоял на встрече. Так за что вы меня мучаете?

— Хотите начистоту? Хорошо, — Гуров подался вперед. — Я думаю, вы не до конца честны со мной. Я знаю, что вы что-то от меня скрываете. Возможно, это и не связано с убийством Гулиева, но вы все равно скрываете. Зачем? Почему?

— Я ничего от вас не скрываю, — Ревошин опустил глаза.

— Скрываете, Юрий, еще как скрываете, — заявил Гуров. — И мы будем здесь сидеть до тех пор, пока я не пойму, почему вы это делаете.

— Тогда нам придется сидеть здесь вечность.

Гуров видел, что Ревошин разозлился, но было в его голосе и что-то еще — чувство, гораздо более сильное, чем злость. Страх? Отчаяние?

«Пора завязывать, Гуров, ты его сломаешь», — подумал полковник. И в этот момент зазвонил телефон. Синхронный вздох облегчения вырвался из груди Гурова и Ревошина. Гуров взглянул на дисплей. Звонил Мейерхольд. Гуров почти забыл о его существовании и о том задании, что поручил водителю. На долю секунды он почувствовал угрызения совести. Оставить неподготовленного человека в сложной ситуации было непростительно. Подняв трубку он коротко бросил:

— Слушаю.

— Товарищ полковник, ваше задание выполнено, — отрапортовал Мейерхольд. — Когда прикажете дать отчет?

— Вы где? — спросил Гуров и бросил взгляд на часы. Стрелки показывали без четверти двенадцать.

— У дома наблюдаемого объекта, полагаю, — ответил Мейерхольд.

— Ждите, я вам перезвоню, — произнес Гуров и дал отбой. Он перевел взгляд на Ревошина. — Хорошо, гражданин Ревошин, на сегодня мы закончили. Оставайтесь на связи, вы еще понадобитесь.

— Я могу идти? — не поверил Ревошин.

— Вы можете идти, — подтвердил Гуров. — Показания подпишете и свободны.

Гуров пустил протокол допроса на печать. Принтер выдал пять листов бумаги, на которых Ревошин расписался, после чего получил подписанный пропуск и ушел. Гуров набрал номер Мейерхольда.

— Леонид, можете докладывать, — проговорил он.

— По телефону? Разве вы не приедете сюда? — растерялся Мейерхольд.

— Думаете, в этом есть необходимость? — Гуров настолько устал, что не смог скрыть досады.

— У меня очень важная информация. Очень, — с нажимом произнес Мейерхольд. — И потом, я ведь человек неподготовленный, могу что-то упустить или совершить оплошность. Кто-то должен сменить меня на посту.

— На каком посту, Леонид? Вы довели объект до квартиры, на этом все, — объяснил Гуров.

— Нет, товарищ полковник, объект может скрыться. Я не уверен, но, по-моему, он встречался с убийцей, — набравшись смелости заявил Мейерхольд. — Разве в таких случаях не требуется установка круглосуточного наблюдения?

— Диктуйте адрес, — обреченно произнес Гуров.

— Так вы приедете? Сами? — настаивал на ответе Мейерхольд.

— Приеду, — ответил Гуров. — Диктуйте адрес.

— Проезд Русанова, дом девятнадцать. Это недалеко от метро «Свиблово». Найти легко. Первый поворот, — продиктовал Мейерхольд. — Как скоро мне вас ждать?

— Жди, — бросил Гуров и дал отбой.

Заглянув в дежурку Гуров поинтересовался, есть ли свободная машина и наряд. Получив положительный ответ, он приказал подготовить машину и двух сотрудников для ночного дежурства.

Через сорок минут машина въезжала в указанный Мейерхольдом двор. Сам Мейерхольд встречал их у въезда. Гуров велел остановить машину, вышел и направился к Мейерхольду.

— Доброй ночи, товарищ полковник, — возбужденно произнес Мейерхольд. — Объект вошел в подъезд номер четыре. Номер квартиры выяснить не удалось. Боялся засветиться.

— Это правильно. Осторожность никогда не помешает. К тому же я уже знаю адрес Марочкина, — сообщил Гуров.

— А-а, уже знаете, — разочарованно протянул Мейерхольд.

— Это неплохо, — успокоил Гуров. — Раз вы здесь, значит, сделали все правильно. Сейчас дадим установку бригаде, которая вас сменит, и поедем по домам. Отчитаться сможете по дороге.

На вводный инструктаж ушло не больше трех минут, после чего Гуров пересел в машину Мейерхольда. Назвав домашний адрес, Гуров приготовился слушать доклад. Мейерхольд передал полковнику свой телефон, чтобы тот мог ознакомиться с фотоснимками, сделанными за время слежки. Пока Гуров листал снимки, Мейерхольд рассказывал.

Он сообщил, кто и в какое время покинул офис, рассказал о своих сомнениях по поводу слежки, когда объект решил идти пешком, получил одобрение и продолжил дальше. О том, как он изощрялся, чтобы подслушать разговор в кафе, Мейерхольд решил не упоминать. Ограничился тем, что слово в слово пересказал те немногочисленные фразы, что сумел услышать.

— Марочкин говорил о том, что действия мужчины, его фото одно из последних, были непрофессиональными. Он так и сказал: «Ты действовал не как профессионал, а как паршивый дилетант. Никак не ожидал от тебя такого», — рассказывал Мейерхольд. — Тот отбивался. Что именно говорил в свое оправдание, я не слышал, но по выражению лица было понятно, что с мнением босса он не согласен.

— Почему ты решил, что он его босс? — перебил рассказ Гуров.

— А кто же еще? — удивился Мейерхольд.

— Быть может, просто клиент. Нанял киллера, чтобы убрать нежелательного человека, — предположил Гуров.

— Нет, они давно знакомы, — уверенно заявил Мейерхольд.

— Обоснуй.

— Манера общения, — пояснил Мейерхольд. — Сразу видно, что они не друзья и не ровня друг другу. Но знакомы много лет, это бесспорно. То, как тот, второй, держался при Марочкине, как свободно общался с ним. Да и Марочкин вел себя как рабовладелец.

— Рабовладелец? — Гуров невольно заулыбался.

— Не смейтесь, так все и выглядело. Он отчитывал этого здоровяка, точно нерадивую супругу. А кто еще так может вести себя с другим человеком, как не босс, которому тот подчиняется уже не один год? — в голосе Мейерхольда звучала такая уверенность, что у Гурова пропало всякое желание возражать.

— Ладно, поверю тебе на слово. Что еще интересного ты можешь мне поведать?

— Еще он сказал: «Избавься от него. Срочно. И в конторе не светись, она на приколе». Как думаете, насчет «избавься» это он про человека говорил? Я вот думаю, не от вас ли он велел избавиться? — озабоченно спросил Мейерхольд. — Если так, то вам стоит быть осторожнее.

— Не думаю, — серьезно ответил Гуров. — Скорее всего, речь шла об оружии. На месте преступления его не обнаружили, хотя киллеры сейчас предпочитают сбрасывать оружие прямо на месте.

— А я все же думаю, что речь шла о человеке, — настаивал Мейерхольд.

Гуров промолчал. Он разглядывал собеседника Марочкина. Высокий, с бритой наголо головой, фигура — как у борца в пору расцвета спортивной карьеры. Одежда простая, в черно-серых тонах. Гуров пытался сопоставить фигуру с записью камер слежения и склонялся к выводу, что человеком с парковки вполне мог быть этот здоровяк.

Когда сегодня он впервые увидел Юрия Ревошина, первое, что пришло на ум: такой хиляк никак не мог быть фигурой на записи. И действительно, Ревошин в сравнении со здоровяком из кафе серьезно проигрывал. Щуплый торс, низкий рост, хотя личико и смазливое, но на убийцу он не тянул. А вот этот здоровяк запросто мог пришить Гулиева и спокойно вернуться домой.

— Так что мы будем делать дальше? — прервал поток мыслей Мейерхольд.

— Вы можете отдыхать, — заявил Гуров. — С заданием вы справились на «пять с плюсом». Завтра этим делом займутся ребята из Управления.

— Вы уверены, что я больше не пригожусь? — разочарованно спросил Мейерхольд. — Быть может, мне подежурить у конторы Марочкина? Буду следить, не появится ли амбал.

— Хорошо, завтра решим, — не стал расстраивать водителя Гуров. — Я сейчас вынужден работать без напарника, так что ваша помощь может пригодиться.

— Вот и отлично. Я готов, только свистните, — повеселел Мейерхольд.

Машина подъехала к дому Гурова. Полковник попрощался с водителем. Мейерхольд мигнул на прощание фарами и уехал.

Гуров поднялся в квартиру. Супруга уехала на гастроли, так что дома его ждал пустой холодильник и холодная постель. Впрочем, сейчас это было несущественно. День оказался трудным, следующий не предвещал облегчения, так что единственным желанием полковника было рухнуть в постель и провалиться в небытие.

Чтобы пустой желудок не мешал отдыху, Гуров все же прошел на кухню. Достал из холодильника кусок сыра, нарезал его тонкими ломтиками и выложил на тарелку. Пока кипел чайник, Лев Иванович пошарил в хлебнице и, не найдя ни одного кусочка, решил обойтись сухими галетами, которые лежали в шкафу с незапамятных времен. Голодному желудку галеты с сыром показались изысканным угощением. Крепкий чай тоже пришелся кстати.

Сидя в пустой квартире, Гуров поглощал нехитрый ужин, прихлебывал чай и размышлял. По прошествии суток картина все еще не складывалась. Что имел Гуров на текущий момент? Одну жертву преступления, двух подозреваемых и кучу ненужной информации, которая только путала мысли. С одной стороны от трупа стоял Юрий Ревошин, на вид вполне безобидный мужчина двадцати пяти лет. Совсем еще ребенок, по меркам Гурова. Ревошин не имел алиби, и это должно было играть против него, но Гуров так не считал. Железное алиби только усугубляет подозрения. Зато у Ревошина был мотив, а это в судебной практике почти всегда означало, что подозреваемый виновен. В семидесяти случаях из ста, если дело касалось жилплощади, претендент на квадратные метры оказывался виновным в преступлении. К тому же Гуров не мог сбрасывать со счетов тот факт, что Ревошин не был до конца откровенен во время допроса.

По другую сторону трупа стоял владелец заемной фирмы и убийственная статистика смертей клиентов этой фирмы. Наличие алиби Игоря Марочкина и его подручного еще предстояло выяснить. Опять же, факт встречи Марочкина с неизвестным сразу после визита Гурова не мог не настораживать. Зачем Марочкин встречался с амбалом? Кто он такой и каковы отношения между Марочкиным и амбалом? Списки, предоставленные директором заемной фирмы, Гуров проверить не успел, просто не хватило времени. Почему-то он был уверен, что той статистики, что получил капитан Жаворонков, изучая форумы жертв заемных фирм, он по спискам Марочкина не получит.

Но самым главным вопросом Гуров считал не наличие или отсутствие алиби, а умение владеть оружием. Во время допроса Ревошин утверждал, что никогда в жизни не держал в руках оружие. В армии не служил, членом ДОСААФ не числился и вообще никакие стрелковые клубы не посещал. То, что Ревошин не был в армии, само по себе не было странным или подозрительным. Современные мужчины не считают службу в армии делом престижным. Но то, что Ревошин ушел от ответа на вопрос о причине отсутствия военного билета, было странно. Сейчас, вспоминая этот эпизод допроса, Гуров понимал, что Ревошин намеренно сменил тему, не желая обсуждать причину отсутствия в его биографии графы о несении воинской службы.

С Марочкиным же вопрос владения оружием вообще не затрагивался. Да и не было в этом смысла. Гуров был уверен: если смерть Гулиева как-то связана с Марочкиным, то уж на курок точно нажимал не он. Относительно персоны, с которой Марочкин встречался в кафе, такой уверенности не было. Крепкий мужик, лысый череп, мощные мышцы, такой вполне мог отправить Гулиева к праотцам. Но о нем Гурову на данный момент ничего не было известно.

Чай в кружке закончился, мысли пошли по второму кругу, и Гуров решил отложить решение вопросов до утра. Наметив план действий, он отправился в спальню. Засыпая, думал о том, как сильно ему не хватает толкового напарника. «Будь Стас Крячко в строю, мы бы уже к ночи определились с основной версией, — думал он. — Стас бы сумел прощупать приятеля Марочкина, успел бы составить свое мнение и о Ревошине. Он бы не дал мне топтаться на месте только потому, что нет достойной версии. Вдвоем мы бы быстрее разобрались с этим убийством».

Несмотря на усталость, Гуров кряхтел и ворочался еще часа два, пока сон не взял над ним верх. Ему снился Юрий Ревошин. Он стоял во дворе дома Рауфа Гулиева, тыкал пальцем в автомобиль, на который упал убитый, и повторял одну и ту же фразу. Раз за разом, раз за разом, пока слова не потеряли смысл. После этого сознание полковника отключилось полностью.

* * *

В восемь утра полковник Гуров подпирал стену у кабинета Орлова. Генерал задерживался, и это выводило полковника из себя. Проснулся он рано и успел разработать четкий план на весь день, но для его осуществления ему требовалась поддержка Орлова, а тот, как назло, все не шел. Гуров боялся упустить время, по его разумению, намеченные мероприятия нужно было провести еще вчера, но тогда ему еще не с чем было идти к начальству. Получался замкнутый круг, из которого требовалось вырваться как можно скорее.

Еще раньше полковник успел пробить по базе данных МВД Юрия Ревошина и теперь точно знал, что тот пытался от него скрыть. Рыльце у Ревошина оказалось в пушку, он дважды привлекался, в шестнадцать и в восемнадцать лет. Первый раз за драку в общественном месте получил административное наказание. В последний раз — как участник ДТП, даже получил за это условный срок, действие которого истекло чуть больше года назад. Во время допроса Ревошин боялся, что эта информация повлияет на мнение полковника, и всеми силами старался ее скрыть.

Гуров его опасения понимал, вопрос разбирался нешуточный. Это тебе не конфеты из супермаркета стащить и не морду набить зарвавшемуся приятелю. Раз попав в жернова судебной системы, начинаешь бояться любого внимания правоохранительных органов, а тут убийство с применением огнестрельного оружия. Шутка ли? Сделают из тебя козла отпущения и не поморщатся. Висяки никому не нужны. Наверняка Ревошин рассуждал именно так.

В какой-то степени информация об условной судимости Ревошина полковника успокоила. Он не видел его хладнокровным убийцей или охотником за квадратные метры, и наличие вполне оправданной причины скрытности Ревошина лишь подтвердило впечатление Гурова. Теперь он мог спокойно исключить его из разработки.

Наконец в конце коридора появился генерал. Увидев Гурова, он прибавил шаг. Полковник оторвался от стены и теперь нетерпеливо переступал с ноги на ногу.

— Чего стены подпираешь ни свет ни заря? — пожимая протянутую руку, спросил генерал.

— Есть наметки по делу Гулиева, — сообщил Гуров.

— Так чего стоишь? — нахмурился Орлов. — Людей требовать пришел?

— Так точно, Петр Николаевич, — Гуров приготовился броситься в атаку. — Требуется ваше одобрение на ряд мероприятий.

— Не ори на весь коридор, — поморщился Орлов. — Пойдем в кабинет, доложишь, как полагается.

Войдя в кабинет, Гуров не стал дожидаться, пока генерал устроится в кресле, а начал выкладывать соображения прямо с порога. Орлов не стал делать замечания полковнику. Он спокойно слушал, попутно вешая китель, разбирая бумаги на столе, приготовленные секретаршей. Гуров просил людей для установления круглосуточного наблюдения за фирмой «Акция-Займ» и ее директором. Помимо этого, он хотел получить разрешение на прослушку телефонных звонков Игоря Марочкина.

— Почему не требуешь людей для наружки за супругой убитого и ее новым мужем? — выслушав полковника, поинтересовался генерал. — Логично было бы взять под контроль всех подозреваемых.

— Думаю, Ревошин от нас никуда не денется, — ответил Гуров. — Пустая трата ресурсов.

— Я бы на твоем месте не стал отказываться, — наставительно проговорил генерал. — Значит, так, бери людей, проводи вводную и отправляй по объектам. Самому есть чем заняться?

— Так точно. Сегодня должен прийти отчет судмедэкспертов. Надеюсь, узнаем, какое оружие искать, — ответил Гуров.

— Тогда свободен, — генерал уткнулся в бумаги, показывая, что разговор окончен.

— Что насчет прослушки? — напомнил Гуров. — Одобряете?

— Попробуй, — разрешил Орлов. — Подготовь мне сводку по данным, которые нарыл Жаворонков, бери машину и дуй к Вразовскому. Я звякну ему насчет тебя.

Гуров облегченно вздохнул, получить одобрение этого пункта он не особо надеялся. Конечно, в век сотовых телефонов и Интернета такие меры существенно облегчали работу правоохранителей, и те без стеснения пользовались полулегальным правом получать доступ к записям телефонных звонков организаций и частных лиц. Закон обязывал операторов сотовой связи устанавливать оборудование для ведения записи всех телефонных звонков, а доступ к архиву этих записей имели не только сотрудники ФСБ, но и другие подразделения, такие как таможня, Федеральная служба контроля оборота наркотиков и многие другие, в том числе и МВД.

Разрешение на прослушку разговоров сотрудники полиции получали по решению суда, но и здесь в законе имелась лазейка. Стоило объявить дело срочным, а прослушивание записей важным звеном для предотвращения преступления, и можно считать, что разрешение получено. Генерал Орлов относился к подобным «послаблениям» отрицательно, но в этот раз посчитал меру оправданной, и Гуров был этому рад.

Полковник Вразовский занимал пост начальника оперативно-технического отдела при УФСБ Москвы, а по совместительству был другом генерала, поэтому Орлов не стал тратить время на написание бумаг, которые можно было оформить задним числом. Он упростил процедуру и, сделав один звонок и описав в двух словах проблему, заручился поддержкой полковника.

Перед тем как ехать в Управление, Гуров заскочил на станцию техобслуживания. Там его не обрадовали, заявив, что поломка оказалась серьезнее, и автомобиль придется оставить на СТО еще на пару-тройку дней. Повздыхав, Гуров смирился с неизбежным, и теперь, когда разрешение генерала на использование записей телефонных разговоров Марочкина было получено, через дежурного передал приказ Мейерхольду, чтобы тот готовил машину к выезду.

Сам же Гуров в ускоренном порядке подобрал команду, которая должна была работать с его подозреваемыми. Двух оперативников он отправил к конторе Марочкина, они должны были сменить парней, что дежурили у дома директора ночью. О том, что наружка уже установлена, Гуров предпочел от генерала скрыть. Зачем нарываться, тем более если разрешение все равно получено? Из доклада ноч-

249

ных дежурных Гуров знал, что Марочкин в конторе, поэтому необходимости отправлять к зданию «Акция-Займ» два наряда он не видел. В случае чего ребята могли разделиться или вызвать подкрепление.

С Ревошиным и его женой было сложнее. Во-первых, работа Ревошина предполагала разъезды, и следить за ним представлялось Гурову занятием весьма проблематичным. Людмила же безвылазно торчала на огороде, по крайней мере, Гурову так показалось. Сидеть у дома в частном секторе и не намозолить глаза местным жителям — тоже дело весьма сложное. Вот почему Гуров не хотел устанавливать за ними слежку, но теперь, когда на этом настаивал сам генерал, отказаться от затеи было по меньшей мере недальновидно. Подумав, Гуров выбрал для выполнения этого задания капитана Онучкина и его напарника, старшего лейтенанта Хватова. Парни работали в отделе не первый год, Гуров знал их сильные стороны и почти не сомневался, что если кому-то и под силу осуществить данную задачу, то только им.

Выслушав приказ, Хватов и Онучкин попытались отбрыкаться от задания, ссылаясь на загруженность и сложность текущих расследований, но Гуров был непреклонен. Он позвонил Ревошину и пригласил его в Управление, сославшись на то, что тот не подписал несколько листов из вчерашнего допроса. Ревошин был дома, поэтому возражать не стал.

Положив трубку, Гуров сообщил:

— Хватов, ты едешь к дому Ревошина, устанавливаешь наблюдение за Людмилой. Постарайся не светиться, внешность у тебя подходящая, сойдешь за фермера. Только переоденься во что-нибудь колхозное. Онучкин, садишься в дежурке и ждешь прихода Ревошина. Надолго я его не задержу. Как только он выйдет из Управления, садишься ему на хвост и висишь, пока я не дам «отбой». Все ясно?

— Так точно, — поняв, что ответеться не получится, козырнули оперативники.

— Тогда по местам, у меня еще куча дел, — Гуров махнул рукой, отпуская оперативников.

Как только кабинет опустел, Лев Иванович засел за бумаги, переданные ему Игорем Марочкиным. Справа он положил пустой лист, собираясь выписывать имена тех, кто из списка Марочкина числился умершим. Для этого он загрузил в компьютер базу государственной регистрации смерти и взялся за карандаш. Уже через пятнадцать минут он понял, что, если не компьютеризировать процесс, длиться он будет до бесконечности. Взяв списки умерших только за последний год, Гуров удивился, насколько он длинный. Просто нереально одному человеку вручную просмотреть все эти записи, да еще отыскать совпадения.

Тогда он решил призвать на помощь капитана Жаворонкова. Он позвонил в аналитический отдел, и через несколько минут капитан Жаворонков уже давал ему консультацию по текущему вопросу.

— Вы поступили разумно, отказавшись от идеи обработать списки вручную. Это пустая трата времени, — заявил Жаворонков. — По статистике, в день в Москве и Московской области умирает от трехсот шестидесяти до трехсот восьмидесяти человек. Это около ста тридцати тысяч человек в год. Если тратить на обработку одной фамилии всего три минуты, вам понадобится около шести тысяч пятисот часов, чтобы дойти до конца.

— Валера, бросай свою статистику и скажи, как сделать это в кратчайшие сроки? — остановил капитана Гуров.

— Очень просто. Списки с бумажного носителя нужно поместить в сканер, оцифрованный таким образом список загрузить в специальную программу, и через определенное время он выдаст вам все совпадения. Их, в свою очередь, необходимо отфильтровать более жестким фильтром, чтобы исключить совпадения малых вероятностей, после чего можно будет приступать к ручной обработке.

— Скажи, что ты можешь заняться этим прямо сейчас, — взмолился Гуров. — У меня от одних терминов голова кругом идет.

— Полчаса у меня есть? — деловито осведомился Жаворонков.

— Думаю, да. Ко мне должен прийти человек, после чего я уеду, а до этого времени желательно получить результат по спискам, — ответил Гуров.

— Я успею, — пообещал Жаворонков, сгреб со стола листы и испарился.

Гуров набрал номер дежурки, чтобы узнать, пришел ли отчет по вскрытию Гулиева. Дежурный проверил записи и сообщил, что пакет ждет. Отчитав дежурного за задержку, Гуров велел принести пакет к нему в кабинет.

Как и заявлял патологоанатом Давыдкин, никаких неожиданностей вскрытие не принесло. Смерть наступила в результате огнестрельного ранения в область груди. Пуля прошла прямо по центру сердца и застряла на выходе. Выжить при таком ранении у Гулиева шансов не было.

Интересные результаты дала баллистическая экспертиза пули. Патрон, используемый при стрельбе идентифицировали как девятимиллиметровый СП-10 с высоким пробивным и останавливающим действием. Этот вид патронов был разработан специально для использования силовыми структурами в комплекте с самозарядным пистолетом Сердюкова, получившим название «Гюрза» и принятым на вооружение подразделениями МВД, ФСБ и Внутренних войск под индексом СР-1 еще в 1996 году.

Отчет баллистиков наводил на размышления. Обычно в криминальной среде подобное оружие не применяют. Австрийский «глок», итальянская «беретта», германский «вальтер» и российский «макаров» были в ходу, реже появлялись образцы китайского и немецкого производства, но «Гюрза» оставалась исключительной прерогативой силовиков.

Так что же означает подобный факт? Что в убийстве Гулиева замешаны силовые структуры? В это Гуров поверить не мог, несмотря на чистую работу убийцы. Он не оставил следов, не засветился на камеру, гильзу от патрона и ту не нашли. Однако сам способ убийства никак не вязался с представлениями полковника о том, как действуют силовики.

В остальном отчет о вскрытии казался сухим и безличным. До прихода Ревошина Гуров успел дважды его просмотреть, но ничего интересного для себя больше не нашел.

В кабинете Гурова Ревошин пробыл от силы пару минут. Гуров выложил перед Ревошиным два листа из вчерашнего протокола допроса, заставил подписать в двух местах и отпустил с миром. К тому времени капитан Жаворонков закончил обработку списков Игоря Марочкина и представил отчет полковнику.

Гуров почти не удивился, когда увидел результат. Хитрец Марочкин удалил из базы почти все «мертвые души». В список попали всего две фамилии. Гуров предположил, что их Марочкин или просмотрел, или попросту не имел сведений об их смерти.

— Ничего, Валера, отрицательный результат нам только на руку, — подбодрил приунывшего капитана Гуров. — С этим я еще успею разобраться. Ты пока держи наготове эту чудо-программу. Уверен, свою службу она нам еще сослужит.

Капитан ушел. Гуров собрал бумаги, которые собирался предъявить полковнику Вразовскому, и вышел из кабинета. Мейерхольд ждал в вестибюле.

— Здравия желаю, товарищ полковник, — бодро поздоровался он. — Сегодня снова вместе?

— Да, Леонид, придется вам покатать меня еще пару дней, — сообщил Гуров. — Машина готова?

— Так точно, ждет у входа, — Мейерхольд повеселел. — Куда сегодня?

— На Лубянку, Леонид, — на ходу бросил Гуров. — Поторопись, тамошний полковник ждать не любит.

— На Лубянку? Интересно. — Мейерхольд обогнал Гурова, первым выскочил из дверей и, когда Гуров садился в машину, уже поворачивал ключ в замке зажигания. — Поездка как-то связана с фирмой «Акция-Займ»?

— Много вопросов задаешь, Леонид, — предостерег Гуров. — Это не всегда полезно, даже если ты и задействован в расследовании.

— Понял, товарищ полковник, рот на замок, — Мейерхольд понимающе закивал. — А знаете, я ведь еще кое-что вспомнил насчет вчерашней встречи Марочкина.

— Вот как? Выкладывай, — потребовал Гуров.

— Во время встречи у Марочкина звонил телефон. Дважды. И оба раза он звонок сбрасывал. Вид у него при этом был озабоченный, — принялся выкладывать Мейерхольд. — Возьмет трубку, посмотрит на экран, поморщится и сбрасывает звонок. Тот, второй, спрашивал его, почему он не отвечает, а он: «Снова сосальщики достают». Вы не знаете, кого называют сосальщиками?

— Без понятия, — честно признался Гуров. — В какое время поступали звонки?

— Пока я в кафе сидел, звонили два раза, а сколько звонков поступило до этого, сказать не могу, — ответил Мейерхольд. — Как думаете, это важно?

— Будем надеяться. Сейчас нам на руку любые сведения.

Автомобиль подъехал к зданию ФСБ, Гуров вышел из машины и прошел к пропускному пункту. Назвавшись, он предъявил удостоверение и получил разрешение войти. Мейерхольд провожал его завистливым взглядом.

«Как бы мне хотелось узнать, что полковнику понадобилось от службы безопасности, — тоскливо подумал он. — Крутить баранку ужасно скучное занятие. Нет, надо что-то менять. Долго я так не выдержу».

Глава 5

Прежде чем получить доступ к интересующим его звонкам, Гурову пришлось подписать целую кипу всевозможных бланков. Полковник Вразовский, насколько мог, упростил процедуру, но без бумажной волокиты все же не обошлось. Когда все формы были заполнены, Вразовский отвел Гурова в отдельный кабинет, задал умной программе определенные параметры, и на экране компьютера высветились строчки с номерами, датами и временем звонков телефона Игоря Марочкина.

— Дерзай, полковник, — напутствовал Гурова Вразовский. — Если будет что-то непонятно, я в соседнем кабинете.

Гуров поблагодарил за помощь, надел наушники и принялся открывать один аудиофайл за другим. В первую очередь он прослушал самые свежие телефонные разговоры, те, что Марочкин совершил уже сегодня. Их было много, большинство из них относилось к непосредственной деятельности фирмы. Скоро Гуров понял, что новые звонки нужной информации не несут, и начал просматривать те, что прошли накануне вечером.

Нужный звонок программа зафиксировала примерно в то время, когда Гуров покинул контору, сообщив Марочкину о смерти Гулиева. Для того, кто не знал, о чем шла речь при встрече Гурова и Марочкина, разговор был малоинформативным. Но только не для Гурова. Звонил Марочкин некоему Куввату, называл его по имени. Звучал разговор примерно так:

«— Кувват, это я. Ко мне только что приходили.

— Уже, — на другом конце провода человек по имени Кувват тяжело вздохнул. — Что ты сказал?

— То, что мог.

— И что теперь?

— Не по телефону. Через час в кафе на углу.

— Буду».

После этого звонка Марочкин трижды набирал один и тот же номер, но абонент трубку не взял. Затем прошел еще один звонок на номер Куввата. Марочкин уточнял, скоро ли тот подъедет, и, получив положительный ответ, просто дал отбой. Гуров предположил, что это был тот звонок, который Марочкин сделал, стоя на крыльце. Об этом докладывал и Мейерхольд.

В диапазоне, соответствующем времени встречи в кафе, Марочкин сам не звонил. Ему же поступило ровно восемь звонков с одного и того же номера. Ни на один из них он не ответил. Гуров переписал номер Куввата и назойливого абонента и перешел к входящим звонкам. Звонили Марочкину в основном по работе. Получил он и пару звонков коммерческого характера, типа «покупайте наш товар, и будет вам счастье», которые Марочкин принимал, но после первых же фраз просто обрывал связь. И ничего похожего на звонки друзей или любимой девушки. Создавалось впечатление, что, кроме работы, у Марочкина ничего нет.

Гуров активировал фильтр, который позволял отсортировать звонки с определенного номера, точнее с номера назойливого абонента, и нашел любопытную запись. Некто напоминал Марочкину, что предложение остается в силе всего два дня, после чего «они» будут действовать без учета интересов директора. Звучало это как угроза, но Марочкин ее проигнорировал. Выдал шаблонную фразу, что его, мол, предложение не интересует, и сбросил звонок. Больше на звонки с этого номера он не отвечал.

А вот фильтр по номеру Куввата снова порадовал. Оказалось, что за последний месяц он созванивался с Марочкиным практически каждый день, и не по одному разу, хотя в более ранний период частота звонков не превышала двух за неделю. Звонки выглядели однотипно: Марочкин звонил, назначал встречу, или Кувват сообщал, на какое время планирует визит. По телефону они ничего не обсуждали — ни дела, ни бытовые вопросы. Даже о погоде не говорили. «Привет», «скоро буду», «пока». И все в таком духе. Иногда проскальзывал вопрос, вроде того, все ли готово и была ли встреча, но с кем встреча, или что именно готово, так и не было сказано ни разу.

Просидев над записями около двух часов, больше ничего полезного Гуров не нашел. Вызвал полковника Вразовского. Тот пришел не один, за ним следовал молоденький офицер. Как только Гуров сообщил, что с записями закончил, офицер занял его место, надел наушники и уткнулся в учебник по налоговому праву.

Вразовский кивнул в сторону офицера и сообщил, что тот будет отслеживать входящие и исходящие звонки с телефона Марочкина. Как только появится что-то стоящее, он свяжется с Гуровым напрямую. Гуров поблагодарил Вразовского за содействие и покинул здание на Лубянке.

Мейерхольд поджидал его с нетерпением. Гуров видел, как ему хочется начать задавать вопросы, но сделал вид, что его это не касается. С Лубянки он велел ехать к зданию фирмы «Акция-Займ», предварительно уточнив у оперов из наружки, на месте ли директор.

Марочкина повторный визит полковника не обрадовал. Правда, присесть ему предложил.

— Что на этот раз привело вас ко мне? — сухо осведомился Марочкин. — Снова Гулиев?

— Нет, теперь список куда шире, — невозмутимо произнес Гуров. — Если честно, я вами недоволен.

— Вот как? Чем же я заслужил ваше недовольство? — притворно удивился директор.

— Нежеланием сотрудничать, разумеется, — ответил Гуров.

— А мне показалось, я очень даже активно сотрудничал с вами, — заметил Марочкин. — Выполнил все ваши требования, несмотря на то, что законных оснований вы мне не предоставили. Разве не в этом выражается желание сотрудничать?

— Списки, — коротко бросил Гуров.

— Списки? А что с ними не так?

— Вы их основательно подчистили, гражданин Марочкин, и это меня расстраивает. А я не люблю, когда что-то приводит меня в такое состояние.

— Мы не так близко знакомы, чтобы я мог догадаться, что именно может вас расстроить, — Марочкин начинал нервничать. — Возможно, будь мы на короткой ноге, я бы сумел избежать вашего недовольства.

— Для этого нам необязательно дружить, — заметил Гуров. — Достаточно быть откровенным.

— Послушайте, не могли бы вы выражаться яснее? Я начинаю чувствовать себя как Алиса в Зазеркалье. Совершенно непонятно, о чем идет речь, — вынужденно признался Марочкин. — Что именно в моих действиях вам не понравилось?

— И снова повторюсь: списки, — произнося это, Гуров достал из папки листки, которые накануне получил от Марочкина. — Вы ведь прекрасно знаете, что они неполные.

— Это не так. База у нас единая, никаких скрытых файлов или неучтенных клиентов... — начал было Марочкин, но на этот раз договорить ему Гуров не дал:

— Вы знали, что в Интернете есть специальный форум для жертв микрофинансовых организаций и их родственников? Своего рода клуб для собратьев по несчастью?

— Понятия не имею, — ответил Марочкин, но выражение его лица изменилось.

— И снова вы меня огорчаете, — Гуров осуждающе покачал головой. — Нехорошо, гражданин Марочкин. Нехорошо обманывать представителя правоохранительных органов. Я бы сказал: недальновидно.

— Я вас не обманываю, — настойчиво повторил Марочкин. — У меня нет времени просиживать в Интернете в поисках каких-то там форумов.

— А я вот нашел время, — заявил Гуров. — И считаю, что потратил его с пользой. Любопытная вещь — эти форумы. И статистика там весьма любопытная. Вот, взгляните.

Гуров, как фокусник из цилиндра, выудил из папки новую стопку бумаг и протянул Марочкину.

— Это распечатка переписки ваших клиентов. Нет, это не совсем верное определение. Переписку вели не клиенты, а их родственники, — сам себя поправил Гуров. — А знаете, почему писали не сами клиенты? Потому что к тому времени они все были мертвы. Интересная картина получается: вчера человек был вашим должником, а сегодня он труп. С вами опасно иметь дело, гражданин Марочкин. Я бы сказал, смертельно опасно.

— И вы верите всему, что пишут в Интернете? Да там зависают одни сумасшедшие. Они этим живут, — с горячностью произнес Марочкин. — Находят себе жертву и начинают грязью поливать.

— Любопытно, почему на этот раз жертвой выбрали вас? — задал вопрос Гуров. — Чем вы настолько знамениты, что люди решили записать вас в убийцы?

— О боже, теперь я еще и убийца, — застонал Марочкин. — Вы сами-то в это верите?

— Как знать, — пожал плечами Гуров. — Ведь по какой-то причине вы не рассказали мне о том, что с некоторых пор ваши клиенты мрут как мухи.

— Ничего подобного. Назовите хоть одного из моих клиентов, который умер насильственной смертью после обращения в нашу контору? Гулиев не в счет, — поспешил добавить Марочкин.

— Согласен, Гулиев не в счет, — легко согласился Гуров. — И без него список внушительный. Пожалуй, я зачитаю его вслух.

Гуров развернул первый лист и начал читать по порядку. С каждой новой фамилией лицо Марочкина становилось все белее. Гуров зачитал десятка два фамилий и остановился.

— Думаю, этого достаточно, — произнес он, убирая листы обратно в папку. — Все эти люди были вашими клиентами, и все они мертвы.

— Это не доказано, — неуверенно произнес Марочкин.

— Вы так думаете? — Гуров усмехнулся. — Напрасно. Ну да ладно, оставим это. Список будет обработан позже, по каждой фамилии, по каждому эпизоду. В данный момент меня интересует всего одна смерть, вернее, убийство. В связи с этим хочу задать вопрос и надеюсь, что на этот раз вы будете со мной честны.

— Я и раньше был с вами честен, — вставил Марочкин.

— Вчера после моего визита у вас состоялась встреча, — Гуров проигнорировал реплику Марочкина. — Скажите, с кем вы встречались и с какой целью?

Вопрос застал Марочкина врасплох. Удивленно глядя на Гурова, он с минуту молчал, собираясь с мыслями. Гуров не торопил, он был уверен, что Марочкин в любом случае соврет, так что ему было безразлично, сколько времени у того уйдет на придумывание правдоподобной версии.

— Вы что, следили за мной? — поняв, что молчать больше нельзя, проговорил Марочкин.

Более глупого вопроса нельзя было ожидать. Гуров вздохнул.

— Вы ведете себя глупо, — искренне произнес он. — Такой вопрос задают разве что в дешевых кинофильмах про шпионов.

— И все же я хочу получить ответ, — Марочкин изобразил возмущение. — Это неслыханный беспредел. По какому праву вы лезете в мою частную жизнь? Разве я теперь подозреваемый? Разве вы предъявляли мне обвинение? Зачем вы следили за мной?

— Оперативно-следственные мероприятия подразумевают контроль за действиями фигурантов дела, — терпеливо процитировал Гуров. — Вы, гражданин Марочкин, являетесь фигурантом. Не подозреваемым, не обвиняемым, но фигурантом. Пока обвинения вам никто не предъявляет, но согласно закону мы можем контролировать ваши передвижения, а тем более встречи.

— Я ни с кем не встречался, — решившись, выпалил Марочкин.

— А как же человек в кафе? — невинно поинтересовался Гуров.

— В кафе я был, не отрицаю. Я там ужинал, это ведь не запрещено законом?

— Вы ужинали не в одиночестве. С вами был мужчина. Высокий, бритый, накачанный. Вы сидели за одним столом и вели беседу.

— Я ни с кем не встречался, — упрямо повторил Марочкин. — Этот мужчина подсел за мой столик, так как в кафе было мало свободных мест. Там хорошая кухня и обслуживание. Неудивительно, что у них всегда аншлаг. А что до беседы, так и этого я не отрицаю. Мы разговаривали. Знаете, довольно сложно сидеть за одним столом и не замечать присутствие другого человека.

— И о чем же вы говорили? — поинтересовался Гуров.

— О рыбалке, — уверенно произнес Марочкин. — Я, знаете ли, увлекаюсь рыбалкой. Он спросил, что лучше заказать: рыбу или мясо. Я ответил, что рыбу местный повар готовит хуже, чем мясо. Да и выбор невелик. Ни сибаса, ни налима, одна перемороженная семга. Он спросил, рыбачу ли я сам. Я ответил утвердительно, отсюда и завязался разговор.

— Весьма распространенный рассказ, — Гуров снова усмехнулся. — Прямо поэма в прозе. Уверены, что не хотите изменить показания?

— Так вы меня допрашиваете?

— Пока только беседую, — заверил Гуров и с нажимом повторил: — Пока.

— Тогда это не показания, а дружеская помощь следствию, — заявил Марочкин, вновь обретая уверенность. Он решил, что Гуров купился на его вранье, а полковник не стал его переубеждать.

— Значит, мой человек ошибся, — с сожалением в голосе заявил Гуров. — Что ж, приношу свои извинения. Всего хорошего.

Гуров встал и, не оглядываясь, вышел. Пешком прошел до перекрестка. Перед тем как идти к Марочкину, он велел Мейерхольду поставить машину так, чтобы ее не было видно из окон конторы. Гуров не хотел, чтобы Марочкин видел ее. Во-первых, он мог вспомнить, что именно этот автомобиль стоял накануне возле кафе, а во-вторых, машина могла еще пригодиться для дальнейшей слежки, и «светить» ее раньше времени было недальновидно. Усевшись на переднее сиденье, Гуров довольно улыбнулся.

— Сработало? — задал вопрос Мейерхольд. По дороге к Марочкину Гуров посвятил водителя в свои планы насчет провокации директора заемной фирмы, и теперь Мейерхольд сгорал от нетерпения.

— Скоро узнаем, но думаю, сработало, — улыбаясь, ответил Гуров.

Не прошло и пяти минут, как телефон полковника зазвонил. На связь вышел офицер, сидящий на прослушке.

— Товарищ полковник, объект вышел на связь с Кувватом. Разговор весьма примечательный. Прослушаете?

— Врубай, — приказал Гуров.

В трубке защелкало, затем из динамика раздался голос Марочкина. «Кувват, это я. Все встречи отменяются. Меня пасут», — выдал Марочкин. «Что значит пасут?» — задал вопрос Кувват. «Вчера нас засекли в кафе, я еле отмазался», — сообщил Марочкин. «Они тебя подозревают? Думают, ты убил Рауфа?» — забыв об осторожности, спросил Кувват. «Никаких имен! Ты и так где-то облажался», — Марочкин понизил голос, будто это могло спасти. «Я уверен, меня никто не видел», — заявил Кувват. «Да заткнись ты. Короче, больше никаких встреч. Сиди тихо и не высовывайся. Я сам тебя найду, когда все утихнет». Зазвучали короткие гудки, Марочкин бросил трубку.

261

— Молодец, офицер, хорошая работа, — похвалил Гуров. — Продолжай следить за звонками. Если что, докладывай.

— Есть, товарищ полковник, — отчеканил офицер.

Гуров дал отбой и взглянул на Мейерхольда. Тот радостно улыбался.

— Правильно мыслишь, Леонид, этот разговор — твоя заслуга, — верно истолковав улыбку водителя, похвалил Гуров. — Вчерашняя слежка дает результаты.

— Рад стараться, товарищ полковник, — лицо Мейерхольда светилось от удовольствия.

— Гони в Управление, пора вплотную заняться этим Кувватом.

Второй раз Мейерхольду повторять было не нужно. Он включил зажигание, вдавил в пол педаль газа и помчался на Петровку.

Вернувшись в Управление, Гуров развил бурную деятельность. Вытребовал с генерала разрешение на получение данных от сотового оператора по владельцу номера. Подтянул Ханина из технического отдела, снабдил его номером телефона навязчивого абонента, того, что досаждал Марочкину, и номером Куввата и велел дуть в головной офис оператора мобильной связи. Ханин должен был получить данные на обоих и отследить реальное местоположение аппаратов.

В ожидании результатов связался с Хватовым и Онучкиным и собрал информацию по Ревошину и его жене. Как и предполагал Гуров, ни за Ревошиным, ни за Людмилой противозаконных или хотя бы просто подозрительных действий замечено не было. Снимать наблюдение Гуров не спешил, решил сначала убедиться, что Кувват — это верная цель, а уж потом докладывать генералу о бесполезности мероприятий, проводимых оперативниками Хватовым и Онучкиным.

Капитан Жаворонков получил свое задание: ему предстояло изучить вопрос распространения пистолетов «Гюрза» на территории Москвы и Московской области. Все случаи, в которых упоминается применение подобного оружия, должны быть рассмотрены и взяты на контроль.

Таким образом, Гуров надеялся получить дополнительные доказательства причастности Куввата к смерти Гулиева.

Первым с заданием справился Ханин. Он вернулся спустя два часа и выложил перед Гуровым данные, взятые в компании сотовой связи. По Куввату все выглядело не так уж плохо, по крайней мере, номер совпадал с именем. Он был зарегистрирован на некоего Куввата Умянцева, уроженца Киргизии, тридцати восьми лет. Московская регистрация в паспортных данных отсутствовала, имелась лишь ташкентская прописка, но сим-карту удалось отследить с точностью до пятидесяти метров. Согласно этим данным аппарат Умянцева находился сейчас в нескольких километрах от Истры, на карте это место было обозначено как садоводческое товарищество. Гуров надеялся, что найти там Умянцева будет легко.

С надоедливым абонентом, которого динамил Марочкин, дела обстояли хуже. Вернее, вообще никак не обстояли. Номер этот числился за человеком, который умер больше года назад. По паспортным данным отследить его оказалось невозможно. Да и реальное местоположение выяснить не удалось. Ханин, сев на любимого конька — программирование, принялся объяснять Гурову, как вышло, что сим-карта дает неверные сведения.

— Я не совсем понял, как это не удалось отследить местоположение? — Гуров хмурился, стараясь разобраться в технических терминах, которыми сыпал Ханин. — Давай начнем все сначала, на этот раз постарайся объяснить все простым языком.

— Хорошо, я попытаюсь, — Ханин с минуту подумал и начал сначала: — Карта умершего является образцом устаревших технологий. Сейчас карты защищены куда лучше, но есть и такие, которые легко поддаются «клонированию». С карты считываются данные и вносятся на другую карту. Проще говоря, я могу взять вашу симку, считать с нее данные и сбросить на болванку. Затем вставляю болванку в свой аппарат и начинаю звонить.

— Но звонок отслеживается как мой, верно? — до Гурова начал доходить смысл махинации. — Ты пользуешь-

263

ся моим номером, а звонки оплачиваются с моего номера. И в Сети он отображается как мой.

— Правильно, так и есть. Но таких «клонов» может быть несколько, что и произошло в нашем случае. Номер отображается один, а адрес местонахождения симки показывает, что сейчас вы находитесь в Москве, а через двадцать минут в Самарканде. Вот как это работает. Такие технологии используют мошенники. С помощью номеров-клонов они вытягивают деньги у доверчивых граждан. По всей видимости, тот, кто звонил Марочкину, решил перенять опыт у телефонных мошенников.

— Хорошо, отследить его мы не можем, с этим придется смириться, — вздохнул Гуров. — Но сам факт мошеннических действий говорит о том, что звонивший с законом не дружит. Значит, мы не зря потратили время.

Ханин ушел, а Гуров снова оккупировал кабинет генерала, убеждая его получить санкцию прокурора на задержание Куввата Умянцева. Генерал настаивал на предварительной беседе, так как никаких доказательств причастности Умянцева к убийству Гулиева у полковника не было, но Гуров с таким решением не соглашался. Полумерами здесь не обойтись, объяснял он генералу, они только спугнут Умянцева, он не станет признаваться, а пока Гуров будет искать доказательства, подозреваемый исчезнет, и на отделе повиснет нераскрытое преступление.

В итоге генерал согласился с доводами полковника и позвонил прокурору. Как только разрешение было получено, Гуров собрал оперативную группу для выезда, и на двух машинах они отбыли в Истринский район.

У въезда на территорию садоводческого товарищества остановились. Товарищество имело одну центральную дорогу, вдоль которой располагались два ряда садовых участков. Согласно кадастровому плану территории, каждый участок насчитывал не меньше тридцати соток земли, с одной стороны ограниченный центральной дорогой, с другой — мелководной речушкой. Весь массив был как бы зажат между двух притоков Истры. Довольно удобно для владельцев. Получалось, что в их распоряжении не только земля, но и кусочек речки.

Такое расположение было удобно и для опергруппы. Стоило только закрыть оба выезда, и территорию садоводческого товарищества будет возможно покинуть только пешком, да и то если идти вброд через реку.

Посовещавшись, решили, что микроавтобус с группой захвата поедет в объезд, а авто Мейерхольда с Гуровым и двумя оперативниками въедет по центральной улице. Объездная дорога проходила чуть в стороне от садового товарищества. Пока микроавтобус преодолевал это расстояние, группа Гурова выжидала. Прибыв на место, старший группы захвата отзвонился Гурову, и операция началась.

Гуров велел Мейерхольду развернуть машину так, чтобы полностью блокировать проезд. Один оперативник остался с Мейерхольдом, второго взял Гуров, и вместе они пошли вдоль заборов, каждый со своей стороны.

Первые два участка оказались пусты, хозяев на месте не было. На третьем участке Гурову повезло. Женщина лет пятидесяти копалась в палисаднике. Гуров окликнул ее. Она отложила в сторону мотыгу и подошла к забору.

— Добрый день, — поздоровался Гуров. — Не подскажете, как найти Куввата?

— Кого? — удивленно переспросила женщина.

— Куввата, у него дом в этом поселке, — повторил Гуров.

— Таких у нас нет, — уверенно заявила женщина. — Я здесь лет двадцать работаю, всех владельцев знаю.

— Так это не ваш дом? — спросил Гуров, кивнув в сторону шикарного особняка.

— Мой? Нет, что вы! — женщина рассмеялась. — Хозяева в Германии живут, сюда только на два месяца в году приезжают, а мы с мужем за хозяйством смотрим. Двор убираем, территорию облагораживаем. Если не следить, так за пару лет все бурьяном зарастет.

— И другие владельцы работников держат? — сообразил Гуров.

— Конечно. Такую площадь одному не обработать. К тому же владельцы — народ занятой и небедный. Им легче человека нанять, чем самим кверху воронкой на плантациях торчать.

— Возможно, я напутал, и Кувват не хозяин дома, а наемный работник, — заявил Гуров. — Высокий мужчина, голова наголо обрита, может, видели?

— Нет, такого точно не видела, — подумав, ответила женщина. — Ищите дальше по улице, она у нас длиннющая, домов целая пропасть. А в них народу, что на твоей ярмарке, всех не заприметишь.

— Спасибо за совет, — поблагодарил Гуров.

Так он и продвигался от дома к дому, в поисках того, кто был бы знаком с Умянцевым. Переходя из двора во двор, полковник встречался взглядом с оперативником, обрабатывающим противоположную сторону улицы. Тот отрицательно качал головой, и Гуров двигался дальше. Улица растянулась километров на десять, такую площадь, да еще с учетом бесед с населением, за десять минут не обойдешь. Мейерхольд получил четкие инструкции: как только оперативников становилось не видно из машины, он переезжал вперед по улице.

Напасть на след повезло Гурову. Подойдя к очередному забору, он заметил человека в синей спецовке. Тот стоял к нему спиной и подстригал газон. Шум газонокосилки заглушал шаги, поэтому Гуров остался незамеченным. Бритый череп, мощные мышцы спины — человек в спецовке идеально подходил под описание Умянцева. Гуров отступил назад. Из соседней калитки как раз выходил его напарник. Гуров подал знак, тот быстро пересек дорогу и замер в двух шагах от забора.

— Я его нашел, — прошептал Гуров. — Слышишь, газонокосилка работает? Это наш Умянцев траву косит.

— Вызываем бригаду? — так же шепотом спросил оперативник.

— Информацию передадим, а ждать некогда, мы тут как на ладони. В любой момент он может нас увидеть, — ответил Гуров и потянулся за телефоном.

В этот момент шум газонокосилки стих. Гуров вернулся к забору и осторожно заглянул во двор. Умянцев стоял в двух шагах от забора и в упор смотрел на Гурова. На несколько секунд оба застыли, а потом все завертелось со скоростью света. В глазах Умянцева промелькнуло понимание, он бросил на землю перчатки, которые до этого сжимал в руке, и, сорвавшись с места, бросился наутек.

— Черт, звони парням, он уходит! — выкрикнул Гуров.

Он ухватился за край забора, подтянулся и, перемахнув через ограждение, бросился за Умянцевым. Тот бежал не оглядываясь. «Его цель — река, — догадался Гуров. — Что, если там лодка? Вплавь я его не догоню».

На ходу он выхватил телефон и нажал кнопку вызова. Звонил он Мейерхольду.

— Товарищ полковник, вы его нашли? — прозвучал радостный вопрос.

— Леня, заткнись и слушай, — приказ прозвучал резче, чем рассчитывал Гуров, но извиняться времени не было. — Умянцев идет к реке. Участок номер восемьдесят два. Дуй на объездную и вставай напротив. Нельзя дать ему уйти!

— Понял, — коротко бросил Мейерхольд. — Я все сделаю.

Гуров сунул телефон в карман. Умянцев к тому времени оторвался от него на приличное расстояние. Его синяя спецовка мелькала между рядами плодовых деревьев. Товарищество он знал как свои пять пальцев, и это было его преимуществом. Гуров прибавил скорость, стараясь сократить разрыв. Внезапно впереди показалась ограда. Высокий, метра три, забор перегородил территорию участка. Умянцев свернул в сторону. Гуров догадался, что в заборе есть калитка и беглец направляется к ней.

Так и случилось: Умянцев добежал до калитки, толкнул ее и проскользнул за забор. Щелчок замка прозвучал как выстрел.

«Все, путь для меня отрезан, — с досадой подумал Гуров. — Что теперь?»

Он лихорадочно оглядывался по сторонам, пытаясь сообразить, как быть дальше, но выход не находился. Выбивать металлическую дверь было верхом безумия, только ноги поломаешь.

Метров тридцать Гуров мчался вдоль забора. Добравшись до угла, снова осмотрелся. Стена, идущая вдоль участка имела фигурные вставки, за которые, с некоторой долей везения, можно было ухватиться. Гуров дотянулся до первой вставки, ухватился за нее руками и полез вверх. Дважды он срывался вниз, но попыток не оставлял. Наконец рука ухватилась за верхний край забора. Последнее усилие, и Гуров оказался наверху. Перевалившись на противоположную сторону, он сгруппировался и спрыгнул. Приземление прошло неудачно. Правая нога попала на камень, острая боль пронзила бедро. Метров десять Гуров по инерции несся под уклон.

Когда движение прекратилось, полковник попытался встать. Боль была сильной, но терпимой. Он побежал, прихрамывая на правую ногу. Впереди показалась река, чуть левее виднелся сарай. Гуров свернул туда.

Обогнув строение, Гуров увидел причал, от которого отходила лодка, в которой сидел Умянцев и энергично греб веслами. Гуров мысленно возблагодарил судьбу за то, что на лодке нет мотора. Это был бы конец, моторку ему ни за что не догнать, но с веслами еще можно потягаться.

На причал он выскочил, когда лодка была на середине реки. Пару секунд Гуров раздумывал: преследовать вплавь или попытаться остановить беглеца с помощью оружия? Первый вариант казался предпочтительнее. Промахнуться Гуров не боялся, но где гарантия, что выстрел не окажется смертельным? Как говорил Марочкин, мертвые долгов не платят. И показаний они дать тоже не могут. Так что выход оставался один: Гуров бросился в воду и поплыл к лодке.

— Умянцев, остановись, поселок оцеплен, тебе все равно далеко не уйти! — останавливаясь, чтобы перевести дыхание, выкрикнул Гуров.

— Пошел ты, — грубо ответил Умянцев и быстрее заработал веслами.

Гуров оставил попытки убедить Умянцева сдаться, он понимал, что его заплыв, скорее всего, закончится ничем, но прекратить преследование не мог.

Умянцев доплыл до берега, выскочил из лодки и помчался к лесополосе. Гуров продолжал плыть, чертыхаясь и проклиная забор, отнявший у него преимущество. Когда он добрался до берега, Умянцев уже скрылся за деревьями. Травмированная нога снова дала о себе знать, бежать Гуров не мог, но упорно продолжал двигаться вперед.

Внезапно из лесополосы до него донеслись крики. Превозмогая боль, Гуров прибавил шаг. Как только он добрался до деревьев, перед ним предстала удивительная в своем роде картина. Умянцев топтался на месте, на нем висел Мейерхольд и выкрикивал какую-то невразумительную чепуху.

— Двадцатый на подходе! Бери справа! Отрываемся, бочки вперед! — орал водитель и продолжал цепляться за шею Умянцева.

Тому никак не удавалось сбросить с себя Мейерхольда. Деревья мешали сделать полный оборот, чтобы подмять под себя противника. Всякий раз, когда Умянцев делал очередной поворот, спина Мейерхольда упиралась в ствол, и движение останавливалось. Умянцев мог бы надавить всем телом на противника, раздавив о дерево, но, как только он прекращал движение, руки Мейерхольда сильнее сжимали его шею, не давая возможности дышать.

Сбросив оцепенение, Гуров подскочил к дерущимся и резким ударом рукоятки пистолета по темени, отправил Умянцева в нокаут. Тело беглеца обмякло, руки расслабились, он в последний раз перевернулся и упал, уткнувшись лицом в землю. Мейерхольд продолжал лежать на спине поверженного врага, вздрагивая всем телом.

— Леня, ты в порядке? — Гуров тронул водителя за плечо.

— А? Что? — Мейерхольд повернул голову на голос, увидел полковника и слабо улыбнулся. — Я его взял, товарищ полковник. Взял, ведь так?

— Взял, Леня, ты его взял, — помогая водителю встать, ответил Гуров. — Держи наручники, пакуем парня — и домой.

Мейерхольд с видимым наслаждением защелкнул браслеты на запястьях Умянцева, после чего устало опустился на землю.

— Я ведь не думал, что найду его. Совсем не думал, — признался он Гурову. — Как вы и велели, мы выехали на объездную дорогу, координаты смогли рассчитать только примерно. Машину остановили, а опер Валек и говорит: надо идти в двух направлениях. Как только увидишь бритого, сразу звони. Он пошел вправо, я влево. Иду, посадки осматриваю и вдруг вижу: он. Ломится через деревья, точно медведь-шатун. Ну, думаю, не успеть Вальку. Далеко уже ушли. Тогда я палку подобрал и на него. А он как заревет, ну, точно медведь, и на меня. Палку вырвал и — врукопашную. Все, думаю, хана тебе, Леонид. Пока наши подоспеют, от тебя мокрое место останется. Раздавит бугай в лепешку. А потом меня вдруг злость взяла. Вот хрена лысого ты меня так просто уничтожишь, бугаина проклятый. Изловчился, и на спину. В шею вцепился и давай давить. Ему, видать, дышать нечем, он и начал вертеться. Если б на поляне сцепились, он бы точно меня раздавил.

— Да, история впечатляющая, — Гуров улыбнулся. — Что же ты прием никакой не применил? Или в войсках этому не обучают?

— Какие там приемы? Я ведь в штабе служил, — смущенно признался Мейерхольд. — Штатный писарь. Делопроизводством занимался. Оружие раза два в руках держал, а от рукопашки меня мой командир отмазывал. Руки мои и голову берег. Твоим мозгам, Мейерхольд, говорил он, цены нет. Не позволю никому из твоей черепушки их выбить.

— Так ты вдвойне герой, — искренне похвалил Гуров. — Без навыков такого зверя завалить. Сцепиться с ним и то не каждый решился бы, не то что победу одержать.

— Смеетесь? — произнес Мейерхольд. — Ну и смейтесь на здоровье. А факт остается фактом: Умянцева мы взяли.

— Никакого смеха, — ответил Гуров. — Если человек герой, я так и говорю. Ладно, довольно лирики, звони Вальку, вдвоем мы этого борова до машины не дотащим.

Глава 6

Умянцева доставили в Управление. Беготня по пересеченной местности и последующая борьба с Мейерхольдом не прошла для него бесследно. Его тело с ног до головы покрывали ушибы и ссадины. На лбу кожу рассекло до самой кости, из бедра торчал осколок палки. В таком состоянии о допросе не могло быть и речи. Умянцева отдали медикам, чтобы те обработали раны и выдали бумагу о его состоянии. На это ушло часа два. Когда медицинские процедуры были закончены, Умянцев сам настоял на встрече с Гуровым.

Его привели в допросную, где его ждал полковник. Взглянув на Умянцева, Лев Иванович не удержался:

— Да, хорошо он тебя отделал, а ведь всего лишь водитель. Он даже в группу захвата не входил.

— Просто повезло, — прокомментировал Умянцев.

— Уверен, что готов к разговору? — спросил Гуров.

— Я за чужие грехи на нарах париться не собираюсь, — заявил Умянцев. — Чем быстрее все скажу, тем быстрее отсюда выйду.

— Я бы на твоем месте на это не рассчитывал, — заметил Гуров. — Улик у нас против тебя достаточно. Вряд ли тебе удастся выйти сухим из воды.

— За мной мокрухи нет и никогда не было, — с вызовом выдал Умянцев. — Может, я и не самый хороший человек, но я никого не убивал, и это вы на меня не повесите.

— Значит, знаешь по какому делу задержан? — спросил Гуров.

— За Гулиева речь пойдет, — ответил Умянцев.

— Точно, за Гулиева, — подтвердил Гуров. — И раз уж ты так хорошо осведомлен, я не стану утомлять тебя юридическими процедурами. Есть что сказать — говори, а нет, так признайся сразу. Мне мое время тоже дорого. Если хочешь пить или курить, скажи, я организую.

— Не курю, спортивный режим, — заявил Умянцев. — А от стакана воды не откажусь. Ваш водитель меня изрядно умотал.

Гуров нажал кнопку, и на пороге появился дежурный охранник. Гуров велел ему принести воды. Дежурный ушел и через минуту вернулся с пластиковой бутылкой питьевой воды. Умянцев выпил почти всю бутылку. Остатки завинтил крышкой и поставил перед собой на стол. После этого начал рассказывать.

271

На Марочкина он работал шесть лет. До этого профессионально занимался штангой. Штангист-атлет в тяжелом весе, выступал на Всероссийских соревнованиях за московские клубы. Особых высот не достиг, но в своем кругу был довольно известным спортсменом. Потом, как водится, получил травму, несовместимую с профессиональным спортом. Пришлось уйти. Тут его Марочкин и выщепил. Ему нужен был человек, от одного взгляда на которого должники начинали бы из кожи вон лезть, чтобы оплатить долги. Выбивать долги Куввату не приходилось, разве что пугать.

Тот же Марочкин пристроил его к своим знакомым в подмосковный дачный поселок. За жилье, стол и символическую зарплату он охранял дом, а для души занимался садовыми работами. Нравилось ему приводить в порядок зеленые насаждения. Хозяева не возражали, а он и подавно. Постоянного пребывания в конторе Марочкина его работа не требовала. Когда нужно было разобраться с должником, Марочкин его вызывал, давал адрес, дальше Умянцев действовал по своему сценарию. Марочкину было безразлично, каким образом он воздействует на должников, главное, чтобы был результат. Применять физическую силу, даже если с первого раза должник своего положения не понимал, Марочкин не требовал, на это Умянцев пожаловаться не мог.

А с Гулиевым какая-то подстава произошла. Парень зарвался, нахватал кредитов, а расплачиваться не спешил. А тут еще Марочкин узнал, что он ходит в заемщиках у его конкурентов. Навел справки, получил подтверждение и велел Умянцеву им заняться. Чтобы успеть раньше других кредиторов деньги стрясти.

Умянцев встретился с Гулиевым, объяснил ситуацию, дал срок. Но Гулиев вразумлениям не внял. Начал юлить, скрываться и вообще вести себя вызывающе. Тогда Умянцев снова пришел. На этот раз ему показалось, что Гулиев все понял, но прошло время, срок истек, а долг так и остался неоплаченным.

Третье предупреждение Умянцев решил сделать именно в ту ночь, когда Гулиева убили. Он пришел к нему домой, а Гулиева нет. Тогда он решил подождать, полагая, что рано или поздно тот появится. Другого-то жилья у него нет. Умянцев дождался, когда машина Гулиева въедет на стоянку и занял позицию между выходом со стоянки и подъездом.

Когда Гулиев его увидел, сразу завел старую песню о сроках и договоренностях. Умянцев в дискуссию вступать не желал. Потом Гулиев разнервничался сильнее, начал предлагать машину в залог, давать новые обещания. А потом вдруг на его рубашке расцвело красное пятно.

Умянцев не сразу сообразил, что произошло. Секунду назад Гулиев стоял перед ним, как шарманку прокручивая пустые обещания, и вот он уже хватается за грудь, сквозь пальцы сочится кровь, а на губах появляется кровавая пена. Умянцев и выстрела-то не слышал, только тихий свист.

Потом, когда Гулиев упал, до него дошло, что случилось. Если бы на его голове росли волосы, они точно поседели бы или встали дыбом. Пуля прошла в нескольких миллиметрах от его плеча. Двинься он на полшага, и в морге сейчас лежал бы он, а не Гулиев. Падая, Гулиев задел машину, сработала сигнализация. Это вывело Умянцева из шокового состояния. Он развернулся и бросился бежать.

— Это все, что я помню, — завершил рассказ Умянцев. — Можете мне верить, можете не верить, но все было именно так. Я его не убивал, и доказательств обратного вы не найдете.

— Хороший рассказ, — выдержав паузу, произнес Гуров. — Хороший, но странный, я бы сказал, сказочный. Ты признался в том, что был на месте преступления в момент его совершения, это похвально. Но это не все, ведь так?

— Я рассказал все, что знаю, — упрямо повторил Умянцев.

— Позволь мне тебе кое-что объяснить, — Гуров вздохнул. — Суть моей работы заключается в том, чтобы ежедневно выслушивать такие вот рассказы. Я был бы плохим опером, если бы верил каждому слову, сказанному подозреваемым. И я был бы паршивым ментом, если бы не умел отличить правду от лжи. А я, без ложной скромности, чертовски хороший опер, настоящий мент старой закалки. Понимаешь, что я имею в виду?

Умянцев смутился, но взгляд не отвел. Гуров продолжил:

— И сейчас я точно знаю, что ты рассказал не все. Сказка про доброго вышибалу меня не вдохновляет, понимаешь? По твоим словам выходит, что в фирме Марочкина, заемной организации, живущей за счет идиотов, не способных заработать деньги законным путем и не умеющих вовремя остановиться, вдруг появляется этакий добряк, который силой слова заставляет должников продавать квартиры, влезать в еще большие долги, но с Марочкиным расплатиться. Смешно.

— Можете смеяться сколько угодно, я говорю правду, — Умянцев в упор смотрел на Гурова, ни на секунду не отводя взгляд. — Если надо, я и детектор лжи с легкостью пройду. Понятно, что вам по должности не положено верить россказням таких, как я, но это уже не моя проблема. Ваша задача либо доказать мою вину, либо поймать меня на лжи. Ни то, ни другое вы сделать не можете, так что у нас проблема. Я прав?

— Не совсем, — возразил Гуров. — Сейчас я не могу доказать, что на спусковой крючок нажал именно ты, но это дело наживное. Ты был на месте преступления, видел, как убили Гулиева, и скрылся. Не оказал первую помощь, не вызвал медиков и полицию. За это я могу продержать тебя в СИЗО достаточно долго. Пока не выясню всех обстоятельств дела. Я уже говорил, что отношусь к категории ментов старой школы? Мы не бросаем расследование на полпути, мы копаем до тех пор, пока не получим результат. У нас есть запись с видеокамеры соседнего магазина. На записи ты стоишь спиной, но специалистам технического отдела не составит труда сделать экспертизу, которая докажет, что на записи ты. Еще у нас есть запись телефонного разговора, где ты говоришь об убийстве Рауфа, и утверждаешь, что тебя никто не видел. Я постараюсь сделать так, чтобы эту запись приобщили к делу и обнародовали на суде. Это все косвенные доказательства, но по совокупности они дадут хороший результат. И еще одно. Пуля, убившая Гулиева, застряла в теле. Ее приобщат к делу, как и пистолет, который изымут у тебя при обыске твоей квартиры или где ты там хранишь свои вещи.

— Отлично, это лишь докажет, что она выпущена из другого пистолета, — воодушевленно произнес Умянцев, и тут же его лицо пошло красными пятнами, он понял, что облажался.

— Действительно, отлично, — невозмутимо произнес Гуров. — Теперь мы знаем, что пистолет у тебя все же был, и испугался Гулиев не твоих пламенных речей, а пушки у тебя в руках.

— Ладно, я признаюсь, — Умянцев с шумом выдохнул. — Только протокол не подпишу, облегчать вам задачу не стану.

— В чем заключается твое признание? — переспросил Гуров.

— Пистолет у меня был. Взял я его для того, чтобы Гулиев понял, что это последнее предупреждение. И он бы понял, не сомневайтесь. Только я не стрелял. Я скажу, где пистолет, если вы не станете приобщать его к делу. Проверите, и, когда пуля не совпадет, вопрос об оружии должен быть снят.

— Почему я должен верить, что ты не подсунешь мне другой пистолет?

— Потому что вы чертовски хороший мент, который за версту чует ложь, — просто ответил Умянцев.

На это Гурову возразить было нечего. Он все еще считал, что Умянцев говорит не всю правду, но только не в той части, которая касалась пистолета. Гуров решил, что на первый раз больше давить не следует.

— Хорошо, пусть будет так, — заявил он. — Где пистолет?

— Без протокола? — уточнил Умянцев.

— Кувват, ты здесь уже столько всего наговорил, что волноваться об обвинении в незаконном хранении оружия просто смешно. Сейчас ты спасаешь свою шкуру от четвертака. За хранение тебе светит максимум трешка, да и то не лишение, а ограничение свободы. Разницу улавливаешь?

— В лодочном сарае под бочкой с тросами и крюками, — выдал Умянцев.

— Марка пистолета? — вспомнив, что оружие, которое применил убийца имеет не такое широкое распространение, спросил Гуров.

— «Гюрза» СП-10. Болельщик подарил, еще когда я штангу тягал.

Гуров едва сдержался, чтобы не присвистнуть. Он постарался придать лицу нейтральное выражение, но, видимо, сделал это недостаточно ловко.

— Что? Снова не верите? — Умянцев во все глаза смотрел на Гурова и тут до него дошло. — Да бросьте! Не может этого быть!

— Так и есть, — подтвердил невысказанную догадку Гуров.

— Нет, это просто подстава, — Умянцев весь затрясся. — Я же не идиот, в конце концов. Если бы я стрелял, стал бы я отдавать вам оружие, да еще и признаваться в том, что был на месте преступления? Хрена с два вы бы доказательства нашли, и пистолет год бы искали, а может, и дольше. Черт, как же все это паршиво!

— Не паникуйте раньше времени, Умянцев, — произнес Гуров. — Возможно, ваше признание спасет вас от тюрьмы.

— Да ладно, вы сами-то в это верите? Теперь у вас все козыри на руках. И мое признание, и оружие подходящее. Да я уверен, баллистики даже дергаться не станут, чтобы проверку провести. Все сходится, а к деталям в суде придираться не будут. Да, ловко же вы меня развели.

Переубеждать Умянцева в обратном Гуров не стал. Он понимал, что в таком состоянии любые слова, сказанные полковником, только сильнее разозлят задержанного. Он вызвал охранника. Умянцев встал, бросил последний взгляд на Гурова и произнес:

— Не забудьте, что вы настоящий мент.

Умянцева увели. Какое-то время Гуров сидел, глядя на скрещенные на столе ладони. «В чем-то Умянцев прав, —

думал он. — Если это не заранее спланированный ход, то действительно смахивает на подставу. Не стал бы он сдавать мне оружие. Это все равно что собственноручно подписать себе приговор. Да, дело становится все интереснее».

Покинув допросную, Гуров вернулся в кабинет. Пустое кресло полковника Крячко наводило тоску. «Хоть бы его поскорее выписали, — глядя на непривычно чистый стол напарника, подумал Гуров. — Сейчас бы он бегал по кабинету и с пеной у рта доказывал, что Умянцев — типичный пройдоха. Что он хочет, чтобы Гуров засомневался. И на его порядочность давил бы только ради того, чтобы пропихнуть свою версию».

Мысли Гурова прервал приход капитана Жаворонкова. Он принес статистику по продаже и применению огнестрельного оружия. Гуров разложил листы перед собой и занялся изучением собранных данных. Жаворонкову удалось выявить некоторую закономерность: данный вид оружия снискал популярность в так называемых бывших союзных республиках, граничащих с Ираном и Афганистаном. Статистика утверждает, что такой расклад обусловлен наиболее частым применением пистолета «Гюрза» и «Вектор» силовыми структурами, осуществлявшими деятельность в этих районах. Попросту говоря, потому что доступны.

Но и в Москве этот пистолет успел засветиться, правда, преступления с применением этого оружия так и не раскрыли, но сам факт использования «Гюрзы» зафиксировали. Ограбление инкассаторского авто, налет на ювелирную лавку, угон фуры с компьютерной техникой и еще пара-тройка преступлений, и всякий раз на месте преступления находили гильзы и пули от «Гюрзы». По данной статистике трудно было сказать, одна ли банда действовала в каждом случае, так как характер преступлений сильно разнился. Гуров решил, что пришло время лично пообщаться с патологоанатомом Давыдкиным и вытрясти из него все, что не вошло в отчет.

Но сначала нужно было распорядиться насчет пистолета. Он прошелся по кабинетам и с удивлением понял, что отдел опустел. Четверых Гуров приставил к Марочкину, Ревошину и его жене. Еще четверо отдыхали на законном основании, так как в ночь им предстояло сменить наружку. Крячко на больничном, два следователя в прокуратуре по текущим делам. В отделе остались только техник Ханин, капитан Жаворонков и водитель Мейерхольд. «Да, негусто, — вздохнул Гуров. — Придется кого-то из парней с задания дернуть».

Ослаблять наблюдение за Марочкиным он не хотел, все-таки он завязан с Умянцевым, а с ним вопрос еще не закрыт. Кандидатура Онучкина отпала сама собой, вслед за Ревошиным, получившим пригородный заказ, он уехал далеко за пределы столицы. Тогда Гуров набрал номер лейтенанта Хватова. Тот все еще сидел в засаде возле дома Людмилы. Та никуда не выезжала, курсировала между домом и огородом и, казалось, совершенно не думала о смерти бывшего мужа. Гуров сообщил, что для Хватова имеется новое задание: он должен ехать в Истринский район для изъятия оружия из дома, где жил и работал Умянцев.

— Заедешь в Истру, там тебе подготовят опергруппу, я с ними договорился, — заявил Гуров.

— Может, лучше наших? — попросил Хватов.

— Наши все кончились, — ответил Гуров. — Не капризничай, лейтенант. Дело-то пустяковое. Приедете, заберете оружие из-под бочки, составите протокол, понятые подпишут, после этого ты отвезешь его баллистикам. Не слезай с них, пока экспертизу не проведут, а как получишь результат, сразу звони мне. Все ясно?

— Хозяева меня не попрут? — на всякий случай уточнил Хватов.

— Истринские бумагу оформят, они же с хозяевами свяжутся, пока ты до места добираешься. Твое дело контролировать процесс и торопить экспертов. Не тяни время, Хватов, мы и так в полной...

Хватов бросил короткое «есть» и отключился. Гуров связался с Истринским отделом, обрисовал ситуацию и попросил оказать его человеку всяческое содействие. Начальник Истринского отдела оказался мужиком толковым и сговорчивым. Он заверил Гурова, что возьмет дело под личный контроль и проследит, чтобы все прошло быстро и законно. Завершив звонок, Гуров спокойно поехал в морг.

Приезду Гурова Давыдкин не удивился. Он провел его в комнату отдыха, предложил чай и, усевшись на диван, заявил, что тот может задавать любые вопросы.

— Полагаю, письменный отчет чем-то вас не удовлетворил, — добавил он, добродушно улыбаясь.

— Не то чтобы не удовлетворил, — протянул Гуров, не зная, с чего начать. — Просто эти формуляры такие сухие, ощущения в них не впишешь.

— А вы уверены, что вскрытие Гулиева должно было вызвать во мне какие-то особые ощущения? — Давыдкин рассмеялся. — Да вы, мой друг, романтик. Что ж, боюсь вас огорчить, но ничего подобного, копаясь во внутренностях бедного парня, я не испытал. Работа патологоанатома лишена романтизма, уж поверьте человеку с двадцатилетним стажем работы. Мы вскрываем трупы, извлекаем органы, разбираем их на запчасти, и это совсем не интригует. Это скучно и обыденно, особенно после тысячного клиента, когда вместо загульной вечеринки ты вынужден отсасывать жир из тела уродливого толстяка, который оказался настолько глуп, что затащил на стремянку тушу весом в два центнера.

— Ладно, возможно, я неверно выразился, — легко согласился Гуров. — Постараюсь изъясняться конкретнее. В отчете написано, что смерть наступила в результате огнестрельного ранения в область сердца. Я хочу знать, с какого расстояния была выпущена пуля.

— С этим вопросом вам лучше обратиться к гадалке, — Давыдкин снова рассмеялся. — Мы же устанавливаем лишь факт проникновения инородного тела в конкретный орган. Как далеко от покойного стоял убийца, можно лишь предполагать.

— Так в чем проблема, давайте погадаем. Тело ведь еще у вас? — спросил Гуров.

— Хотите на него взглянуть? — Давыдкин посмотрел на Гурова с сомнением. — Учтите, наш клиент несколько отличается от вашего. Я имею в виду, что он весь распотрошенный, зрелище не для слабонервных.

— У меня крепкий желудок, — на этот раз улыбнулся полковник. — Ведите и не сомневайтесь, нашатырь мне не понадобится.

— Как скажете.

Давыдкин отвел Гурова в секционную и велел ждать. Несколько минут спустя он доставил туда тело Рауфа Гулиева. Через его грудь и живот проходил игрекообразный разрез. Здесь же, на каталке, в аккуратном сосуде со специальным раствором плавало сердце.

— Обычный срединный разрез по методу Лешке нарушил бы целостность структур раны, — как знатоку правил вскрытия, поведал Гурову Давыдкин. — Пришлось применить метод Сафира. Его не так часто приходится использовать, но в нашем случае этот вариант показался мне наиболее приемлемым. Видите, грудная клетка осталась нетронутой, и ваша чудесная рана тоже. Ее вид навевает вам какие-то особые впечатления?

— Увы, никаких, — Гуров на подначку Давыдкина не обиделся. — Быть может, если я взгляну на само сердце, что-то и проявится.

— Любой каприз, полковник, любой каприз. Давайте тогда вооружимся специальными приборами. Так вы точно ничего интересного не увидите. Без увеличения и подсветки дырка — это просто дырка.

Давыдкин прошел к несгораемому шкафу, достал с верхней полки два налобных микроскопа с мощной подсветкой, какими обычно пользуются хирурги, протянул один полковнику, второй надел сам.

— Итак, теперь вы готовы рассмотреть главный орган человеческого тела, — пошутил он. — Вы хоть знаете, как должно выглядеть сердце? Я имею в виду без ран и разрывов.

— Видел на картинках, — ответил Гуров. Он поставил банку с сердцем на высокую подставку и начал медленно ее вращать. Рана, которую нанесла органу пуля, выглядела не так ужасно, как представлялось полковнику. Даже рана на груди смотрелась страшнее. А здесь всего лишь небольшое отверстие диаметром чуть больше самой пули. Ровный край, без зазубрин и дополнительных разрывов.

— Вошла, как в масло, — услышал за спиной Гуров.

— Что? — переспросил он.

— Про такие раны говорят: вошла, как в масло, — пояснил Давыдкин. — Стрелок — явный профи, такой выверенный выстрел мало кому по плечу, уж поверьте мне. Подобные аккуратные раны встречаются раз на две тысячи огнестрелов. Я здесь такого насмотрелся, во сне приснится, на мокрых пеленках проснешься. Бывает, привозят огнестрел, а там от головы сплошное месиво, скула набок, нос в лепешку, глаза из орбит, и все это от одной крошечной пульки. А если в брюшину попала, так кровью и фекалиями всю секционную загадишь, пока ее выловишь.

— Значит, вы уверены, что наш стрелок — профессионал?

— Ну, или чертовски везучий сукин сын, — заметил Давыдкин. — Вы вот спрашивали, что в этом случае привлекло мое внимание, теперь я знаю, что: аккуратность. Аккуратность и четкость. Пуля вошла ровно между ребрами. Это, конечно, чистая удача, благодаря этому она не застряла в кости, не разорвала в клочья мускульный слой и вошла в сердце по сложной траектории. Поверните банку. Видите, входное отверстие на несколько миллиметров выше выходного. Расскажите это баллистикам, возможно, им удастся смоделировать траекторию полета пули.

— Тогда мне понадобятся снимки, словами тут не обойтись, — идея Давыдкина Гурову понравилась. — И входное отверстие в области груди тоже надо приложить.

— Хотите устроить фотосессию в морге? Валяйте, — разрешил Давыдкин. — Если я вам больше не нужен, я пойду. Оставьте все здесь, как освобожусь, уберу.

Давыдкин ушел. Гуров сделал несколько снимков, с задумчивым видом постоял еще какое-то время над банкой с сердцем, затем снял микроскоп, отключил его от питания и пошел к выходу. С собой он уносил с десяток четких снимков и надежду на то, что баллистикам повезет больше, чем патологоанатому.

Поездка в морг заняла меньше времени, чем рассчитывал Гуров. К моменту возвращения в Управление лейтенант Хватов только-только приступил к обыску лодочного сарая. Гуров не стал ждать, пока доставят оружие. Он пошел к баллистикам, выложил перед ними снимки раны Гулиева и обозначил задачу. Те, как водится, поворчали на занятость, но просьбу полковника обещали удовлетворить.

Гурову оставалось только ждать, а это, как известно, самое сложное. Он сидел за рабочим столом и в очередной раз перебирал материалы дела. После посещения морга версия Умянцева уже не казалась ему чересчур абсурдной. Допустим, он говорит правду. Что тогда получается? Умянцев пришел к Гулиеву поздним вечером, но того дома не оказалось. Он затаился во дворе и стал ждать. Но ждал не он один. Кто-то желал видеть Рауфа так же сильно, как и Умянцев. Видел ли тот, второй, Умянцева? Наверняка. Раз уж он перед камерой засветился и жильцам дома показался, значит, и для того, второго, его пребывание не стало секретом.

Гуров взял чистый лист и начертил схему гулиевского двора. Синим маркером обозначил траекторию движения Умянцева, обозначив места, где тот стоял, овалом с буквой «У» посередине. Сменив маркер на зеленый, нанес новые линии, они показывали движение автомобиля Гулиева. Место, где он был застрелен, Гуров обвел кругом и написал букву «Г». Предполагаемого убийцу он решил для удобства называть «Стрелок», обозначить его красным маркером и овалом с буквой «С». Какое-то время он изучал схему, пытаясь определить, в каком месте мог скрываться Стрелок в ожидании возвращения Гулиева. Получалось, что только в доме убитого. Но это было невозможно по той простой причине, что пуля была выпущена из-за спины Умянцева, он был в этом уверен, а Гуров изначально взял эту версию как допустимую.

Где же тогда находился Стрелок? Он не мог прятаться слишком далеко, иначе не успел бы добраться до места в такой короткий срок. По словам Умянцева, Гулиев едва ли успел произнести пару реплик, прежде чем его подстрелили. Сам Умянцев переместился к выходу с парковки, как только автомобиль Гулиева проехал через ворота. Если бы Стрелок двигался в том же направлении, он наверняка попался бы Умянцеву на глаза, но тот никого не видел. Оставался дом с магазином на первом этаже, тот самый, в котором взяли запись с камеры наблюдения.

«Быть может, просмотреть запись еще раз? Возможно, тогда увидим и Стрелка?» — размышлял Гуров. На это он не особо рассчитывал, так как лично отсмотрел все эпизоды, нарезанные Ханиным, но других вариантов все равно не было. Гуров решил, что дождется результатов экспертизы оружия Умянцева, вердикта баллистиков по поводу раны, а потом займется записями.

Пока Гуров чертил схемы и планы, вернулся лейтенант Хватов. Гуров снова отправился к баллистикам, не в силах усидеть на месте. Парни из технического отдела вошли в положение и позволили Гурову присутствовать при проведении экспертизы. Сначала эксперт, которому досталось работать с оружием, делал все молча, но Гуров так достал его вопросами, что он сдался и стал вслух комментировать каждое свое действие.

Результат оказался отрицательным по всем пунктам. По мнению эксперта, пистолет, извлеченный из-под бочки в лодочном сарае, не был в эксплуатации по меньшей мере год. Да, за ним ухаживали, и довольно хорошо. Все детали имели следы смазки, на них отсутствовала ржавчина, но следы пороха, неизменно присутствующего в дульной части оружия, если, конечно, из него стреляли, отсутствовали. Это было первое, что узнал Гуров.

Дальше баллистик провел ряд пробных выстрелов и произвел осмотр гильз и пуль. Оказалось, вылетая из дула, пуля приобретала неправильную траекторию. Каждый последующий выстрел только подтверждал эту особенность. Пуля уклонялась от курса минимум на двадцать градусов, это означало, что оружие не отцентровано, следовательно, совершить точный выстрел, такой, каким был убит Рауф Гулиев, этот пистолет не мог ни в чьих руках.

Чтобы не возвращаться к вопросу впоследствии, эксперт не поленился произвести осмотр гильз. На месте преступления гильзу не нашли, но ведь это не означало, что она не может найтись впоследствии. Стреляные гильзы пистолета Умянцева получали характерный рисунок за счет грубой насечки внутренней дульной части. Насечку можно было увидеть даже невооруженным взглядом. Приобщив эти данные к отчету, баллистик передал оружие и пулю полковнику, после чего его работа была завершена.

К тому времени, как закончили с испытанием оружия, пришел отчет по траектории движения пули. Компьютерщики пропустили исходные данные через специальную программу и получили четкую схему, которую и передали Гурову с дополнительными комментариями. Если отбросить все технические и специальные термины, вердикт звучал так: пуля могла быть выпущена с расстояния от тридцати до ста метров, причем стрелок находился выше цели. Насколько выше? Два с половиной, три метра, но не выше, такую информацию выдала программа.

Техники предупредили Гурова, что такой вид экспертизы не является точным, так как в программу невозможно загрузить все необходимые данные. На скорость пули и угол отклонения влияет такое количество факторов, которые невозможно зафиксировать или измерить задним числом, что сами эксперты к подобной экспертизе относятся с осторожностью, предпочитая использовать в работе более консервативные способы. Но Гурову было достаточно и этого. Пусть результат работы компьютерной программы показывает лишь вероятность, но в совокупности с остальными фактами и показаниями свидетелей он приобретает определенную убедительность.

В итоге Гуров снова оказался в кабинете наедине со всеми отчетами и экспертными оценками. Он крутил в руках пакет с пулей, извлеченной из груди Гулиева, и смотрел в пустоту. Версия с Умянцевым не выдержала проверки, его слова, хоть и косвенно, подтверждала экспертиза. Оружие, которое он сдал, к делу не пришьешь. Запись с камеры слежения, хоть он и запугивал Умянцева ее наличием, настоящей уликой не являлась. Да и сам Гуров больше не верил в то, что убийца — Кувват Умянцев. Придется сбросить его со счетов.

О Ревошине вообще думать не хотелось. Парень явно не при делах. Онучкина нужно отзывать, а Ревошина снимать с крючка. И что же тогда остается у Гурова? Да ничего. Он снова вернулся туда, откуда начал. Завтра с утра придется ехать на место преступления, снова опрашивать свидетелей, изучать местность и проводить ряд других нудных и бесполезных оперативных мероприятий. И все это одному, без поддержки и помощи.

— Нет, мне просто необходимо, чтобы Стас вернулся в строй, — вслух проговорил Гуров. — Да, я не могу взять его с собой на осмотр места происшествия, но поделиться своими соображениями-то я могу!

Гуров убрал бумаги в верхний ящик стола, повернул ключ в замке, щелкнул выключателем и вышел из кабинета. Он сильно удивился, увидев, что машина Мейерхольда все еще стоит на парковке. Гуров подошел к ней, стукнул пальцами по стеклу. Мейерхольд открыл глаза и поспешно опустил стекло.

— Что-то вы задержались, Леонид, — возвращаясь к прежней форме обращения, проговорил Гуров. — Рабочий день давно закончился, отправляйтесь домой. Сегодня у вас был трудный день.

— Ничего, я в порядке, — заявил Мейерхольд.

— По вашему лицу этого не скажешь, — заметил Гуров, намекая на ссадины и кровоподтеки, полученные водителем во время схватки с Умянцевым.

— Шрамы украшают мужчин, — улыбнулся Мейерхольд.

— Так, значит, вы теперь красавчик? — пошутил Гуров.

— Так точно, красавчик, — подхватил шутку Мейерхольд. — Был бы я охотником до юбок, сейчас бы отбоя не было. Вы домой, товарищ полковник? Я могу вас отвезти.

— Не стоит беспокоиться, я поймаю такси, — отказался Гуров. — К тому же я еду не домой. Решил навестить друга, он сейчас в госпитале.

— Ваш напарник? Слышал, ему сильно досталось во время одного расследования, — проявил осведомленность Мейерхольд.

— Такое бывает. Ничего, он поправится.

— Садитесь, я вас отвезу, — снова предложил Мейер-хольд. — Не отказывайтесь, в конце концов, теперь мы с вами вроде как тоже напарники.

— Ладно, гони в госпиталь, напарник, — сдался Гуров.

Мейерхольд дождался, пока Гуров сядет, уточнил адрес и выехал с парковки.

Глава 7

Больничный двор давно закрыли для въезда автомоби-лей, и Мейерхольду пришлось припарковаться в стороне. Гуров предлагал высадить его у ворот, чтобы не искать ме-сто для парковки, но Мейерхольд был непреклонен.

— Я вас дождусь, товарищ полковник, — твердо заявил он. — Раз уж подписался помогать вам, надо доводить дело до конца.

— Тогда пойдем вместе, — предложил Гуров. — Лишние мозги нам с Крячко не помешают.

Предложение полковника Мейерхольд принял с энту-зиазмом. По пути заглянули в магазин, купили больному гостинцы, минеральной воды и свежую газету. Время по-сещения закончилось два часа назад, о чем Гурову ворчли-во объявила вахтерша в приемном покое. Гуров предъявил удостоверение и заявил, что это не светский визит, а след-ственная необходимость, и если женщину что-то не устра-ивает, она может пригласить главврача. Тот наверняка бу-дет злиться, что вахтерша лишает его отдыха по пустяко-вым вопросам, но разрешение на посещение полковника полиции даст. Рисковать вахтерша не стала. Выдала Гурову два халата, велела надеть бахилы и провела на второй этаж, где лежал полковник Крячко.

Увидев посетителей, Крячко обрадовался:

— Ну, наконец-то хоть одна живая душа вспомнила о несчастном больном. Ранение при исполнении служеб-ных обязанностей уже не в чести? Я, понимаешь ли, жиз-нью рисковал, пытаясь обезвредить преступника, а сослу-живцы, братья по оружию, и носа не кажут. С глаз долой — из сердца вон, так, Гуров?

Как всегда, Крячко выражал свою радость в своеобразной манере. Гурову к этому было не привыкать, а вот Мейерхольд, хоть фактически и не являлся Крячко сослуживцем и братом по оружию, слова его воспринял близко к сердцу.

— Вы все неверно истолковали, — Мейерхольд с жаром бросился защищать Гурова. — Товарищ полковник все время о вас беспокоился и очень хотел приехать вас навестить, только его дела не пускали. Сейчас он расследует жутко запутанное дело, просто с ног валится от усталости. Ни единой свободной минутки.

— Лева, да ты, никак, адвокатом обзавелся? Что, на службе дела совсем плохи? — Крячко в недоумении смотрел на Мейерхольда.

— Я не адвокат, — на полном серьезе заявил Мейерхольд. — Я водитель, прикомандирован к подразделению товарища полковника на время проведения расследования.

— Во-ди-тель, — растягивая гласные, произнес Крячко. — Баранку крутим, значит. А по совместительству еще и линию защиты для полковника разрабатываем.

— Стас, хорош хохмить, — остановил друга Гуров. — Это Леонид Мейерхольд, мой помощник. Между прочим, он сегодня преступника задержал. Один на один с профессиональным спортсменом-штангистом вышел и победил.

— Да ты герой. Слава героям! — весело объявил Крячко. — Ну, раз так, будем знакомы. Стас Крячко, прошу любить и жаловать.

— Очень приятно, — Мейерхольд пожал протянутую руку. — Я слышал, как вы получили ранение, весьма впечатлен. Как голова?

— Немного побаливает, но в целом неплохо, — все еще улыбаясь, ответил Крячко. — Скоро можно будет в космос запускать.

— А если серьезно? Что говорят врачи? — задал вопрос Гуров.

— Если серьезно, не очень. Боль почти не беспокоит, процедуры доканывают. Сегодня еще раз голову светили. У меня такое ощущение, что им просто нравится, как выглядит мой мозг через сканер, или как там их аппарат называется. Каждый день светят, все чего-то ищут. Ну, и до-искались. Да ладно, это неинтересно. Лучше ты расскажи, что за расследование не дает тебе навестить друга.

— Говори, — потребовал Гуров. — Выкладывай все!

— Главврач приходил, приносил снимки. Говорит, какая-то жидкость в мозгу образовалась. Или они думают, что это жидкость. А я вот предполагаю, что это от безделья. Отекает мозг, жиром заплывает. Мне бы сейчас хоть какую оперативную задачку порешать. Я даже на поквартирный опрос согласен, лишь бы вырваться отсюда.

— Потерпи, друг, с мозговыми травмами шутки плохи. На вот, яблок пожуй, еще мы пирожков прихватили, на случай, если тебя тут совсем не кормят. — Гуров поставил пакет с гостинцами на тумбочку.

— Кормят на убой, — заверил Крячко, но яблоко из пакета достал и впился в него зубами.

— Фрукты немытые, — взволнованно сообщил Мейер-хольд. — Мы же прямо из магазина. А там столько микро-бов, больше, чем в прудовой воде.

— Мне нравится этот парень, — весело сообщил Кряч-ко. — Где ты его раздобыл, Лев? Просто находка, я даже не-много ревную. Пока валяюсь здесь, он, чего доброго, мое место займет. И в кабинете, и в твоем сердце.

— Не обращайте на него внимания, Леонид. У Стаса такая манера общения, — предупредил Гуров Мейерхоль-да. — Со временем к этому привыкаешь.

— Это ничего, пусть шутит. Смех продлевает жизнь, — не совсем честно заявил Мейерхольд. Он не любил, когда подшучивали над ним, но высказать претензию полковни-ку, да еще когда он на больничной койке, — верх непри-личия.

— Ну вот, опять! Леня, ты нравишься мне все больше, — Крячко протянул Мейерхольду другое яблоко. — Свое, так и быть, можешь вымыть.

Яблоко Мейерхольд не взял. Сел в сторонке, чтобы не мешать друзьям общаться, и уставился в окно.

Гуров принялся рассказывать о ходе расследования дела Гулиева. С подробностями, описывая все шаги, предпринятые до настоящего момента. К концу рассказа Крячко знал ровно столько же, сколько и Гуров.

— Что скажешь, друг? — закончив доклад, поинтересовался Гуров.

— А что тут сказать? Ты в глубокой заднице, полковник, — бодро заявил Крячко. — Столько суеты, а на выходе — ноль. Всех подозреваемых профукал. Узнаю манеру друга. И чего тебе вечно неймется? Ведь какая перспективная была кандидатура, этот твой Кувват Умянцев. И спортсмен, и на месте преступления был, и камера его зафиксировала. Даже пистолет под бочкой, как по заказу той же марки, припрятал. Так нет же, тебе этого мало. Поперся к баллистикам, чтобы они тебе всю малину испортили.

— Да, жалко, что с Умянцевым пролет, — верно истолковав ворчание друга, проговорил Гуров. — И мотив у него подходящий. Заказное убийство, чем не громкое дело?

— Ревошин тоже неплох, — подумав, произнес Крячко. — Может, проверить его телефонные звонки, вдруг там на момент преступления ни одного входящего? Тогда его снова можно будет вернуть в список подозреваемых.

— Бесполезно. Проверкой я, конечно, займусь, да только зря время потеряю. С диспетчерами связаться тоже придется, как бы он ни просил, обойтись без визита к его работодателю не удастся.

— Странный ты человек, Гуров. Подозреваемый просит тебя не светить его на работе, и ты идешь ему навстречу. Когда это в полиции новые правила ввели? — пошутил Крячко.

— Просто без нужды не хотел человека подставлять. Ему и так нелегко было работу найти. Да еще жена его теперь дома сидит, а ведь была бухгалтером в крупной фирме, — объяснил Гуров. — Не верю я, что Ревошин убийца, понимаешь? Потому и не хочу жизнь парню усложнять.

— Погубит тебя твоя доброта, Гуров. Рано или поздно, погубит, — Крячко вздохнул.

— Оставим в покое мои личные качества. Давай лучше подумаем, где я облажался?

— Свежий взгляд — вот что тебе поможет, — после минутной паузы заявил Крячко. — Нужно, чтобы на месте преступления побывал человек, чье видение ситуации не замутнили все эти экспертизы и допросы.

— Даже не думай, — с полуслова поняв на что намекает напарник, объявил Гуров. — Ты туда не поедешь.

— А почему нет? Ведь это легко организовать, — глядя на друга невинным взглядом, проговорил Крячко. — Никто ничего не заметит.

— Как можно не заметить исчезновение пациента? — подал голос Мейерхольд. — Вы даже выйти отсюда незамеченным не сможете. А обход? Придут врачи, соберут консилиум, а вас нет.

— Не подогревайте его энтузиазм, Леонид. Для Стаса чем задача сложнее, тем интереснее, — предупредил Гуров. — Вон как у него глаза заблестели. Наверняка уже план составляет.

— Лева, не сопротивляйся. Я уже все продумал. Сейчас врачей на местах нет, одни санитарки, а с ними я договорюсь. В ночь дежурит медсестричка Лидочка, чудесная девушка. Отзывчивая. Она проведет нас так, чтобы охрана не увидела, выпустит из больницы. Я переночую у тебя, к шести утра мы будем на месте преступления, а к девяти ты отвезешь меня обратно. Обход ведь в девять. Мы успеем, Гуров, все будет тип-топ.

— Все будет тип-топ, потому что ты никуда не поедешь, — отрезал Гуров. — Не хватало еще, чтобы жидкость в твоем мозгу прорвалась, пока ты валяешься на моем диване. Нет, Стас, быть виновным в твоей смерти я категорически отказываюсь.

— А план не так уж плох. На самом деле. Все может получиться.

Одобрение пришло со стороны Мейерхольда. В пылу спора Гуров и Крячко почти забыли о его существовании. И вот теперь он сидел на краешке стула, а взгляды обоих полковников были прикованы к нему. Осуждающий — полковника Гурова, и восхищенный — полковника Крячко.

— Вот видишь, и Леонид со мной согласен, — победно провозгласил Крячко. — Два голоса против одного. Ты в меньшинстве.

— Теперь он Леонид? Быстро же ты его повысил, — едко бросил Гуров. — А вам, Леонид, должно быть стыдно. Ему не просто так отказывают в выписке. Он болен, и состояние его нестабильно, а вы потакаете его капризам.

— Это не каприз, — слова Гурова смутили Мейерхольда, но отступать он не собирался. — Вам действительно нужна помощь. Помощь знающего, опытного человека, и где вы найдете кандидатуру лучше полковника Крячко? И потом, мы ведь не в лес его повезем. В случае острой необходимости вы всегда можете вызвать неотложку. Или же я могу подежурить у вашего подъезда. Случится приступ, я сам отвезу его в больницу. Признайте, вы в тупике, и без помощи вам не обойтись.

Такой горячей речи Гуров от водителя не ожидал. Да что там! Сам Мейерхольд едва узнавал себя. Надо же, поучать полковника, лучшего во всей Москве опера-важняка. И это после того, как отношения между ними стали налаживаться. «Я все испортил, — вертелось в голове Мейерхольда. — Теперь он наверняка откажется от моих услуг, и я снова буду всего лишь штатным водителем, приложением к служебному автомобилю. И от этого я сойду с ума. Зачем, зачем ты открыл рот!»

— Ладно, собирайся, — неожиданно проговорил Гуров. — Зови медсестру, договариваться будешь сам. А вы, Леонид, будете ночевать с нами. Если уж я влезаю в эту авантюру, то и вы в стороне не отсидитесь.

Отпускать комментарии насчет того, как быстро полковник Гуров меняет решения, ни Крячко, ни тем более Мейерхольд не стали. Гуров тоже предпочел помолчать. Он подошел к окну и молча смотрел на ночной город, пока Крячко договаривался с медсестрой и менял больничную одежду на уличную.

Лидочка, дежурная медсестра, на план Крячко согласилась на удивление быстро. Крячко напел ей в уши о необходимости как можно быстрее обезвредить особо опасного преступника, и что без его помощи товарищам не справиться, и девушка поплыла. Она провела их к двери, на которой висела табличка «Только для персонала больницы», отодвинула защелку и вывела всех троих на улицу. Дальше действовали сами. Через пост охраны прошли открыто. Гуров снова показал удостоверение, охранник открыл калитку и выпустил троицу с больничной территории.

Мейерхольд первым дошел до машины, покопался в багажнике, извлек оттуда подушку и плед и разложил все это на заднем сиденье. Крячко хотел поворчать, что он, мол, не инвалид и в дополнительных удобствах не нуждается, но вовремя вспомнил, кому обязан своей свободой, и промолчал. Гуров вообще делал вид, что не замечает товарищей, он злился на себя, что так легко поддался на эту авантюру, но в глубине души понимал: идея Крячко о свежем взгляде не лишена смысла. Когда все погрузились в машину, Гуров назвал адрес. Мейерхольд помнил, где живет полковник, но предпочел промолчать.

Так в полном молчании доехали до дома Гурова. Втроем поднялись в квартиру. Гуров пошел стелить постели, а Крячко и Мейерхольд отправились на кухню. Заручившись одобрением Крячко, Мейерхольд изучил содержимое холодильника и кухонных шкафов. Он собирался приготовить ужин. Запас продуктов ограничивал его фантазию, но все же кое-что для холостяцкого ужина он соорудить мог.

В морозилке он нашел кусок свинины. Чтобы ускорить процесс, бросил его в микроволновку для разморозки. Поставил на плиту кастрюлю с водой, добавил соль, а когда вода закипела, бросил мелкую, быстро разваривающуюся вермишель. Дал ей покипеть буквально пять минут и отбросил на дуршлаг. После этого нарезал мясо крупными порционными кусками, посолил, поперчил и положил на раскаленную сковороду. Вермишель засыпал сыром и зеленью и снова сунул в микроволновку. Попутно отварил яйца, покрошил их в миску, высыпал туда же консервированную рыбу, смешал все с майонезом и, разделив на порции, выложил на хлеб.

Крячко наблюдал за его манипуляциями с неподдельным восхищением. Сам он в таких случаях предпочитал отварить пельмени или обойтись яичницей с сосисками, но люди, умеющие за пятнадцать минут приготовить пять блюд из «ничего», Крячко искренне восхищали.

Когда Гуров вернулся, на кухне уже был накрыт стол. На плоских тарелках разложена вермишель под хрустящей корочкой сыра, от солидных кусков мяса по кухне разносится нереальный дух. Бутерброды так и манили сунуть их в рот. Пару минут Гуров молча разглядывал скатерть-самобранку, после чего снова ушел в комнату.

— Кажется, ему не понравилось, — озабоченно произнес Мейерхольд.

— Не дрейфь, Леня, сейчас все будет, — успокоил его Крячко.

И действительно, Гуров вернулся с банкой соленых огурцов, сунул ее в руки Крячко. Сам достал с полки рюмки, а из холодильника запотевшую бутылку водки.

— Вот теперь полный комплект, — заключил он. — Можно приступать.

— А почему рюмки только две? — обиженно поинтересовался Крячко. — Меня что — продинамили?

— Поговори у меня, — полушутя-полусерьезно проворчал Гуров. — В твоей крови и так допинга под завязку.

Ужин прошел в непринужденной беседе. Сперва нахваливали кулинарные способности Мейерхольда, а когда ему надоело слушать дифирамбы в свой адрес, он перехватил инициативу и принялся развлекать полковников историями из армейской жизни. Крячко хохотал до упаду, Гуров сдержанно улыбался, а сам Мейерхольд находился наверху блаженства. Впервые за полгода, с тех самых пор, как ушел из армии, он чувствовал себя нужным и значимым.

Спать отправились уже за полночь. Крячко занял гостевой диван, Мейерхольду досталось кресло. Гуров ушел в спальню, строго-настрого наказав Крячко будить его, если вдруг появится намек на ухудшение самочувствия.

Но ночь прошла без эксцессов. Мозговой отек не прорвался, боль не вернулась и ровно в пять тридцать вся

293

компания снова погрузилась в машину и поехала на улицу Электродная.

В такой ранний час двор выглядел пустынным и каким-то печальным. Следов крови на придомовой парковке уже не было, кто-то из жильцов избавился от этого неприятного напоминания о случившемся. Машины автовладельцев еще стояли на местах, поджидая хозяев. Фонарь над подъездом светил тусклым светом, соперничая с солнечными лучами.

Леонид Мейерхольд сидел в машине, понуро уставившись в пространство перед собой. Он отвык спать вне дома, полночи ворочался с боку на бок, ужасно не выспался и поэтому чувствовал себя разбитым. Гуров слишком беспокоился о последствиях совершенного накануне похищения пациента военного госпиталя. Да и перспектива предстоящего дня, наполненного пустыми допросами и суетой, его не радовала.

И только Стас Крячко наслаждался жизнью. Он вдыхал свежий утренний воздух полной грудью и не мог поверить, что вырвался на свободу. Первые полчаса ему никак не удавалось сосредоточиться на задаче. Он обходил двор раз за разом, но взгляд не цеплял предметы, не фиксировал положение машин, он вообще отказывался работать. В конце концов Гурову надоело наблюдать за тем, как Крячко бесцельно бродит по двору.

— Все, поехали в больницу, — решительно заявил он. — Погулял, и хватит.

— Да мы же еще ничего не осмотрели, не обсудили варианты, — растерялся Крячко.

— Ты и не собираешься их обсуждать, — заметил Гуров. — Ты просто тупо пялишься на дорогу и дома и больше ничего не делаешь.

— Это я так втягиваюсь, — нашелся Крячко. — Знаешь, как трудно снова начать работать после долгого перерыва. Точно в отпуске побывал.

— Вот и отправляйся снова в свой санаторий, твой отпуск еще не закончился, — заметил Гуров. — Зря я на это подписался. Ведь ясно же было, что ничего из вашей затеи не выйдет.

— Погоди, дай мне минутку, — взмолился Крячко. — Не будь жестоким, Гуров, человек ведь не машина, у него нет кнопки включения.

Гуров промолчал, а Крячко зашел на очередной круг, но на этот раз взгляд его стал более осмысленным.

— Где прятался Умянцев? — начал он задавать вопросы.

— Сначала за машинами, затем за трансформаторной будкой, — видя, как загорелись глаза друга, Гуров немного повеселел.

— Когда произошел выстрел он стоял у ворот?

— Он так сказал.

— Следственный эксперимент проводить будешь?

— Пока нет необходимости, но об этом я подумаю.

— Предлагаю провести его сейчас. А что? Нас трое. Я буду играть роль Гулиева, Леня сойдет за Умянцева, а ты, Лев Иванович, станешь темной лошадкой. Человеком-невидимкой, которого никто не видел, но который заварил эту кашу. Что скажешь?

— Можно попробовать, — согласился Гуров.

Крячко вытащил из машины Мейерхольда, объяснил ему задачу. Сначала Гуров, который был единственным, кто видел запись с видеокамеры, подсказывал Леониду, куда и когда тот должен перемещаться. Потом перешли к эпизоду с машиной Гулиева. Крячко старательно выполнял роль, въезжал на воображаемой машине на парковку, затем шел обратно, почти натурально сыграл испуг, когда на дорожке появился Умянцев-Мейерхольд.

— Стоп! Теперь все замерли, — скомандовал Гуров. — После двух-трех фраз Гулиева не стало. Выстрел произошел из-за спины Умянцева. Гулиев стоял к убийце лицом и видеть его не мог.

— Откуда ты знаешь? — перебил Крячко. — Помнишь, ты говорил, что Гулиев неожиданно занервничал сильнее? Мы предположили, что в этот момент Умянцев пригрозил ему пистолетом, но что, если как раз тогда он увидел убийцу?

— Ладно, давай посмотрим, — не стал спорить Гуров. — Вы оба стойте, где стоите, а я буду перемещаться по периметру. Стас, скажешь, когда мою фигуру перестанет загораживать Мейерхольд.

— Да он тебя и сейчас не загораживает, — заметил Крячко.

— Подожди, я еще не вышел на позицию.

Гуров отошел от стоянки на добрых пятьдесят метров, начав приближение от магазина. Когда до ворот осталось не больше десяти метров, Крячко махнул рукой.

— Пустое, Лева, тебя всегда видно.

— Это при свете дня, а ночью наверняка все иначе, — напомнил Мейерхольд. — А вот шаги в ночной тишине раздаются очень далеко. Увидеть убийцу Умянцев не мог, а вот не услышать — это вряд ли.

— К тому же витрины магазина ярко освещены. Дорога как на ладони. Не мог убийца подойти незамеченным, — Гуров вздохнул. — Надо искать другой вариант.

Они начали эксперимент сначала. Снова Мейерхольд ходил от стоянки к будке, от будки к воротам. Снова Крячко изображал езду на несуществующей машине и ужас от встречи с Умянцевым. Гуров наблюдал, меняя положение, переходя от дома к дому, заходя на стоянку, прятался за машинами, которые остались за спиной Мейерхольда, но идеальное место для Стрелка все не находилось.

— Проклятье, — ругался Крячко. — Ведь все так просто. Есть убитый и есть убийца. Оба были во дворе, это факт. Так почему Стрелок сумел увидеть свое идеальное место, а мы не можем?

— Потому что мыслим не как Стрелок? — предположил Мейерхольд.

— Вот именно! — подхватил Крячко. — Мы смотрим, как опера, ищем место, где он мог спрятаться, а он искал место, откуда лучше всего стрелять! Мысль улавливаешь, Гуров?

Но Гуров их уже не слышал. Он отошел в дальний угол автостоянки, закрыл глаза и постоял так несколько минут. Затем открыл глаза и взглянул на двор так, как, по его мнению, мог смотреть Стрелок. И он его увидел! Идеальное место. Расстояние, освещение, скрытость от посторонних глаз — все сходилось. К Стасу и Леониду он вернулся, улыбаясь во все тридцать два зуба.

— Чего лыбишься? — заражаясь хорошим настроением, весело спросил Крячко.

— Козырек, — коротко произнес Гуров. — Идеальное место.

Крячко проследил за взглядом друга. Над магазином шел длинный навес, во всю длину стены. Метровая ширина позволяла использовать его как площадку для стрельбы. В ночное время никто не обратит внимания на козырек магазина, тем более что свет от витрин он ограничивает. Даже отблески от окон не попадут на площадку. Расстояние между соседними окнами тоже играло на руку. Увидеть человека на этом козырьке можно было только в том случае, если высунуться наружу. Вряд ли ночью кто-то стал бы этим заниматься.

— Он должен был хорошо подготовиться, — первым заговорил Мейерхольд. — Заранее прийти во двор, заметить козырек, найти способ подняться туда в темноте.

— Он мог снять квартиру, тогда козырек в твоем распоряжении, — предположил Крячко.

— Нет, квартиру он не снимал, — возразил Гуров. — Пожарная лестница.

Крячко снова проследил за взглядом напарника. И правда, с левого торца шла пожарная лестница. Достаточно было подтянуться, и ты на лестнице, а с нее легко шагнуть на козырек. Пройти незаметно мимо окон, даже если они освещены и за занавесками находятся люди — тоже не проблема. Полметра от козырька до нижнего края окна — вполне достаточно, чтобы пробраться ползком.

— А что с метрами? — спросил Мейерхольд. — Расстояние не слишком большое для пистолетного выстрела?

— С этим норма, — ответил Крячко. — Тут не больше сорока метров. Ну, может, пятьдесят. Хороший стрелок легко попадет в цель.

Какое-то время все трое молча стояли и глазели на козырек как завороженные. И вдруг Мейерхольд сорвался с места и помчался к дому.

— Леня, ты куда? — крикнул вдогонку Крячко.

— Гильза, — на ходу выкрикнул Мейерхольд, и не успели опера отреагировать, как он уже карабкался по пожарной лестнице.

— Стой, там же следы, — попытался остановить его Крячко.

— Поздно, — прокомментировал Гуров, наблюдая за тем, как Мейерхольд идет по козырьку.

— Руками хоть не хватай, — продолжал надрываться Крячко. — Отпечатки пальцев. Это улика!

Но Мейерхольд и не собирался залапывать место преступления своими отпечатками. Как заправский криминалист он достал из кармана безупречно чистый носовой платок, взял что-то с поверхности козырька и, победно подняв над головой, принялся размахивать рукой из стороны в сторону.

— Нашел! — крикнул он. — Есть гильза! Вы оказались правы, товарищ полковник.

Из окна высунулась всклокоченная голова. Сердито глядя на Мейерхольда, голова гневно поинтересовалась:

— Что здесь происходит? Вы в своем уме, молодой человек? Семь утра, люди спят, а вы тут орете как оглашенные.

— Простите, мадам, — вежливо извинился Мейерхольд. — Следственные мероприятия. Вы ведь в курсе, что в вашем дворе убили человека? Мы ведем расследование.

— Не в моем дворе, а в соседнем, — недовольно поправила женщина и скрылась за занавеской.

Мейерхольд сунул находку в карман и вернулся на парковку. Гильзу он отдал полковнику Гурову. Крячко одобрительно похлопал Мейерхольда по плечу, произнося слова похвалы. А Гуров все смотрел на козырек.

— Не понимаю, — произнес он наконец. — Все равно не понимаю.

— Что теперь не так? — обреченно вздохнул Крячко.

— Зачем такие сложности? Для чего нужно было лезть на этот козырек, выжидать ночи? Зачем вообще нужно было валить Гулиева именно во дворе его дома?

— Ну, уж где застали, — пожал плечами Мейерхольд.

— В том-то и дело, что не застали, а тщательно спланировали, — возразил Гуров. — У Гулиева нет охраны, он живет не в элитном охраняемом поселке, куда доступ разрешен только по спецпропускам. На хрена все усложнять, если можно просто назначить встречу где-то за городом и там, без лишнего шума, избавиться от простого, никому не интересного человека?

— Может, они пытались, — предположил Крячко. — Когда попытки не принесли результата, решили разработать более серьезный план.

— Да кому вообще понадобилось его убирать — вот что непонятно. Кредиторы так с должниками не поступают, — настаивал Гуров.

— Все когда-то случается впервые. Ведь думал же ты, что убрать его приказал Марочкин, — напомнил Крячко.

— Я так не думал! Мое предположение было куда проще, — Гуров начал кипятиться. — По моим представлениям, смерть Гулиева явилась досадным недоразумением. Случайностью. Марочкин велел сделать Гулиеву последнее предупреждение, послал к нему Умянцева, тот пришел с пистолетом и в пылу ссоры случайно нажал на спусковой крючок. Пуля попала в сердце, этого никто не мог предугадать. Вот что я думал.

— Да, теперь эту смерть случайной не назовешь. Кому-то твой Гулиев перешел дорогу. Конкуренты Марочкина оказались людьми более серьезными, чем он, а поплатился Рауф, — вслух размышлял Крячко.

— Точно! Конкуренты! — неожиданно воскликнул Гуров. — И как это я сразу об этом не подумал? Да, это все меняет. В корне меняет.

— Рад, что смог открыть тебе глаза на истинную причину случившегося, — с иронией в голосе произнес Стас. — Но хотелось бы и самому узнать, на какую такую чудесную версию я тебя натолкнул?

— Гулиев убили не за долги, — медленно, точно пробуя идею на вкус, проговорил Гуров. — Его убрали, чтобы не дать ему заговорить. Его смертью они пытались скрыть информацию. Скрыть от Марочкина.

— Какую информацию?

— Пока не знаю, — признался Гуров. — Но чувствую, что я на верном пути. Надо трясти Марочкина, это однозначно. Вытрясем — значит, дело сдвинется с мертвой точки. А гильза нам в этом не поможет, нет, не поможет.

— Так что, я зря на козырек лез? — расстроился Мейерхольд.

— Не зря, Леня, просто пока эта улика бесполезна, — пояснил Крячко. — Нет оружия — не с чем гильзу сравнивать. Но ты все равно молодец.

— Ладно, парни, все в машину. Здесь нам больше делать нечего. Леонид, высадишь меня возле метро, а сам доставишь полковника Крячко в больницу. И проследишь, чтобы он добрался до палаты, — от волнения Гуров снова обратился к Мейрхольду на «ты». — Стас, не подведи меня. Похоже, в ближайшие дни на разборки с госпитальным начальством у меня времени не будет.

— А вы куда, товарищ полковник? — растерялся Мейерхольд.

— К Марочкину, хочу застать его в домашней обстановке. Если мне повезет, он еще не знает об аресте Умянцева. Элемент неожиданности мне сейчас ох как пригодится.

— Может, завезем товарища полковника и вместе поедем? — начал Мейерхольд, но Гуров его уже не слушал. Он мчался к машине, на ходу набирая номер дежурного Главка.

— Дежурный? Акимкин, ты? Слушай внимательно: высылай наряд по адресу Игоря Марочкина. Записывай, я диктую. — Гуров быстро продиктовал домашний адрес директора заемной фирмы. — Кто сегодня на выезде? Онучкин? Отлично. Скажешь ему, пусть подхватят меня у станции метро. Да, у метро, Акимкин, есть такой вид общественного транспорта. Не болтай лишнего, Акимкин, время дорого. Передай, пусть поторопятся.

Заканчивал разговор Гуров уже сидя в машине. Мейерхольд и Крячко заняли свои места, и машина тронулась. У ближайшей станции метро Мейерхольд притормозил.

Гуров выскочил из машины, даже не попрощавшись. Минуту спустя он скрылся в подземном переходе.

— Интересно, у одного меня ощущение, что меня только что использовали? — усмехаясь, произнес Крячко. — И ведь так всегда. Если Гурову в голову пришла идея, он уже ни на кого внимания не обращает.

— Возможно, так и должно быть, — философски заметил Мейерхольд. — Как думаете, элемент неожиданности сработает?

— Непременно, — уверенно произнес Крячко. — Это же Гуров, у него всегда все срабатывает.

Всю дорогу до госпиталя Мейерхольд молчал. Крячко пару раз попытался завести разговор, но быстро понял, что поддерживать беседу водитель не намерен. Насыщенный событиями прошедший день, следственные эксперименты утренних часов, находка на козырьке — для Мейерхольда это было слишком. Крячко к такой жизни привык, и то иной раз не поспевал за мыслями и действиями напарника, а тут сразу столько новых задач, да на неподготовленную психику. У кого угодно силы иссякнут. Так рассуждал Крячко. Но оказалось, причина задумчивости Мейерхольда кроется совсем в другом. Понял это Крячко только тогда, когда машина подъехала к госпиталю.

— Вам придется немного подождать здесь, — смущаясь, заявил Мейерхольд. — Я пойду первым, попробую найти ту медсестру. Кажется, ее зовут Лидия?

— Зачем она тебе? — не понял Крячко.

— Чтобы провела вас в палату незаметно, — объяснил Мейерхольд.

— Это ни к чему. Пройду через вестибюль, — отмахнулся Крячко.

— Нет, товарищ полковник, при всем уважении, вы этого не сделаете, — заявил Мейерхольд. — Товарищ Гуров велел мне о вас позаботиться, и я его не подведу. Если узнают, что вы покидали госпиталь, у вас будут неприятности, а это может плохо отразиться и на товарище полковнике. Так что сидите здесь и ждите, пока я все устрою.

Крячко начал было возмущаться, но встретился с умоляющим взглядом водителя, и всю досаду как рукой сняло. «И как это Гурову удается за считаные часы добиваться от человека беззаветной преданности?» — подумал он, а вслух сказал:

— Ладно, сделаем, как ты считаешь нужным. Только постарайся побыстрее, до обхода осталось двадцать минут.

— Я мигом, — обрадовался Мейерхольд и выскочил из машины.

Глава 8

Полицейский седан стоял чуть в стороне от входа в метро. Гуров заметил его, как только вышел из машины. Онучкин облокотился на капот, лениво рассматривая прохожих. Завидев полковника, он сделал знак водителю, а сам занял место в салоне микроавтобуса. Инструктаж Гуров провел по дороге, так что к дому Марочкина подъехали уже с четким планом действий.

Микроавтобус влетел во двор, эффектно развернулся возле самого подъезда, колодки при этом противно заскрипели. Откатная дверь автобуса с шумом отъехала в сторону. Из салона выскочили ребята в камуфляже и балаклавах. Автоматы со спины перекочевали на грудь, ладони сжали приклады. Бойцы бросились к подъезду, двое заняли позиции у двери, третий резко дернул ручку. Далее все по стандартной схеме: проверка этажа за этажом, подъем наверх. Только если в реальной ситуации это делается тихо, практически беззвучно, то на этот раз цель была совершенно противоположной.

— Первый этаж — чисто.

— Второй этаж — чисто.

— Лифт — чисто.

Голоса бойцов эхом раздавались в пустом подъезде. Топот ног в армейских ботинках придавал разыгрываемой сцене дополнительную нервозность. Из дверей начали выглядывать жильцы. Им хотелось узнать, кто устраивает гонки по этажам в такую рань. Завидев парней в черных масках, двери тут же захлопывались.

Но полковник Гуров, неспешным шагом следующий за группой захвата, не сомневался: каждый из тех, кто выглянул, теперь прилип к дверному глазку и наблюдает за происходящим.

У двери квартиры Марочкина группа захвата остановилась. Заняв позиции по периметру, они пропустили Гурова вперед. Тот вдавил кнопку звонка и тут же, без паузы, забарабанил в дверь. Тихие шаги он чуть не проворонил. Марочкин прокрался по коридору, приник к глазку, но открывать не торопился. Гуров этого ожидал, поэтому поведение Марочкина его не беспокоило.

— Игорь Марочкин, откройте! — громко, чтобы звук его голоса достиг всех этажей, выкрикнул Гуров. — Открывайте, полиция!

За дверью ничего не изменилось, теперь Марочкин старался даже не дышать. Возможно, он думал, что если не выдаст своего присутствия, то полиция постучит-постучит и уйдет восвояси? Гуров решил избавить Марочкина от иллюзий.

— Марочкин, если вы немедленно не откроете, мои парни вынесут дверь, — пригрозил он. — Не усугубляйте своего положения, откройте, мы поговорим.

В замке зашебуршало, но было непонятно, открывает его Марочкин или наоборот укрепляет, закрывая на все доступные засовы.

— Игорь Марочкин, это полковник Гуров. У меня на руках постановление на ваш арест. Ваше положение и без того незавидное, не прибавляйте к этому еще и сопротивление властям.

После такого заявления Марочкин молчать больше не мог.

— На каком основании вы ломитесь в мою квартиру? — трепещущим то ли от страха, то ли от возмущения голосом выкрикнул он. — Если у полиции есть ко мне вопросы, достаточно было просто прислать повестку. Могли бы и телефонным звонком обойтись. Я добропорядочный гражданин и с властями сотрудничаю. Вам это прекрасно известно, товарищ полковник. Мы ведь встречались, и не раз.

— Обстоятельства изменились, Марочкин, — объяснил Гуров. — Причем не в вашу пользу. Открывайте, время истекает.

— Почему с вами вооруженные люди?

— Потому что преступников задерживают люди с оружием, — невозмутимо ответил Гуров.

— Преступников? По-вашему, я преступник? — Марочкин чуть не захлебнулся от возмущения.

— Ну, все. Хватит с меня дискуссий. Парни, ломайте дверь, — обращаясь к бойцам группы захвата, проговорил Гуров и отошел в сторону.

— Стойте, не нужно ничего ломать, — увидев, что парни настроены решительно, закричал через дверь Марочкин. — Я открываю!

Снова защелкали замки, на этот раз дверь действительно открылась и... тут же отлетела в сторону, резко ударившись ручкой о стену. С потолка посыпалась штукатурка. Марочкина швырнули на пол, руки завернули за спину. Щелкнули наручники, и через несколько секунд все закончилось. Двое парней в камуфляже проверили комнаты, третий поволок Марочкина в гостиную, бросил, как куль, на диван и встал у стены. Автомат снова перекочевал на грудь. Мощные руки омоновца покоились на прикладе, но это спокойствие обычно леденило душу тех, кто стоял по другую сторону закона.

Полковник Гуров с разговором не спешил. Он медленно обходил комнату, разглядывая снимки в фоторамках, безделушки на полках и другие предметы интерьера. Закончив с этой комнатой, он переместился в соседнюю. Марочкин остался один на один с вооруженным бойцом. Это беспокоило директора заемной фирмы, парням в черных масках он привык не доверять. Молчание полковника Гурова тоже надежды не вселяло. Преодолев страх, который нагнал своим спектаклем полковник, Марочкин решился взять инициативу в свои руки.

— Товарищ полковник, Лев Иванович, может, объясните, что происходит? — выкрикнул он.

Ответа не последовало. Все, что было слышно из соседней комнаты, — это тихие, размеренные шаги.

— Гуров! Полковник Гуров. Прошу вас, подойдите. Не могу же я кричать на весь дом, — Марочкин вытягивал шею, стараясь разглядеть, что творится в других комнатах. Встать или переместиться он не решался. Человек в маске мог отреагировать быстрее, чем полковник успеет отдать приказ. Интернет сплошь кишел видеороликами, где такие вот парни жмут на курок быстрее, чем успевают получить на это запрет, и невинная жертва умирает на глазах ошеломленной публики. Нет уж, увольте, Марочкин не собирается становиться человеком, которого «случайно подстрелил омоновец».

— Товарищ полковник, ну хватит уже. Я напуган и готов сотрудничать. Возвращайтесь! — Марочкин не оставлял попыток докричаться до Гурова.

Страха в его голосе было ровно столько, насколько угрожающе выглядел его охранник. Было ясно, что пока этот страх сиюминутный, не за будущее в целом, а за конкретный момент жизни: главное, не дать повода прикончить себя сейчас, а дальше все как-то утрясется — вот что звучало в голосе директора заемной фирмы.

К счастью, Гуров и не ждал, что хозяина квартиры можно так легко запугать. То, что происходило сейчас, являлось только первым актом подготовленного Гуровым спектакля.

Посчитав, что время настало, Гуров вернулся к Марочкину. Он выбрал стул поудобнее, передвинул его в центр комнаты, уселся верхом и добрых пять минут смотрел на задержанного долгим взглядом. Почему-то этот взгляд мешал Марочкину завести свою песню про права и обязанности. Он ждал, что полковник заговорит первый. И тот заговорил:

— Я думал, вы умный человек, гражданин Марочкин, — это были вступительные слова полковника. — Умный и дальновидный. Но я ошибался.

— Мне трудно вести диалог, не имея представления, чему я обязан этим спектаклем, — слова Марочкина не имели никакого отношения к тому, что сказал Гуров, но его это не волновало. — Возможно, мне давно уже следует потребовать адвоката. Возможно, все это не более чем нелепое недоразумение, но я этого не знаю, потому что вы ничего мне не говорите.

— Хотите конкретики? Что ж, ладно. Вчера был арестован Кувват Умянцев.

— Это должно меня беспокоить? — Марочкин изо всех сил старался не выдать, насколько сильно шокировала его эта новость. — Наверняка у вас были на это причины.

— Были, — согласился Гуров. — Он совершил убийство. Застрелил человека на парковке возле собственного дома. Покойный не дошел до квартиры каких-то ста метров. Обидно, правда?

— Я бы с удовольствием поддержал вас и пожалел неизвестного, которого лишили жизни, но сейчас моя ситуация беспокоит меня куда сильнее, — тщательно подбирая слова, заявил Марочкин.

— И правильно. Своя рубашка... и все такое, — Гуров вроде как был согласен с позицией Марочкина. — Тем более ваше положение куда хуже, чем у того бедолаги.

— Хуже? Не понимаю, — Марочкин продолжал играть неведение.

— Ну, если вас не пугает перспектива следующие двадцать пять лет провести в компании ребят в наколках. — Гуров многозначительно замолчал.

— Вы же сказали, что Кувват совершил убийство, так почему посадить должны меня? — Марочкин сделал вид, что удивлен.

— Потому что это вы приказали ему убрать Рауфа Гулиева, — в лоб заявил Гуров.

— Что за бред? Это просто невероятно! Я понятия не имею, зачем этому человеку очернять меня, но заявляю официально: это клевета и навет. Никогда, ни при каких обстоятельствах, ни одному человеку я не отдавал приказа убить кого-либо. Рауфа Гулиева в том числе.

— Надеетесь, я вам поверю? — Гуров усмехнулся. — После того как вы лгали мне два дня подряд? Вы бы на моем месте поверили лгуну?

— Я не лгун!

— Лгун, причем совершенно бездарный. Вчера вы сказали, что мужчина в кафе за вашим столиком — не более чем случайный сосед. Не поленились придумать интересную историю про рыбалку и дежурные блюда кафе. Все это замечательно, кроме одного маленького нюанса: вы забыли упомянуть о том, что ваш собеседник вот уже шесть лет работает на вас. Забыли сказать, что его имя Кувват Умянцев. Не упомянули и о том, что трижды посылали Умянцева к своему клиенту Рауфу Гулиеву с целью заставить выплатить долг. Кстати, последний визит произошел как раз накануне убийства Рауфа Гулиева. Нет, не так: последний визит произошел в момент убийства Гулиева.

— Послушайте, все не так, как выглядит со стороны, — Марочкин понял, что отпираться бесполезно, нужно менять тактику. — Если вы дадите мне возможность, я объясню.

— Что ж, попытайтесь, — легко согласился Гуров.

— Да, я сказал неправду. Кувват Умянцев действительно работал на меня. Не то чтобы работал, скорее время от времени выполнял некоторые поручения. Это не рэкет, не выколачивание долгов, а вполне законная деятельность. Человек взял деньги, вместе с ними взял обязательства, но не выполнил их. Фирма имеет полное право потребовать погашения долга.

Как только Марочкин назвал имя Умянцева и признал, что знаком с ним, Гуров понял: самое время переходить в наступление. Он грубо оборвал Марочкина и заговорил сначала медленно, потом все убыстряясь, пока не перешел на крик:

— Не морочьте мне голову, господин директор. Я все знаю, ваш так называемый друг сдал вас со всеми потрохами. Хотите расскажу, как все было? Это вы наняли Куввата Умянцева для того, чтобы он убрал Рауфа Гулиева. Вы дали ему пистолет марки «Гюрза» и коробку патронов. Вы снабдили его адресом Гулиева, дали описание его машины, а также сообщили точное время, когда тот сможет застать Рауфа Гулиева во дворе. После этого вы позвонили Гулиеву и назначили встречу. Место специально выбрали удаленное, с таким расчетом, чтобы он не смог вернуться домой раньше условленного времени. И когда Гулиев появился во дворе, Кувват Умянцев убил его, произведя один выстрел в грудь. На следующий день, во время встречи в кафе, Кувват Умянцев получил от вас конверт с гонораром за выполненную работу. Сумма гонорара составила тысячу долларов США. А теперь ответьте мне, Марочкин, за что вы убили Рауфа Гулиева? В чем истинная причина? Чем он вам не угодил? Говорите! Немедленно говорите!

Пока Гуров говорил, глаза Марочкина расширялись все больше и больше. Сначала он пытался возражать, открещиваться от страшных обвинений, но по мере рассказа Гурова, ужас осознания того, как сильно он влип, лишил Марочкина способности говорить. Все, что он мог, это раскачиваться из стороны в сторону, выкрикивая одно-единственное слово.

— Нет, нет, нет! — твердил Марочкин, буквы сливались в один непрерывный поток, пока не потеряли смысл.

Гуров позволил Марочкину опуститься на самое дно отчаяния, прежде чем бросил «спасательный жилет».

— Довольно, Игорь, довольно, — Гуров ободряюще похлопал Марочкина по плечу. — У вас еще есть шанс облегчить положение. Расскажите все, и обещаю, я лично буду ходатайствовать о смягчении приговора. Ну же, скажите, почему вы заказали убийство Рауфа Гулиева?

— Да нет же, я этого не делал! Умянцев врет, хочет всю вину свалить на меня. И ведь он тоже не убивал Гулиева. Это сделал не он, а кто-то другой. Я скажу. Скажу все, что знаю и о чем догадываюсь. По-моему, я знаю, кто мог убить Рауфа и почему. Возможно, это плохо, что я не рассказал вам сразу же, в нашу первую встречу, но и вы меня поймите. Вся эта история слишком неправдоподобна. Как я мог открыться вам? Я не хотел, чтобы меня обвинили в убийстве.

— Начинайте рассказывать, — с нажимом произнес Гуров, и Марочкин поведал ему историю, которая привела Рауфа Гулиева к смерти, Куввата Умянцева в СИЗО, а самого Марочкина к страшным обвинениям.

Несколько месяцев назад в Москве появилась новая банда, верховодил в банде молодой парень по кличке Вегас. Кто он такой и как попал в Москву, никто не знал. По крайней мере Марочкину собрать информацию на Вегаса не удалось. А тот даром времени не терял: в традициях «лихих девяностых» он совершал наезды на микрофинансовые организации типа «Акция-Займ». Требовал списки должников из числа тех, кому долги выплачивать не с чего. Он предлагал владельцам заемных фирм выкупить долги их заемщиков по сходной цене, разумеется, весьма заниженной, аргументируя требование тем, что «мало лучше, чем ничего». Те, кто отказывался делиться списками, вскоре ощутили существенный «недобор» со стороны должников. Их должники попросту исчезали бесследно, либо оказывались мертвы. Причем причины смерти были всегда естественного характера.

Все это Марочкин узнал только тогда, когда произошел наезд на него самого. В один из тихих осенних вечеров люди Вегаса ввалились в его кабинет. Озвучили требование, дали срок на раздумье. Тридцать минут. Эти полчаса ничего трагичного не происходило. Посидели, помолчали, поглядывая на часы. Спустя полчаса Гребень, полномочный представитель Вегаса, объявил, что время истекло. Он ждет ответа.

Марочкина предложение Вегаса не прельстило, и он отказался. Внешне Гребень воспринял слова Марочкина спокойно, подал знак своим людям, и они ушли. Тому, как легко отделался, Марочкин радовался до восьми утра. Пока не позвонила офис-менеджер Татьяна и не сообщила, что офис вскрыли. Марочкин помчался в контору. Люди Вегаса, отключив сигнализацию, взломали дверные замки, вскрыли компьютерную базу и забрали списки всех клиентов вместе с адресами, паспортными данными и долговыми суммами.

После этого все затихло. Две или три недели прошли без последствий, будто никакой кражи и не было. И снова Марочкин радовался, на этот раз тому, что не стал впутывать полицию, и снова эта радость оказалась преждевременной, потому что его должники начали умирать, не заплатив долга.

Про первую жертву Марочкин узнал совершенно случайно. Умер его сосед, вредный сварливый старикашка. За всю свою жизнь он никому не сказал доброго слова. Вот почему хоронить старика оказалось некому. Домоуправ, дотошная баба, отыскала дальнюю родственницу, внучатую племянницу двадцати шести лет. Та имела глупость согласиться устроить похороны, тем более что деньги на погребение старикашка скопил сам.

Только вот похороны, даже если ты имеешь достаточно денег, дело хлопотное и не каждому под силу. Девушка побегала-побегала по инстанциям и поняла: ей нужна поддержка, крепкое мужское плечо. А тут как раз Марочкин по лестнице поднимается. Красавица блондинка с приятными формами не оставила Марочкина равнодушным, он взялся ей помочь, и таким вот образом оказался на кладбище.

В один день со старикашкой буквально могила в могилу хоронили очень примечательную личность: профессионального должника Гришу Пятицентовика. При жизни Гриша успел побывать клиентом всех московских банков и заемных фирм, пока не опустился на самое дно. Он набрал столько долгов, что выплатить их законным способом не представлялось возможным. Помимо долгов у Гриши была страсть: он играл. И иногда даже выигрывал, чем покрывал некоторые долги, благодаря чему для ссудодателей все еще оставался в числе небезнадежных должников. Увидев свежую могилу и сиротливо торчащую из земли фотографию Гриши, Марочкин понял, что с него он долг уже не получит никогда.

Потеряв Гришу как клиента, Марочкин не особо расстроился. Такое случается, должники умирают, а их долг ложится бременем на фирму. Но когда в деревянном костюме оказался десятый клиент фирмы «Акция-Займ», Марочкин всерьез забеспокоился. Он попросил бухгалтера предоставить ему список клиентов, составил его по фильтру от самого высокого к самому низкому. Получив желаемое, Марочкин взглянул на список и сразу понял: его клиенты умирают не естественной смертью. Все десять покойников стояли в начале списка.

Чем больше проходило времени, тем больше клиентов становились мертвецами. Люди Вегаса шли почти точно по фильтру Марочкина, выбирая тех, у кого долг посерьезнее. Пару раз они выходили на Марочкина, но на этот раз он даже не начинал разговор. Что они хотели теперь, он не знал. Так прошло четыре месяца. Кое-кто из списка все-таки уцелел, такой избирательности Марочкин не понимал, но видел, что должники, оставшиеся в живых, каким-то образом наскребли денег для возврата долга.

Марочкин понял, что его клиентов Вегас разводит не ради возврата долга. В этом случае он мог просто открыть в Москве свою контору по выдаче моментальных кредитов и наслаждаться спокойной жизнью. Идиотов, готовых добровольно лезть в долговую яму, в Москве пруд пруди, да еще со всей страны каждый день едут, так что ряды клиентов не редеют. Но Вегас этого не сделал, значит, есть у того какой-то свой, особый расчет.

Тогда Марочкин решил выяснить, по какой схеме работает Вегас. Он пытался придумать план, как разобраться в хитрой игре Вегаса, и пришел к выводу, что единственная возможность — заслать к нему своего человека. Но кого? Людей у Марочкина было не так много, и наверняка люди Вегаса знают их в лицо. Умянцев на человека, способного промотать состояние, совсем не похож, его кандидатуру Вегас не схавает. Тогда кого?

И тут ему позвонил Рауф Гулиев, один из тех должников, которые вряд ли когда-нибудь сумеют целиком набрать сумму, которую задолжали, но на которых можно заработать неплохие проценты. Он начал разговор с того, что принялся уговаривать Марочкина передвинуть сроки оплаты долга.

— Проценты я плачу, а сумму наберу чуть позже, — убеждал он Марочкина. — Дайте хотя бы две недели. Три дня это слишком мало.

Марочкин сверился с базой: срок Рауфа никто не двигал.

— Мы ждем оплаты долга к концу месяца, — заверил Марочкин. — Разве вас это не устраивает?

— Тогда зачем вы звоните и угрожаете? Зачем говорите про три дня? — Гулиев так удивился, что даже забыл, что с кредиторами нужно быть повежливее.

— Кто вам звонил? — насторожился Марочкин.

— Ваши люди, разве нет?

И Гулиев рассказал, как некто от имени Марочкина позвонил час назад и потребовал погашения всей суммы долга и дал три дня срока на отдачу. Гулиев потому и позвонил, что хотел договориться с Марочкиным как с главным кредитором.

Марочкин понял, что это его шанс узнать схему, по которой работает Вегас. Он велел Рауфу к вечеру приехать в офис. Тот согласился, но вечером вдруг перезвонил и сказал, что прийти не может — его ждут люди, требующие долг. Марочкин сказал, что он должен обязательно пойти, а их встречу можно перенести.

Итак, теперь Марочкин знал, что Гулиев встретился с людьми Вегаса и получил от них какое-то предложение. Гулиев обещал приехать к Марочкину через два дня, но за день до этого Марочкин решил подстраховаться: он отправил за Гулиевым Умянцева. Марочкин решил увести у Вегаса из-под носа Рауфа Гулиева, затем Умянцеву и пистолет понадобился. На случай, если Гулиев испугается и не поедет. Но все пошло не по плану. Умянцев подкараулил Гулиева во дворе дома, но поговорить не успел, того убили.

— Вот тогда мне стало ясно: с Вегасом лучше не связываться. Пусть делает что хочет, пусть потрошит моих клиентов, мне все равно.

— Странная позиция, — покачал головой Гуров.

— Ничего странного. Списки я ему не давал, значит, и смерть всех этих людей не на моей совести. Каким об-

312

разом Вегас сговорился с местными криминальными воротилами и почему те позволяют ему делать все, что он захочет, я не знаю и знать не хочу. Только Вегаса и его банду никто не трогает.

Гуров задумался. Отправляясь к Марочкину, он и не думал, что тот причастен к убийству Гулиева. Он был уверен, что таким образом кто-то пытается запугать самого Марочкина. Телефонные звонки с номера-клона, сброшенные вызовы, подстава с маркой пистолета, а также место и время убийства — все говорило о том, что на Марочкина идет наезд. По доброй воле, без провокации, Марочкин не стал бы откровенничать с полковником полиции, это Гуров тоже понимал, но такого поворота он никак не ожидал. Банда в стиле девяностых? Только этого не хватало.

Время шло, нужно было решать, что делать с Марочкиным. Оставить его дома невозможно, люди Вегаса наверняка что-то заподозрят. С другой стороны, забери Гуров Марочкина, и Вегас ляжет на дно. Вряд ли он поверит в то, что директор заемной фирмы стойко защищает интересы конкурента и молчит о краже базы фирмы. «Хоть так, хоть этак — все плохо, — размышлял Гуров. — Похоже, Марочкина все же придется отпустить. Уйти с той же помпой, что и пришли, не так уж сложно».

— Значит, так, — приняв решение, проговорил Гуров. — То, что вы сообщили, требует тщательной проверки. До тех пор, пока я не получу подтверждение вашим словам, вы будете находиться под постоянным надзором.

— Вы не арестуете меня? — удивился Марочкин.

— Нет, если мы хотим сохранить ваши откровения в тайне от Вегаса, вам придется жить обычной жизнью, — объяснил Гуров. — Сегодня вам лучше остаться дома, а с завтрашнего дня можете выходить на работу. Если вдруг Вегас и его люди появятся, сразу сообщайте мне.

Гуров инструктировал Марочкина еще минут сорок, затем бойцы ОМОНа шумно вывалились из квартиры, полковник Гуров вышел на лестничную площадку, сопровождаемый Марочкиным, долго и громко извинялся, ссылаясь на бюрократические ошибки. Марочкин вяло подыгрывал, обещая пожаловаться «куда следует». Бойцы погрузились в микроавтобус, двор опустел.

В Управление Гуров вернулся озабоченный, но довольный и прямо в дежурке получил приказ явиться к Орлову с отчетом. Распустив людей, Гуров забежал в кабинет за бумагами и без четверти одиннадцать стоял у дверей кабинета Орлова. Секретарша Верочка вежливо попросила подождать.

— У генерала посетитель, — сообщила она.

— Послушайте, Верочка, вам не трудно будет связаться со мной, когда генерал освободится? Если бы вы были так любезны, я бы потратил время ожидания с большей пользой, чем протирать обивку кресел в приемной.

Верочка согласилась, и Гуров вернулся к себе. После того как разговор с директором фирмы «Акция-Займ» стал максимально откровенным, Гуров потребовал с него список всех должников, которые умерли за последние полгода. Хвала современным технологиям, Марочкину для удовлетворения просьбы Гурова даже из дома выходить не пришлось. Включил компьютер, активировал удаленный доступ, и файлы фирмы полетели на электронную почту полковника.

Теперь Гурову оставалось лишь скачать документ и внимательно его изучить. По статистике смертей клиентов фирмы «Акция-Займ», цифра получилась серьезная: шестьдесят процентов должников уже отправились в мир иной, еще двадцать пять исчезли в неизвестном направлении. Гуров выделил фамилии покойных в отдельный список, позвонил капитану Жаворонкову и велел сделать запрос на все указанные фамилии. Его интересовали официальные заключения о причинах смерти и имена тех, кто эти причины устанавливал. Он надеялся выявить закономерность, связанную со всеми покойными.

Больше он ничего сделать не успел: заработал селектор, и Верочка объявила, что посетитель генерала ушел. Гуров в очередной раз собрал все бумаги и отправился на доклад к начальству.

— Товарищ генерал, по делу Гулиева есть подвижки, — входя в кабинет, отрапортовал Гуров.

— Для начала объясни, почему в восемь утра, придя на службу, я вдруг узнаю, что мои подчиненные отправились на задержание? Не имея санкции прокурора, не ставя меня в известность. Да еще ОМОН задействовали. Это что, новая практика?

— Обстоятельства требовали действовать быстро, — ответил Гуров, а про себя подумал: в этой конторе ничего невозможно скрыть, а еще говорят, что самые длинные языки — в женском коллективе.

— Настолько быстро, что не хватило времени телефон к уху поднести? — съязвил Орлов.

— Для максимально эффективного результата нужен был элемент неожиданности. Я хотел застать фигуранта дела в домашней обстановке. И я не ошибся, товарищ генерал. Результат говорит сам за себя.

— Докладывай, — приказал Орлов.

— Сегодня утром мы провели следственный эксперимент на месте преступления, — начал Гуров. — В результате этого эксперимента мы пришли к выводу, что Стрелок, он же убийца Рауфа Гулиева, оказался на месте преступления не спонтанно. Это был тщательно разработанный и осуществленный план. И еще один вывод: смерть Гулиева имеет к его долгам лишь косвенное отношение.

— Все это ты выяснил, осматривая двор убитого? — уточнил Орлов.

— Так точно, товарищ генерал. Сомневаться в первоначальной версии нас заставило признание задержанного Умянцева. Его словам мы и пытались получить подтверждение.

— Получили?

— Да, Петр Николаевич, получили. Мы определили, где находился Стрелок в момент убийства. Затем мне в голову пришла мысль: что, если смерть Гулиева лишь средство запугать директора заемной фирмы Игоря Марочкина, должником которого является Гулиев? Вчера был задержан помощник Марочкина, Кувват Умянцев. Он был на месте преступления в момент убийства. Я принял решение спровоцировать Игоря Марочкина, используя этот факт.

— Вот как? Обоснуй, — приказал Орлов.

Гуров рассказал все, что произошло утром, опуская тот факт, что в следственном эксперименте принимал участие полковник Крячко. Затем выложил перед генералом статистику смертности клиентов фирмы «Акция-Займ».

— Посмотрите на цифры, — он указал на нужные строки. — Впечатляет, правда?

— Да, уж, — хмыкнул Орлов. — Похоже, фирму пора переквалифицировать в похоронное бюро.

— Вот и я о том же, — подхватил Гуров. — Чтобы столько смертей, и все по естественным причинам? Быть такого не может.

— Что собираешься делать? — задал главный вопрос Орлов.

— Разбираться, — просто ответил Гуров. — Соберу сведения о покойных, выясню обстоятельства их смерти, пообщаюсь с родственниками. Есть вероятность, что причину смерти констатировал один и тот же врач. Это послужит хорошей зацепкой. Если же эта версия провалится, возьму в разработку клиентов «Акция-Займ», кому посчастливилось остаться в живых. Возможно, они что-то расскажут.

— Это хорошая идея, — одобрил генерал.

— Еще нужно выяснить, кто такой этот Вегас, откуда взялся и почему московские авторитеты позволяют ему хозяйничать на их территории, — продолжил Гуров.

— Думаешь, один справишься? — в голосе генерала звучало сомнение.

— Выбора нет, — ответил Гуров. — Все мероприятия нужно провести как можно скорее. Я чувствую, что дело куда серьезнее, чем просто выколачивание денег из заемщиков.

— Держи меня в курсе, — попросил Орлов. — Я постараюсь потянуть время с докладом наверх, но и ты уж поспеши. Послезавтра планерка, убийство Рауфа Гулиева будет обсуждаться одним из первых. К этому времени хотелось бы иметь что-то более конкретное, чем твои ощущения и подозрения Марочкина.

— Если позволите, я бы хотел привлечь к делу Онучкина и Хватова. Слежку за Ревошиным и Людмилой Гулиевой все равно нужно снимать, это лишь пустая трата времени и человеческих ресурсов. С Марочкиным придется еще поработать, нельзя оставлять его без надзора, мало ли что ему в голову придет. Да и насчет Вегаса нельзя быть уверенным, что он не захочет убрать и директора.

— Хорошо. Действуй так, как считаешь нужным, — снова одобрил Орлов.

— Разрешите идти? — поняв, что разговор окончен, спросил Гуров.

— Иди, Лев Иванович, — разрешил Орлов и неожиданно добавил: — Да, не вовремя Крячко решил в больничке отлежаться.

— Ничего, я справлюсь, — пообещал Гуров и вышел из кабинета.

Глава 9

До восьми часов вечера автомобиль Мейерхольда накрутил на спидометре километраж, равный поездке до Ярославля. За это время двигатель дважды был на грани «закипания», система охлаждения не справлялась с объемом работы, к тому же температура воздуха в Москве поднялась до критической отметки в тридцать пять градусов и, похоже, не собиралась снижаться, несмотря на вечернее время.

Но полковника Гурова этот вопрос не волновал. Пусть о закипевшем двигателе водитель беспокоится, его же задача — за один день выполнить объем работы, с которым при обычных обстоятельствах неделю возился бы целый отдел.

И Гуров справлялся. Забрав у капитана Жаворонкова списки лечебных учреждений, в которых устанавливали причины смерти клиентов фирмы «Акция-Займ», он методично объезжал их. Помимо этого, встречался с родственниками умерших, собирая всю возможную информацию.

Но и к восьми вечера, обработав две трети списка, ему не удалось выявить никакой закономерности. Это выводило полковника из себя. Как такое возможно? Сорок человек за малый промежуток времени отправились к праотцам, он, полковник Гуров, знает наверняка, что смерти их не были случайны, а никаких зацепок обнаружить не удается.

— Товарищ полковник, может, в кафешку заглянем, поедим чего-нибудь? — закинул удочку Мейерхольд. Он устал не меньше Гурова. За весь день во рту маковой росинки не было, все, что он успел перехватить, — это бутылка минеральной воды с уличного лотка, но едой это вряд ли назовешь. — У меня седалище в лепешку. Давайте прервемся хоть на полчаса. Никуда ваши покойники не денутся.

— Они-то не денутся, а вот новые запросто могут появиться, — выходя из задумчивости, ответил Гуров. — Не могу понять, Леонид, каким образом они это проворачивают?

— Снова вы за свое, — застонал Мейерхольд, этот вопрос на протяжении дня он слышал раз двадцать. — Говорю вам, надо отвлечься. Вы зациклились на проблеме, мозг недополучил питательных веществ, вот ответ и не приходит.

— Ты прав, мне нужна встряска, — внезапно согласился Гуров. — Поступим так: берем еду в первом же кафе и едем к Стасу. Мозговой штурм мне не помешает.

— Снова в госпиталь? Нас оттуда погонят, — озабоченно проговорил Мейерхольд. — Я же вам докладывал, возвращение полковника Крячко прошло не совсем гладко.

Гуров вспомнил, что рассказал Мейерхольд в промежутке между опросами свидетелей и патологоанатомов. В здание госпиталя Крячко проник без проблем, и даже до палаты добрался, не привлекая внимания персонала, несмотря на то, что Мейерхольду не удалось найти медсестру Лидочку, но когда пришли врачи на утренний обход, в их компании оказался главврач. Брови его сердито сходились на переносице.

Оказалось, что в шесть утра тот заходил в палату полковника, чтобы, пользуясь свободной минуткой, лично осмотреть больного. Как же он был удивлен, когда больного не оказалось на месте. Дежурная медсестра мямлила что-то невразумительное, но главврач, когда того требовали обстоятельства, мог быть весьма настойчив. Лидочке пришлось признаться в содеянном, за что она получила нагоняй и строгий выговор, к счастью, только в устной форме. В качестве наказания она получила индивидуальное задание: следить за больным днем и ночью до тех пор, пока того не выпишут, и поклялась не подпускать к полковнику посетителей ближе чем на двадцать метров, а это означало, что больше Гурова к Крячко не пустят.

— Ничего, как-нибудь прорвемся, — Гуров беспечно махнул рукой, он был уверен, что уж с этой-то проблемой он справится.

— Как скажете, товарищ полковник, только я уверен, что мы зря потеряем время. — Мейерхольд снова завел усталый двигатель и на малом ходу поехал вперед.

Впереди, метрах в пятидесяти от места стоянки, он заметил вывеску, обещающую выдать покупателю волшебный обед за полминуты. Остановив машину, Мейерхольд выскочил на тротуар и помчался к ларьку с вожделенной едой. Не спрашивая мнения полковника, он набрал полный пакет булок и лапши, прихватил три бутылки газировки и вернулся обратно. Сложив покупки на заднее сиденье, снова завел двигатель и поехал в госпиталь.

Как и в прошлый раз, ворота для въезда на территорию госпиталя оказались закрыты. Нагрузившись пакетами, Мейерхольд и Гуров прошли к пропускному пункту. К счастью, на пропускной пункт приказ главврача передать не удосужились, поэтому охранник, изучив удостоверение полковника, уважительно кивнул и открыл калитку. Вход в вестибюль для ожидающих родственников тоже оказался открыт, но дальше суровой вахтерши им пройти не удалось.

— Часы посещения закончились, — на все уговоры монотонно твердила вахтерша. — Приходите завтра.

— Завтра будет поздно, — увещевал Гуров. — Поймите, это не просто светский визит, а производственная необходимость. Ведется расследование, и ваши действия могут быть приравнены к препятствию следствию.

— К чему хочешь их приравнивай, — вахтерша оставалась непреклонной. — Только сегодня ты к своему другу не попадешь. Это у вас — следствие, а у нас больничный ре-

319

жим. Шли бы вы отсюда подобру-поздорову, иначе вызову главврача, он вам объяснит, кого куда приравнять.

Гуров понял, что этот бастион им не взять, махнул рукой Мейерхольду и вышел во двор.

— Я же вас предупреждал, — начал Мейерхольд.

— Погоди, Леонид, я что-нибудь придумаю, — остановил его Гуров.

Он набрал номер Крячко. Тот выслушал Гурова и велел ждать во внутреннем дворе. Гуров и Мейерхольд перешли во внутренний двор, уселись на скамейку и стали ждать. Спустя десять минут дверь служебного хода открылась и из нее вышел полковник Крячко. Лицо его светилось от радости.

— Здорово, старики-разбойники, — приветствовал он друзей. — Что, задала вам трепку тетя Поля?

— Это вахтерша? — догадался Мейерхольд. — Ну да, пошумела немного.

— Она может, — одобрительно проговорил Крячко. — Она даже с главврачом спорить не боится, а его и врачи стараются стороной обходить, как только увидят сдвинутые брови.

— Есть хочешь? Леонид тут кучу всего накупил, — кивнув на пакет, предложил Гуров.

— Не, я сыт, — отказался Крячко. — А вы ешьте, не стесняйтесь. У Лени взгляд такой голодный, что страшно рядом с ним сидеть, того и гляди от бока кусок отчекрыжит.

— Мы весь день на колесах, — оправдывался Мейерхольд, впиваясь зубами в хрустящую булку с мясом.

— Лопай, болезный, а то вон скулы кожей обтянуло, как у покойника, — добродушно поддел Крячко и, переходя на серьезный тон, обратился к Гурову: — Что, не складывается картинка? По лицу вижу, не складывается. Выкладывай, что там у тебя.

Гуров рассказал про психологическую атаку на Марочкина, про ее результаты и про все следственные мероприятия, проведенные после этого. Разложил по полочкам результаты опросов, свидетельские показания, не забыв представить статистику, собранную Жаворонковым.

— И вот после всего того, что мы перепахали за день, у нас на руках ни одной зацепки, — подытожил Гуров. — Я снова в тупике, и это бесит.

— По Вегасу что? — деловито осведомился Крячко.

— Да в том-то и дело, что ничего! Он, точно фантом, существующий лишь в воображении Марочкина и Умянцева. Кстати, Умянцев слово в слово подтвердил рассказ босса. Учитывая тот факт, что он находится в заключении и возможности сговориться с Марочкиным у него нет, я склонен ему верить. Разве что они заранее проработали этот вариант.

— Сомнительно, — протянул Крячко. — Вегаса надо искать, не может быть, чтобы он нигде не засветился. Должен же он был где-то нарисоваться до того, как приехал в столицу.

— По логике — должен, по факту получается, что нет, — пожал плечами Гуров.

— Значит, ты не в том месте ищешь, — заявил Крячко.

— Очень многозначительное замечание, — проворчал Гуров. — Будто я сам этого не понимаю.

— Слушай, идея Марочкина насчет подставной утки не так уж плоха. Что, если тебе ею воспользоваться? Подсунуть Вегасу своего человека, пусть он его раскручивает, а ты получишь всю информацию из первых рук, — предложил Крячко.

— Уже думал об этом. Но как? Технически это невозможно. Списки должников «Акция-Займ» на руках у Вегаса, внести туда нового человека просто невозможно. Разве что...

Взгляд Гурова застыл в одной точке, это означало, что гениальный мозг посетила идея.

— Видишь, как благотворно я влияю на его мозговую деятельность? — усмехаясь, проговорил Крячко, обращаясь к Мейерхольду. — Он буквально зажигается идеями рядом со мной.

— Погоди, Стас, не трещи. Похоже, мы сможем это сделать, — остановил друга Гуров. — Дай минутку, надо кое-что обдумать.

На обдумывание нового плана Гурову понадобилось чуть больше минутки. Крячко и Мейерхольд послушно молчали, ожидая, что выдаст им полковник. Мейерхольд продолжал поглощать булки. Делал он это с таким аппетитом, что Крячко решил присоединиться. К тому моменту, когда взгляд Гурова снова обрел нормальное выражение, пакет опустел ровно наполовину, а оба едока с набитыми до отказа животами откинулись на спинку скамейки.

— Стас, ты гений, — выдал Гуров. — Я знаю, как подсунуть Вегасу своего человека.

— Да, это так, — весело подтвердил Крячко. — Мой гений неоспорим. Выкладывай, что я там придумал?

— Мы не будем вносить новых людей в список, мы используем тех, кто уже в нем, — заявил Гуров и выложил перед Крячко список должников. — Смотри, все это время Вегас шел точно по списку Марочкина. Он косит должников, точно сорную траву. Люди для него что тараканы, с одной лишь разницей: некоторые тараканы все же приносят пользу, поэтому он и не уничтожает всех сразу. Он прощупывает их, понимаешь?

— Если честно, не совсем, — признался Крячко.

— Да как же? Все ведь ясно, — голос Гурова звучал несколько раздраженно. — Посмотри внимательнее.

— Лева, если ты вдруг решил поиграть в строгого учителя, который пытается добиться от ученика, чтобы он сам отыскал ошибку в уравнении, то советую бросить эту затею, — обиделся Крячко. — Не забывай, у меня в мозгу посторонняя жидкость, напрягать извилины мне физически противопоказано. Хочешь что-то сказать — говори, нет — отваливай.

— Прости, просто это ясно как божий день. Ладно, вот что я думаю: должники нужны Вегасу для выполнения какой-то работы. Те, кто соглашается, остаются живы, но исчезают. Пропадают из города, перестают общаться с родственниками и все такое. В то же время Вегас не хватается за каждого должника, не тратит время на их уговоры, он просто их убирает. Возникает вопрос: почему и зачем?

— Ну и? — поторопил Крячко.

— Убирает он их, чтобы они не смогли рассказать, какое именно предложение делает им Вегас. А косит, как траву, потому что фирма «Акция-Займ» не единственная лишилась списков своих должников. У него должников больше, чем песка на пляже, вот он и шикует.

— И что нам это дает? — спросил Крячко.

— У нас есть список, — ответил Гуров. — Мы навестим тех, кто еще жив, раньше Вегаса и сделаем им свое предложение. Кто-то должен согласиться.

— А как насчет других фирм?

— Наводить мосты с директорами других фирм просто нет времени, а в списке Марочкина осталось совсем немного фамилий, так что нам придется поторопиться. — Гуров начал водить пальцем по листу с фамилиями. — Вот, смотри: начиная с Фурсенко можем задействовать любого. Пожалуй, начать нужно прямо сейчас.

— И что ты им предложишь? — с сомнением в голосе спросил Крячко. — Выплатить их долг?

— Избавить от притязаний Вегаса. Я представлю им статистику, цифры отрезвляют куда лучше любых слов. Когда выбор стоит между жизнью, пусть с долгами, и смертью, как думаешь, что выберет должник?

— А если все они уже мертвы? Что, если список опустел, а ты просто этого не знаешь, — предположил Крячко.

— Этого не может быть, — уверенно заявил Гуров. — Должно же нам повезти. Должно. Если дело выгорит, мы сможем выйти на Вегаса, я это чувствую.

— Тогда вперед, — Крячко поднялся со скамьи. — Жаль, что не смогу помочь тебе обрабатывать клиентов, мою медсестричку могут уволить, если я снова сбегу.

— Я справлюсь, — пообещал Гуров. — Выздоравливай, Стас.

Спустя тридцать минут полковник Гуров стоял на лестничной площадке перед дверью одного из должников Марочкина. Мейерхольда он взял с собой, решив, что поднабраться опыта тому не помешает. Дверь открыла женщина средних лет с заплаканными глазами и черным платком на голове. Гуров понял, что опоздал, но уйти, не удостоверившись в своем предположении, он не мог, поэтому задал заранее заготовленный вопрос:

— Гражданин Фурсенко здесь живет?

— Вы к Стасику? Проходите, — безжизненным голосом ответила женщина и отступила в сторону, пропуская визитеров.

Гуров прошел в гостиную. Там, на двух табуретах стоял гроб с покойным, лицо его выглядело умиротворенным.

— Наши соболезнования, — участливо тронув женщину за плечо, проговорил Мейерхольд.

— Как это случилось? — задал вопрос Гуров.

— Инфаркт, — произнесла женщина. — Этого следовало ожидать. Все эти денежные проблемы не могли пройти бесследно. Эти угрозы...

— Угрозы? Ему кто-то угрожал? — Гуров напрягся.

— Кредиторы, — ответила женщина. — Они дали Стасику срок, он рассказал мне, но я ничем не могла помочь. Даже если бы мы смогли за три дня продать квартиру, этой суммы не хватило бы, чтобы покрыть весь долг, а ждать они не хотели. Я думаю, если бы сердце Стасика и выдержало, он сам наложил бы на себя руки. Уж лучше так.

— Вы видели тех, кто ему угрожал? — на всякий случай спросил Гуров.

— Нет, не видела. Они подкараулили его во дворе. Когда он поднялся в квартиру, его лицо было белее мела. Я так испугалась, что заставила рассказать все. Он и рассказал. Ну почему, почему он не сказал мне раньше? Вместе мы могли бы что-нибудь придумать, как-то выпутаться из этой ситуации.

Женщина начала рыдать, из кухни прибежали родственники. Они принялись успокаивать женщину. Гуров подал знак Мейерхольду, вместе они покинули квартиру Фурсенко. Оказавшись в машине, Мейерхольд не сразу сумел взять себя в руки, чтобы двигаться дальше. Даже видавшему виды полковнику Гурову было не по себе от этого марша смерти, что уж говорить о неподготовленном Мейерхольде, которому подобные ситуации были в новинку.

— Может, имеет смысл отложить встречи до утра, как-то неловко являться среди ночи в дом к покойникам, — нерешительно предложил Мейерхольд.

— Если вы хотите приносить пользу, вам придется научиться отбрасывать эмоции, — после минутной паузы, произнес Гуров. — Такова специфика нашей работы, мы не можем позволить себе ориентироваться на общепринятые правила и входить в положение. Этот человек мертв, и мы знаем, что его убили, но кто-то может быть еще жив, и от быстроты наших действий зависит, доживет ли он до утра. Возможно, для кого-то из списка Марочкина эта ночь окажется последней. Так что подотрите сопли и заводите мотор, Леонид. Мы будем объезжать людей по списку до тех пор, пока не получим то, ради чего все это начали.

Мейерхольд с минуту обдумывал сказанное Гуровым, после чего молча завел двигатель и спросил:

— Куда теперь?

— Лесная, двадцать пять, — сверившись со списком, сообщил Гуров, и машина выехала со двора.

На Лесной их снова ждала неудача. Дверь открыла молодая женщина и как только услышала произнесенное Гуровым имя, начала кричать на весь подъезд, точно умалишенная.

— Асташкин вам нужен? Муженька вам подавай? Свалил ваш Асташкин, как последний негодяй. Набрал долгов больше, чем звезд на небе, оставил меня без копейки и свалил. Кто теперь, скажите на милость, оплатит квартирные счета? Кто купит зимние сапожки моему сыну? Кто даст денег на помаду для дочери? Вы?

— Успокойтесь, гражданка, — Гуров поспешил достать удостоверение и сунуть его крикливой даме под нос. — Уголовный розыск. Как давно ваш муж исчез? Отвечайте правду, все сказанное может быть использовано против вас.

Грозное предупреждение подействовало, как ушат холодной воды. Женщина перестала кричать, глаза ее наполнились страхом, а голос приобрел заискивающие нотки.

— Какой такой уголовный розыск? Что еще натворил этот идиот? — растерянно переспросила она.

— Вопросы здесь задаю я, — строго произнес Гуров. — Отвечайте, как давно ваш муж не появлялся дома?

— Восемь дней, — поморгав, ответила женщина. — Как в понедельник ушел из дома, так больше и не возвращался. Мы, конечно, немного повздорили перед его уходом, но ведь это не повод бросать несчастную женщину с двумя детьми на руках.

— Вы ему звонили? — оборвал поток ее слов Гуров.

— Конечно, звонила. Только он трубку не берет, ирод. Отключил мобильник и радуется. Думает, я на него управу не найду.

— Куда он собирался идти в понедельник?

— В заемную фирму, названия не помню, — без запинки ответила женщина. — Он им кучу денег должен, а отдавать нечем. Наверное, хотел уговорить их отсрочить платежи.

— Перед этим ему звонили? Давали какие-то конкретные сроки? — продолжал давить Гуров.

— Кажется, да. Кажется, он говорил, что срок сократили, и он не понимает почему. Наверное, хотел разобраться, вот и пошел к ним в контору, — ответила женщина.

— Кажется? Вы не уверены?

— Я особо не прислушивалась, — призналась женщина. — Я ведь сразу была против, чтобы он с этими проходимцами связывался. Я ему говорила: идиот, не ходи к ним, они тебя как липку обдерут, останемся в одном исподнем. Но разве он меня когда слушает? Он ведь, финансист гребаный, все просчитывает, планирует. Вот и допросчитывался.

— Если он объявится, немедленно звоните мне. Вот моя визитка, не потеряйте.

Гуров сунул визитку в руку женщине, дал знак Мейерхольду и начал спускаться по лестнице.

— А что он натворил? — неслось ему вдогонку. — Он кого-то ограбил? Если так, я тут ни при чем. Этот идиот сам все придумал, я ему такого не советовала. Не верьте, если он станет утверждать обратное.

Уже в машине Гуров и Мейерхольд переглянулись и дружно рассмеялись. После тяжелой сцены в доме Фурсенко, негодование жены Асташкина казалось смешным.

— Вот видишь, Леонид, не все женщины одинаковы, — отсмеявшись, проговорил Гуров.

— Она действительно посоветовала ему пойти на ограбление? В самом деле? — удивленно переспросил Мейерхольд. — Разве такое бывает?

— Всякое бывает, — подтвердил Гуров. — Самое смешное, что он мог ее и послушать. Когда над головой завис меч, люди и не на такое решаются.

Отсмеявшись, отправились дальше. Лица и адреса сменялись, а результат оставался неизменным. Повезло им только на пятом адресе, когда стрелки часов перевалили за полночь.

Стоя перед дверью, Гуров сомневался, стоит ли беспокоить хозяев, два предыдущих адреса ничего интересного не принесли. Оба хозяина оказались мертвы.

«Ладно, на сегодня это последний. Если не повезет, продолжим утром», — мысленно решил Гуров, нажимая кнопку звонка.

Дверь открыли не сразу. Сперва Гуров ощутил на себе настороженный взгляд сквозь дверной глазок, затем грубоватый мужской голос спросил:

— Чего надо?

— Полковник Гуров, Московский уголовный розыск, — поднося удостоверение к глазку, ответил Гуров. — Гражданин Шошин здесь проживает?

— Зачем он вам? — снова тот же грубый тон.

— Есть вопросы, касающиеся фирмы «Акция-Займ», — подумав, что в конкретном случае лучше действовать в открытую, ответил Гуров.

— К ним и идите, — заявил голос.

— Никита Владимирович, не в ваших интересах отказываться от беседы. Речь идет о вашей жизни, — начал Гуров. — Не хотелось бы обсуждать это, стоя на площадке.

— А вот мне такой вариант общения нравится, — ответил Шошин.

— Хорошо, воля ваша, — не стал спорить Гуров. — К нам поступили сведения, что некая организация обращается к должникам фирмы «Акция-Займ» и от их имени требует немедленной выплаты займа. Дает небольшой срок на раздумье, после чего должник либо исчезает бесследно, либо умирает. Вам какой вариант больше по душе? Смерть или исчезновение?

Несколько минут из-за двери не доносилось ни звука, после чего защелкали замки. Дверь открылась, и Гуров встретился взглядом с Никитой Шошиным. Шошин Гурову понравился с первого взгляда. Высокий, с густой русой шевелюрой и мужественным, не лишенным интеллекта лицом, он смотрел на полковника прямо и открыто.

«И как его угораздило вляпаться в эту историю? — пронеслось в голове полковника. — На дурака он явно не похож».

Вслух Гуров говорить этого не стал. Прошел в прихожую, пропустив вперед оробевшего Мейерхольда. Крепкие бицепсы Шошина вызвали у того явное опасение, стоит ли соваться в логово зверя, не имея за спиной поддержки в лице бравых ребят с автоматами.

— Проходите на кухню, — предложил Шошин. — Там будет удобнее. Полагаю, разговор будет серьезным, а за такими разговорами я предпочитаю держать в зубах сигарету. Надеюсь, у вас нет астмы или аллергии на табак?

— Можете курить, это ведь ваша квартира, — вежливо заметил Мейерхольд.

Шошин бросил на него взгляд, полный недоумения, но тактично воздержался от комментариев. Все трое расположились за крохотным кухонным столом. Шошин, как и предупреждал, сунул в рот сигарету, щелкнул зажигалкой и, сделав пару затяжек, произнес:

— Вы начнете или я?

— Давайте для начала я обрисую ситуацию, чтобы вам было легче ориентироваться, о чем пойдет речь, — предложил Гуров.

Не встретив возражений, он сообщил все, что счел возможным о ситуации с должниками фирмы «Акция-Займ» и о деятельности Вегаса. Шошин слушал внимательно, время от времени втягивая в легкие очередную порцию дыма. Когда Гуров закончил, Шошин с минуту молчал. Затем предложил:

— Может, по чаю? Есть цейлонский и зеленый, не знаю, чьего производства, но, говорят, жутко полезный.

— На чай нет времени, — отказался Гуров. Мейерхольд, открывший было рот, чтобы согласиться на «неизвестный зеленый», снова его закрыл. Шошин сдержанно улыбнулся и щелкнул по кнопке электрического чайника.

— Поступим так: мы будем говорить, а ваш помощник может сам налить себе чай и наслаждаться напитком, — заключил он. — Итак, вы знаете о наездах и считаете, что сможете обезвредить преступника, если получите свидетеля, так?

— Не совсем, — медленно произнес Гуров. — Мы знаем имя преступника, и нам нужен человек, с помощью которого нам удалось бы на него выйти.

— И я — тот самый человек, — догадался Шошин. — То есть вы хотите, чтобы я сыграл роль живца.

— Это совершенно безопасно, — влез в разговор Мейерхольд, но перехватил сердитый взгляд Гурова и снова заткнулся. — Простите, пожалуй, я буду пить чай и наслаждаться.

— Стажер? — с улыбкой спросил Шошин.

— Что-то вроде того, — подтвердил Гуров.

— Знакомая ситуация, — произнес Шошин. — Время от времени и мне приходится стажеров натаскивать. Неблагодарное занятие, но только поначалу. Когда желторотик на твоих глазах превращается в профессионала, это довольно приятно.

— Вы ведь водитель, разве у вас тоже бывают стажеры? — не удержался от вопроса Мейерхольд.

— А как же. На трассу кого попало не выпустишь, вот и приходится учить новичков дорожной премудрости. Это только со стороны кажется, что работа дальнобойщика никаких сложностей не представляет. На самом деле и у нас куча подводных камней, способных испортить жизнь не одному только водителю, — заметил Шошин и неожиданно спросил: — Хотите узнать, как я попал в должники к «Акция-Займ»?

— Разумеется, — опередив Гурова, ответил Мейерхольд.

— На самом деле история банальная, — начал Шошин. — Такие ситуации для дальнобойщика не редкость.

Рассказчиком Шошин оказался превосходным. Слушать его было приятно и интересно. Междугородными перевозками Шошин занимался уже восемь лет, и все у него получалось. Иногда поставщики кидали, иногда начальник гаража норовил трудовую копеечку прижать, но в целом заработок у Шошина выходил приличный. До прошлого года жизнь Шошина состояла из одних приятностей и удовольствий. Жилье ему досталось от родителей, автомобиль купил сам, а на остальное зарабатываемых денег хватало с лихвой.

Он уже начал подумывать о том, чтобы завести семью. И даже кандидатка подходящая нашлась, но тут случилась беда. Тупой гоп-стоп на дороге, в результате которого он потерял груз и оказался в больнице с множественными травмами обеих ног, с пробитой головой и переломанными ребрами. К тому же придурки, напавшие на машину, разбили в ней все, что можно было разбить.

Итог неутешительный: два месяца он провалялся в больнице, хозяин груза выставил счет работодателю Шошина, а тот, в свою очередь, переложил его на плечи водителя, прибавив к уже имеющейся сумме и сумму ремонта рефрижератора. Правда, работу за Шошиным оставил, вероятно, для того, чтобы тот имел возможность отработать долг. И Шошин отрабатывал. Четыре месяца ел пшено, приправленное подсолнечным маслом, но долг сократил почти вдвое. Однако беда, как водится, одна не приходит. В один прекрасный день начальник гаража пришел к нему и заявил, что он должен выплатить сумму долга целиком, мол, хозяин потерянного груза ждать дольше отказывается. Шошин пытался вразумить начальника, объясняя на пальцах, что такую сумму он сможет собрать только за восемь месяцев. Две недели — было последним словом начальника. Иначе ищи себе другую работу.

Остаться без прибыльной работы Шошин не мог. Он начал обходить банки. Подавал документы во все более-менее солидные учреждения, но везде получал отказ. Кто-то посоветовал пойти в «Акция-Займ». Там, мол, проценты бешеные, но зато кредитуют стопроцентно. Двухнедельный срок истекал, и Шошин решился. Лучше процентами обрасти, чем квартиры лишиться, так он рассудил. Получил деньги, расплатился с начальником, а тот взял и уволил его. Просто, без объяснений. И остался Шошин без работы с офигительными долгами. На поиск новой работы ушло время, долг рос как на дрожжах, но Шошин не отчаивался. В конце концов работу он нашел, начал получать неплохие деньги и потихоньку расплачиваться с «Займом». У Шошина появилась надежда выйти из скверной истории без существенных потерь.

— И тут появились люди вашего Вегаса, — Шошин перешел к событиям текущего времени. — Я, понятное дело, не знал, кто они такие. Думал, вышибалы «Займа». По крайней мере, меня они в этом не разубеждали. Говорили от имени фирмы.

— Что конкретно они говорили? Мне нужны подробности, — напомнил Гуров. — И еще один существенный фактор: когда они приходили к вам?

— А вот это самое интересное, — Шошин даже улыбнулся. — Они были у меня сегодня. Буквально за три часа до вас.

— Да ладно! — ахнул Мейерхольд. — Это что же получается, если бы мы не катались по всем адресам, то могли бы взять людей Вегаса уже сегодня?

— Не все так просто, — охладил его пыл Гуров. — Я прав?

— Разумеется, — подтвердил догадку Гурова Шошин. — Домой ко мне они не приходили. Выцепили у гаража. Я ведь только из рейса вернулся. Машину сдал и собирался домой ехать, а тут эти.

— Как они выглядели? — снова перебил Шошина Гуров. — Описать сможете?

— Двое ребят. Не сказать что бравых. Так, шелупонь. Один повыше, метр семьдесят пять, может, чуть выше. Среднего телосложения, волосы светлые, длинные, он их в хвост собирает. На лице щербины, как от оспы, или будто он в подростковом возрасте прыщи иголкой ковырял.

331

— А второй? — Мейерхольд уже достал блокнот и записывал все, что говорил Шошин.

Гурова рвение Мейерхольда развеселило, и он решил не мешать водителю играть в сыщика.

— Второй гораздо ниже, про таких говорят «метр с кепкой». Худой, вертлявый. Говорил в основном он. Словарный запас у него так себе, все больше по фене пытался, но видно, что сам никогда на зоне не был. Лепил словечки блатные, а все невпопад, — продолжил Шошин.

— У вас был опыт общения с отсидевшими срок? — снова вклинился Мейерхольд.

— Покатайтесь по трассам с мое, и не такие знакомства заведете, — ответил Шошин.

— Продолжайте, Никита, — нахмурив брови, попросил Гуров. — Леонид, а вам лучше притормозить.

— Понял, товарищ полковник, молчу, — Мейерхольд послушно замолчал.

— Тот, что вертлявый, он еще «гайку» все время на пальце крутил, — вспомнил Шошин. — Приметная такая «гайка», граммов пятнадцать золота, и гравировка зоновская. По-моему, он ее только на задания надевает, потому и непривычно пальцу. Скорее всего, босс его такое поведение не одобрил бы.

— Почему? — спросил Гуров.

— Некоронованные воры в законе подобные печатки носить не имеют права, не по понятиям это, — объяснил Шошин.

— Значит, гравировка показывает, что он вор в законе?

— Я так думаю. Что именно на ней, сказать не берусь, он же ее все время рукой закрывал, вертел на пальце, не разглядишь толком. Но я почти уверен.

— Какие-то еще особые приметы?

— Вроде все, — подумав, ответил Шошин.

— Тогда переходим к тому, что за предложение они вам сделали.

Шошин закурил очередную сигарету и принялся пересказывать беседу с Вертлявым и Рябым, так для удобства повествования он обозначил визитеров. Из гаража Шошин вышел вместе с другим водилой. Минут десять стояли возле ворот, болтали о пустяках. О ценах на бензин, о новой системе «Платон» и последствиях ее введения, поругали коротким язычком начальника автобазы. Шошин еще тогда приметил Вертлявого и Рябого и почему-то сразу понял, что пришли они по его душу, потому и тянул время. Не хотел оставаться один на один с этими парнями, пока не соберется с мыслями, не будет готов дать отпор, если в этом возникнет необходимость. Но темы для пустой болтовни закончились, его собеседник распрощался с ним и пошел на автобусную остановку, а Шошин остался у ворот, ожидая реакции Вертлявого и Рябого.

Те продолжали стоять на месте, обосновавшись на противоположной стороне улицы, и делали вид, что Шошин их совершенно не интересует. Тогда Шошин подумал, что ошибся, приписал ощущения параноидальной осторожности, которая развилась после того случая на дороге. Чтобы окончательно успокоиться, он решил прогуляться пешком. Прошел метров сто и оглянулся. Вертлявый и Рябой следовали за ним. На приличном расстоянии, но — точно за ним. Тогда Шошин решил не тянуть резину. Он развернулся и пошел прямо на преследователей. Рябой хотел нырнуть в подворотню или еще куда, но Вертлявый удержал его за рукав. Было ясно, что он к разговору готов.

Шошин подошел вплотную к Вертлявому и поинтересовался, какого хрена ему нужно. Вертлявый гаденько улыбнулся и ответил, что хочет денег. Он, мол, задолжал уважаемым людям, а платить не платит. Непорядок. Шошин объявил, что проценты гасит, сумму собирает: в чем проблема? Проблема в том, заявил Вертлявый, что прошло слишком много времени. Его босс, он так и сказал «босс», потерял терпение, а он, мол, очень терпеливый. В отличие от других. Шошин понял, что Вертлявый намекает на себя и Рябого. Потом Вертлявый начал сыпать жаргонными словечками, пугать Шошина разборкой «по понятиям» и прочей ерундой.

Наученный знающими людьми, Шошин старался помалкивать. Он не хотел подставляться, ляпнув то, что Вертлявый смог бы интерпретировать как оскорбление. Отвечай потом за впопыхах сказанное слово. Бывалые зэки рассказывали, что за такое вот слово, по зоновским понятиям, легко и на перо налететь. Когда Вертлявому надоело красоваться, он перешел к делу. Суть предложения состояла в следующем: он, Шошин, получает отсрочку долга на год, а за это дает согласие работать на босса Вертлявого. Имени босса он не называл. В чем будет заключаться «работа» Шошина, тоже не сказал, но и ежу понятно, что не цветы выращивать.

Шошин рискнул спросить, что будет, если он откажется, на что Вертлявый гаденько рассмеялся и заявил: от нашего предложения еще никто не отказывался без ущерба для здоровья. А потом вдруг заторопился. Сказал, что дает Шошину на раздумья три дня. По истечении этого срока он готов принять согласие Шошина и обсудить детали. Все это время Рябой помалкивал, но перед тем, как уйти, он, доверительно глядя Шошину в глаза, сказал:

— Подумай, парень. Это не такое уж плохое предложение. Если понравишься боссу, сумеешь за год столько бабла заработать, что и на покрытие долга хватит, и на безбедную жизнь останется.

— Я подумаю, — пообещал Шошин, после чего Вертлявый и Рябой ушли, а он пошел домой.

— Вы должны принять это предложение, — заявил Гуров, как только Шошин закончил рассказ. — Такой шанс нельзя упускать.

— Для вас это, может, и шанс, — задумчиво проговорил Шошин. — Но что он сулит мне?

— Думаю, для вас это тоже единственная возможность избавиться от людей Вегаса, — уверенно проговорил Гуров. — В противном случае вы окажетесь в списке тех, кто отказал Вегасу.

— И что с ними стало? — не удержался от вопроса Шошин.

— Они все мертвы, — ответил за Гурова Мейерхольд. — У кого инфаркт, у кого инсульт, но ни один из них уже никогда не сядет за баранку, не женится и не нарожает кучу сопливых ребятишек.

— Красочно описываете, — невесело пошутил Шошин. — Вам бы книжки писать.

— Быть может, я этим займусь, — поддержал шутку Мейерхольд. — Но не раньше, чем помогу вам выпутаться из этой передряги. Соглашайтесь на предложение полковника, Никита. Поверьте, оно куда честнее предложения Вегаса.

Шошин молчал минут пять. За это время в его пальцах успела истлеть сигарета. Пепел падал на стол, но никто не обращал на это внимания. В скромной кухонке водителя-дальнобойщика решалась судьба расследования.

— Ладно, ваша взяла, — выдал наконец Шошин. — Рассказывайте, что я должен делать?

Из груди Мейерхольда вырвался вздох облегчения, лицо Гурова потеплело. Он начал объяснять Шошину суть операции.

Глава 10

Два дня до назначенного срока Никита Шошин, как и всегда, приходил в гараж, копался в моторе, менял масло, перебортировал колеса, одним словом, старательно делал вид, что занимается ремонтом фуры. Начгар костерил его за простой, грозился выгнать «к энтой матери», если он не возьмет заказ и не выйдет в рейс. Шошин терпел и «кормил» начгара обещаниями исправить машину со дня на день. В рейс уйти он не мог, ему предстояла встреча с Вертлявым.

К концу третьего дня нервы Шошина натянулись до предела. Любой посторонний звук заставлял вздрагивать. Больше всего Шошин боялся, что Вертлявый каким-то образом узнал о его встрече с полковником полиции и теперь ждет удобного случая, чтобы его убрать. Шошин перестал ходить в столовую при гараже, перестал одалживать сахар у коллег-водителей, боясь получить дозу мышьяка, или что там подсыпают в чай, чтобы вызвать мгновенную смерть.

Приятели стали обходить Шошина стороной, так как даже на безобидное подначивание он теперь отвечал грубостью или вообще не отвечал. Общаться с ним стало просто невозможно. Даже начгар к концу третьего дня смягчился и предложил взять недельку за свой счет, сказав, что найдет, кем его заменить.

— Машина твоя, может, и в порядке, а вот сам ты что-то расклеился, — заявил начгар. — Такое случается, когда долго по дорогам колесишь. Иди домой, отоспись хорошенько, пригласи симпатичную девчонку или сразу двух. Оторвись по полной. Это поможет, поверь моему опыту. А когда успокоишься, возвращайся на работу.

— Спасибо, Михалыч, — слова благодарности были искренними. Официальное «добро» на неделю отдыха Шошину было сейчас как нельзя кстати. — Я и правда устал. Пойду, пожалуй.

— Не переборщи со спиртным, — напутствовал его вдогонку начгар.

— Постараюсь, — пообещал Шошин и скрылся за дверью.

Выйдя из ворот, он некоторое время постоял на месте. Людей Вегаса нигде не было. Тогда Шошин, как и в прошлый раз, пошел пешком.

Он прошел два квартала, и тут появились они. Впереди шел Вертлявый. Рябой следовал чуть сзади. «Проверяют, нет ли за мной «хвоста», — догадался Шошин. Облегчать задачу людям Вегаса он не собирался, поэтому изменил направление и пошел прямо на Вертлявого. Тот скривил рот в улыбке и остановился посреди дороги.

— Здорово, Никита, — заговорил он, как только Шошин подошел достаточно близко, чтобы услышать. — Вижу, сегодня у тебя настроение такое, какое нужно.

— Я согласен, — с ходу выдал Шошин. — Что теперь?

— Не гони лошадей, жизточка, — осклабился Вертлявый. — Сначала посидим, перетрем чин по чину.

Слово «жизточка», что на воровском жаргоне означало примерно то же, что и «любезный» в среде интеллигенции, но с менее уважительным уклоном, Шошину не понравилось. Впрочем, он был не в том положении, чтобы диктовать условия, поэтому молча проглотил неприятное обращение.

— Где будем говорить? — спросил он.

— Есть тут недалеко бардачок один, там блатарей уважительно принимают. Туда и пойдем, — заявил Вертлявый. — Надеюсь, ты при лавэ, а то я жутко голодный.

— Сам заплатишь, — ответил Шошин и спокойно выдержал взгляд Вертлявого.

— А ты мне нравишься, — рассмеявшись, заявил Вертлявый. — Не труханул, это хорошо. Да не быкуй, насчет бабла я пошутил. С этим у нас проблем нет, а не станешь босса подставлять, так и у тебя будет. Ну, пойдем, что ли?

Кафе и правда находилось недалеко, всего в паре кварталов. Заявление Вертлявого о том, что там якобы принимают «блатных», оказалось явным преувеличением, а вот насчет обслуживания он не ошибся. Шошин весь день ничего не ел, поэтому расправился со своей порцией за полминуты. Рябой взглянул на пустую тарелку и велел официанту повторить. Пить люди Вегаса не стали и Шошину не предложили. Может, в банде Вегаса с этим делом было строго, может, парни Шошину попались из трезвенников, в любом случае он этому был рад. Вести серьезный разговор с подвыпившими бандюгами — занятие не из приятных.

В кафе они просидели почти час, из них по делу разговор шел минут десять. Все остальное время Вертлявый и Рябой, играя каждый свою роль, то запугивали Шошина страшными карами на случай, если он вдруг решит их кинуть или сдать ментам, то расписывали прелести работы на босса. Шошин почти не говорил. Жевал котлеты, запивал томатным соком и слушал.

О том, что инструктаж подошел к концу, объявил Вертлявый. И снова, как в прошлый раз, совершенно внезапно. Оборвал себя на полуслове, бросил на стол деньги за заказ и, не прощаясь, вышел. Рябой похлопал Шошина по плечу, похвалил за правильный выбор и тоже ушел. Шошин дождался официанта, получил сдачу и только после этого покинул кафе.

Гуров ждал Шошина у него дома, так они условились заранее. Полковник опасался, что после того, как люди Вегаса выдадут Шошину информацию, они не спустят с него глаз. События во дворе дома Гулиева лишь подпитывали это опасение, поэтому Гуров решил перестраховаться. Квартиру Шошина он посчитал самым безопасным местом и надеялся, что не ошибся.

Вернулся Шошин в паршивом настроении. Сразу прошел на кухню, прикурил сигарету и молча сидел у окна, пока та полностью не истлела. Гуров его не торопил, понимая, что творится у парня на душе.

— Послезавтра я должен пойти на Курский вокзал, — прикуривая новую сигарету от предыдущей, начал Шошин. — В ячейке под номером двадцать три пятнадцать меня ждут новые документы, деньги и инструкция. Вот ключ.

Шошин бросил на стол пластиковую карточку, какими отпирают электронные замки. Гуров ключ не тронул. Подвинул табурет так, чтобы его не было видно из окна, и сел.

— Тебе лучше повернуться к окну спиной, — предупредил он Шошина. — Не знаю, что у Вегаса за команда, но думаю, что снайперов там хватает. Предполагается, что дома ты один. Конечно, многие одинокие люди разговаривают сами с собой вслух, и все же лучше не рисковать.

Шошин затушил сигарету, встал, открыл форточку, задернул занавеску и пересел на другой табурет. Теперь и он оказался скрытым от посторонних глаз.

— Значит, никаких устных инструкций, что тебе предстоит делать, ты не получил? — уточнил Гуров.

— Ну, почему же, получил. И еще сколько, — едко произнес Шошин. — Я должен уехать из квартиры. Забрать минимум вещей и уйти отсюда на неопределенное время. Мне запрещено появляться на работе, запрещено увольняться и вообще каким бы то ни было образом оповещать знакомых и родственников о том, что я жив и здоров. Я должен оставить свой телефон дома. Не звонить никому, не предупреждать о том, что в моей жизни намечаются перемены.

— Короче, ты должен исчезнуть, — подытожил Гуров. — Это закономерно. И хорошо. Теперь мы знаем, как они поступают с теми, кто соглашается работать на Вегаса. Что еще?

338

— Два дня до поездки на вокзал я должен жить на конспиративной квартире. Они не произносили этого слова, но все и так ясно. У них есть хата, где держат таких, как я. Это в районе Бирюлева. Ключи в почтовом ящике, адрес у меня в голове. Записывать запретили, — продолжил Шошин. — Подъемных не выдают, велено обходиться своими средствами. Насколько я понял, после того, как приеду на вокзал, я на конспиративную квартиру больше не попаду.

— Почему так решил?

— Ключи велено оставить в ячейке. Вроде как подтверждение моих намерений. Или что я там был, не знаю.

— Спрашивал, как без телефона обходиться?

— Сказали, все вопросы после того, как прочту инструкции.

— Значит, мобильный будет в камере хранения. Вряд ли они отпустят тебя, не имея возможности связаться, — предположил Гуров. — Но нам это не поможет. Нужно придумать, как ты будешь связываться со мной.

— Никак, — зло бросил Шошин. — Думаю, они будут следить за каждым моим шагом. Как только я свяжусь с вами, они меня уберут.

— Об этом не беспокойся. Я что-нибудь придумаю, — начал Гуров, но Шошин не дал ему закончить мысль.

— Не беспокойся? Речь идет о моей жизни, это вы понимаете? — вспылил он. — Я жить хочу! Мне всего двадцать восемь, я еще ничего не успел в этой гребаной жизни. Все, полковник, нашей договоренности пришел конец. Я разрываю соглашение. Хотите меня арестовать? Пожалуйста. Хоть сейчас. Но становиться мишенью для людей Вегаса я не согласен.

— Не стоит горячиться, мы тебя убережем, обещаю, — снова начал Гуров, и снова Шошин не стал его слушать.

— Черта лысого вы убережете! Уберегли вы того парня, Рауфа? И еще сорок невинных душ. Уберегли? Да вы и за свою шкуру ответить не можете, что говорить о моей, — Шошин говорил зло, но на крик не переходил. — Кто я для вас? Подсадная утка! А я, между прочим, человек. Единственная моя вина в том, что я оказался не в том ме-

339

сте и не в то время. Платить за это своей жизнью я не собираюсь.

— Тогда что ты собираешься делать? — переходя на «ты», спросил Гуров. — Всю жизнь работать на Вегаса? Решил пойти по кривой дорожке, стать таким же, как твой новый приятель Вертлявый? Нет, ты наверняка предпочтешь роль Рябого. Этакий добродушный бандюган, которому жалко свою жертву, и он старается облегчить ее участь, насколько позволяет положение.

— Ничего подобного. Я отработаю на Вегаса год и буду свободен, — заявил Шошин.

— Думаешь, они тебя отпустят? — Гуров рассмеялся, вложив в этот смех все презрение к Вегасу и ему подобным, на какое только был способен.

Шошин не ответил. Он отшатнулся от Гурова, будто тот не рассмеялся, а ударил его. Как ни странно, этот смех отрезвил дальнобойщика лучше любой пощечины. С минуту он невидящим взглядом смотрел на полковника, потом тряхнул головой:

— Мне нужно выпить.

— Предлагаешь мне сгонять за бутылкой? — улыбнулся Гуров, гроза миновала, и он это понял.

— Уже не продают, — машинально ответил Шошин и рассмеялся. — В холодильнике стоит чекушка. Составите компанию?

— Ну, раз уж мы собираемся работать вместе, почему нет? — легко согласился Гуров.

Шошин быстро накрыл на стол. Маринованные огурчики в магазинной упаковке, кусок сырокопченой колбасы, две стопки и четвертушка водки. Подумав, добавил пачку сока.

— Запиваете? — кивнув на пачку, спросил он Гурова.

— Обижаешь, — хмыкнул Гуров.

— Годится, — одобрил Шошин и разлил водку. Выпили не чокаясь и не произнося тостов. Закусили огурцами. Шошин взял нож и принялся нарезать колбасу. Гуров же начал вслух перебирать возможные варианты передачи информации.

340

— Можно взять второй телефон. Обыскивать же тебя не будут. Хотя нет, мы этого не знаем, поэтому такой вариант — не выход. Тогда общественный телефон. Зайдешь в аптеку, назовешься сотрудником полиции, они обязаны дать аппарат для вызова дежурного. Тоже не годится. Следом за тобой зайдет человек Вегаса, и ты спалился.

— Еще по одной? — прервал мысли Гурова Шошин и снова наполнил стопки.

Выпили, закусили. Шошин задымил сигаретой, а Гуров вернулся к прерванному разговору:

— Давай подойдем к проблеме с другой стороны. Определимся с твоим заданием. Почти наверняка тебе велят куда-то ехать. Скорее всего, в другой город, не просто так они отправляют тебя на вокзал. Если поездка дальняя, должен быть билет. Либо на самолет, либо на поезд. Тебе придется предъявлять документы для проверки, так? Это вариант. С проводником поезда или с сотрудником аэропорта ты должен будешь общаться. Разговаривать. Можно попытаться передать информацию через них.

— Ага, подойду к проводнику и тихонько так прошепчу: «Спокойно, делайте вид, что мы беседуем о погоде. Я тайный сотрудник полиции, мне нужно передать срочное сообщение полковнику Гурову в МУР». А потом пространно начну расписывать задание, которое дал мне Вегас. Минут этак десять. Ерунда, никто ничего не заметит. Ведь каждый пассажир мирно беседует с проводником по десять минут, — Шошин невесело рассмеялся.

— Так себе идея, — согласился Гуров. — Но если не придумаем что-то получше, придется дорабатывать эту.

— Может вшить мне под кожу GPS-навигатор? — пошутил Шошин. — Будете следить за моими передвижениями с помощью дронов.

— Навигатор? Почему нет? — поддержал шутку Гуров. — Так мы сможем контролировать каждый твой шаг. И звонить не нужно. Делай что велено, передвигайся по стране, сколько душе угодно, все равно останешься на контроле.

Шошин разлил остатки спиртного, продолжая подшучивать над идеей слежки с помощью дронов, но когда оторвал взгляд от стола и перевел его на полковника, смех застыл у него на губах. Выражение лица собеседника ему не понравилось. А Гуров не замечал взгляда Шошина. Чем дольше он думал над идеей Шошина, тем больше она ему нравилась.

— Полковник, вы меня пугаете, — прервал затянувшееся молчание Шошин. — Насчет вживления чипа я пошутил. Надеюсь, вы это понимаете?

— Погоди, Никита, дай подумать, — отмахнулся Гуров.

— Но я не хочу, чтобы меня резали и вставляли в грудь или куда там еще инородное тело, — Шошин всерьез забеспокоился.

— А если не нужно будет ничего вживлять? Что, если чип поместить в такой предмет, который не вызовет подозрений даже у самого подозрительного проверяющего? — заявил Гуров. — Ты слышал о ГЛОНАСС GPS-маяках для животных?

— Теперь вы хотите заклеймить меня, как собачку или кошечку? — Шошин застонал. — И зачем я только с вами связался!

— Нет, чипирование животных — это прошлый век. Сейчас существуют более цивилизованные технологии, — принялся объяснять Гуров. — Животному на ошейник вешается специальный прибор, размером с банковскую карту, только немного толще. Благодаря этой штуке хозяин знает о местонахождении животного с точностью до десяти метров, стоит только привязать чип к телефонному номеру хозяина. Как тебе такая идея?

— Звучит солидно, — подумав, ответил Шошин. — Только кто знает, позволят ли мне пользоваться своей кредиткой? Я ведь должен как бы исчезнуть с лица земли, а кредитка сразу меня выдаст.

— Тоже верно. Но это не повод забраковывать саму идею, — заметил Гуров. — Должен быть другой способ. Этот вопрос мне нужно обсудить со знающими людьми.

— Так обсуждайте, — поторопил Шошин. — И лучше сделать это побыстрее. Утром я должен уйти из квартиры, чтобы больше сюда не возвращаться.

Гуров засел за телефон, а Шошин ушел в комнату, собирать самое необходимое. На сборы ушло совсем немного времени. Когда Шошин вернулся на кухню, Гуров сообщил, что все решил. Устройство слежения в виде зажигалки будет готово через три часа.

— Парням из технического отдела придется кое-что доработать в стандартном устройстве, чтобы оно при необходимости работало и как зажигалка. Только они сказали, чтобы ты этим не злоупотреблял. Перегрев корпуса может расплавить чип, и тогда мы тебя потеряем, — объявил Гуров.

— Понял, прикуривать от нее только в случае проверки, — понятливо кивнул Шошин. — Значит, мне не придется вести задушевных бесед с проводником, так?

— Ни с проводником, ни с кем другим. Появится возможность сделать звонок — хорошо, но напрасно не рискуй, — предупредил Гуров. — Мы не знаем, с кем имеем дело, поэтому важна предельная осторожность.

— А если они решат убрать меня по дороге? — Шошин вдруг снова начал волноваться.

— Они этого не сделают, — уверенно заявил Гуров. — Если бы им была нужна твоя смерть, давно бы уже убрали.

— Слабое утешение, но лучше, чем ничего, — проговорил Шошин, и на какое-то время на кухне повисла тишина. Каждый думал о своем. Шошин пытался представить, что ждет его через два дня. Что за задание приготовил ему Вегас? Будут ли за ним следить? Как далеко придется ехать, если вообще придется? И самый главный вопрос: чем все это закончится?

Гурова беспокоили почти те же вопросы. Он пытался просчитать все возможные ситуации на случай, если вариант с навигатором не сработает. Пустить за Шошиным человека было слишком рискованно, да и, не зная заранее планов Вегаса, сделать это было практически невозможно. Вычислить людей Вегаса, которые будут пасти Шошина, и следить за ними, все равно что следить за самим Шошиным. А других вариантов Гуров не видел. Оставалось одно: пустить Шошина в свободное плавание и надеяться, что за время пути с ним ничего не случится.

Около трех часов легли спать, Гурову пришлось остаться в квартире Шошина на ночь, чтобы не привлекать ненужного внимания к его подъезду. По этой же причине человек из технического отдела не стал доставлять посылку лично в руки Шошину. По приказу Гурова он нашел круглосуточный магазин недалеко от дома. Переговорив с продавцом, объяснил ему задачу, оставил устройство в магазине и уехал. Шошину предстояло зайти в магазин, приобрести пару пачек сигарет и произнести особую фразу, после чего продавец должен был предложить ему приобрести зажигалку. Специальную зажигалку.

Наутро Шошин встал разбитым. Он всю ночь ворочался, никак не мог заснуть, а когда сон взял свое, то его начали мучить сновидения. Душ принес некоторое облегчение, но настроения не поднял. Гуров посоветовал не тянуть с походом в магазин. Чем быстрее устройство окажется в руках Никиты, тем быстрее техники смогут проверить его работоспособность.

Послушав совета, Шошин отправился в магазин. Этот магазинчик на пересечении двух улиц был ему хорошо знаком, как и продавцы, работавшие там посменно. Час был ранний, и в магазине, кроме продавца, никого не было. В этот день за прилавком стояла девушка по имени Светлана. Шошин иногда заигрывал с ней, в шутку приглашая на свидания, от которых Светлана всегда отказывалась. Поглазев на прилавки, Шошин заказал четыре банки пива, батон хлеба, десяток яиц и две пачки сигарет.

Светлана собрала заказ, упаковала в фирменный пакет. В это время в магазин зашел еще один покупатель. Лицо его было Шошину незнакомо, и он сразу напрягся. Вместо того чтобы взять пакет и произнести пароль для получения зажигалки, Шошин сделал вид, что собирается прикупить что-то еще, и снова принялся шарить глазами по полкам. Отложив покупки постоянного покупателя в сторону, Светлана с лучезарной улыбкой обратилась к вновь вошедшему:

— Доброе утро, вам что-то подсказать?

— Спасибо, я справлюсь сам.

Ответ мужчины прозвучал грубовато, улыбка сошла с лица продавщицы, но должность обязывала держать марку.

— Вы у нас впервые? — продолжила она.

— С чего вы взяли? — буркнул мужчина.

— Постоянных покупателей я знаю в лицо, — ответила Светлана.

— Занимайтесь своим делом, — нетерпеливо оборвал ее мужчина.

Светлана надула губки, но сдержалась и не ответила грубостью на грубость. Шошину стало ее жаль, и он поспешил завершить покупки.

— Дайте мне еще пачку сосисок, пусть завтрак будет посытнее, — проговорил он специальную фразу.

Светлана вытаращила на Шошина глаза. Она поверить не могла, что тайным сотрудником полиции окажется именно он. Да, человек, что приходил накануне, описал ей внешность того, кто придет за зажигалкой, но с внешностью Шошина она эти приметы не соотнесла, и теперь была в полном шоке.

— Пачку сосисок, — терпеливо повторил Шошин. — На завтрак.

Он глазами показал девушке, чтобы та перестала на него пялиться, и Светлана поняла. Опустив глаза вниз, она заученно произнесла:

— Вам какой фирмы? «Клинские» или «Филеево»?

— Без разницы, лишь бы с горчицей хорошо сочетались, — ответил Шошин. — И добавьте еще пару пачек сигарет.

Девушка сложила сосиски и сигареты к остальным покупкам и, как бы невзначай, спросила:

— К сигаретам зажигалку приобрести не желаете?

— Почему бы и нет? — беспечным тоном ответил Шошин. — Бросьте одну.

Девушка взяла с витрины ярко-красную зажигалку, заученно щелкнула кнопкой и, когда пламя появилось, тут же отпустила. Проверка прошла, зажигалка отправилась вслед за сосисками. Шошин расплатился и вышел, а минуту спустя вышел и грубиян. Он шел за Шошиным до самого подъезда. Входя в подъезд, Шошин заметил, как тот свернул во двор дома напротив.

Вернувшись домой, Шошин пересказал Гурову все, что произошло в магазине.

— Значит, наши предположения верны. Они не спустят с тебя глаз, пока ты не окажешься в том месте, которое назначил для тебя Вегас, — прокомментировал Гуров. — Пожалуй, мне придется придумать что-то особенное, чтобы незаметно выйти из твоего дома.

Спустя час к подъезду шошинского дома подъехало такси. Из подъезда вышел сгорбленный старик в потертом пиджаке, стоптанных башмаках и с тростью в руках. На голове у старика красовалась соломенная шляпа, закрывающая почти все лицо. Водитель услужливо распахнул перед ним дверь, помог устроиться на заднем сиденье, после чего такси уехало.

Шошин наблюдал за этой картиной из кухонного окна и улыбался. Гуров в виде сгорбленного старика ему понравился. Это он, Шошин, придумал такой оригинальный способ. Вот когда пригодилось шмотье, оставшееся от деда. Кто-кто, а покойный дед был бы доволен, узнай он, чему послужили его старые калоши и уродливая шляпа. Еще через час Шошин покинул квартиру, чтобы провести два дня в чужом доме в районе Бирюлева.

А Гуров ехал себе преспокойно на Петровку. За рулем такси сидел не кто иной, как Леонид Мейерхольд. Время от времени он бросал взгляд в зеркало заднего вида, и его рот расплывался в довольной улыбке.

— Чего скалишься, Леонид? — не выдержал Гуров.

— Простите, товарищ полковник, вид у вас уж больно потешный, — заявил Мейерхольд. — Вам бы в Большом выступать в роли старика Сантьяго из повести Хемингуэя.

— Хватит с меня и жены-актрисы, — ворчливо проговорил Гуров.

— Ваша жена — актриса? — Мейерхольд чуть шею не вывернул, пытаясь разглядеть выражение лица полковника. — Вы меня разыгрываете.

— Почему моя жена не может быть актрисой? — возмутился Гуров. — Или, по-вашему, актрисы выходят замуж только за денежные мешки?

— Я вообще удивляюсь, как при вашей работе у вас все еще есть жена, — вырвалось у Мейерхольда.

— Вот спасибо, друг, умеешь ты товарища поддержать, — рассмеялся Гуров. — Да, Леонид, у меня есть жена, и она актриса. Довольно неплохая, если верить толпе восторженных поклонников. Когда-нибудь, когда закончится эта история с Вегасом, я приглашу тебя на ее спектакль. Тогда ты сам сможешь оценить ее игру.

— В самом деле? Вы правда пригласите меня в театр? — радостно переспросил Мейерхольд.

— Когда ты вот так это говоришь, мне становится не по себе, — заметил Гуров. — Я зову тебя не на свидание, незачем так восхищаться.

— Простите, товарищ полковник. Это ваш внешний вид сбивает меня с толку, — смутился Мейерхольд. — Сейчас в Управление?

— Да, я должен проверить работу устройства слежения. И доложить генералу, как идет расследование.

— Может, сначала заехать туда, где вы сможете переодеться? — осторожно предложил Мейерхольд. — В таком виде являться на службу...

— Веди машину, Леонид, и больше ни слова о моем внешнем виде, иначе лишишься передних зубов, — полушутя-полусерьезно бросил Гуров, и Мейерхольд впился взглядом в дорогу.

В Управлении царило оживление. Кое-кто из сотрудников узнал о ноу-хау, которое Гуров собирался опробовать для выполнения опасного задания. Всем хотелось посмотреть, как работает система. Когда Гуров, облачившись в нормальную одежду, вошел в технический отдел, народу там собралось человек двадцать. Гуров с минуту молча взирал на это сборище, а потом рявкнул так, что желающих глазеть на мониторы не осталось. Гуров занял место возле Ханина и стал наблюдать за медленно движущейся точкой.

Ханин сообщил, что объект только что покинул квартиру и теперь, скорее всего, едет на такси либо на наземном транспорте.

— Почему не в метро? — поинтересовался Гуров.

Ханин его просветил:

— Вагоны метро движутся куда быстрее, а маячок едва перемещается. Скорее всего, его средство передвижения попало в пробку.

— Почему он не выбрал метро? — недоумевал Гуров.

— Видимо, боится, что мы его потеряем. Данный вид сигнала недоступен в метро, — пояснил Ханин.

— Черт, об этом я не подумал, — ругнулся Гуров. — Какие еще фокусы может преподнести эта система слежения?

— Ну, если человек будет долгое время находиться в помещении без окон, — начал Ханин, — тогда сигнал станет недоступен. Подводные лодки и круизные лайнеры не рассматриваем?

— Надеюсь, что нет, — серьезно ответил Гуров. — Как скоро он окажется в Бирюлеве?

— Такими темпами часа через полтора, — сообщил Ханин.

— Как только точка остановится, доложить мне, — приказал Гуров и вышел.

От техников он пошел к генералу. Следовало разработать подробный план на все случаи: и если все пойдет гладко, и если наступит провал. Генерал встретил Гурова шутливой фразой про соломенную шляпу, кто-то из отдела успел нашептать Орлову о маскировке полковника.

Гуров решил на поддевки не реагировать. Пусть шутят, главное, чтобы наблюдатель Шошина ничего не заподозрил. С невозмутимым видом он занял место напротив генерала и начал выкладывать версии, которые сформулировал за ночь.

Гуров предполагал, что Шошина вербуют как перевозчика. Зачем еще он мог понадобиться криминальному элементу? Раз перевозки, значит, это должно быть что-то малогабаритное. То, что можно увезти как ручную кладь или спрятать на теле. Вариантов немного, но выбор все же есть.

Это могла оказаться контрабанда произведений искусства, и тогда Шошину потребуется лететь на самолете, а это значит проходить металлоискатель и испытывать другие прелести межконтинентальных перелетов. В этом случае следовало предупредить службы безопасности аэропортов, чтобы не особо зверствовали при проверке Шошина.

Второй вариант — драгоценные камни. В этом случае поездка могла ограничиться одним континентом. На поезде провезти пару крохотных мешочков с нелегальным товаром проще, чем кажется обывателю. Сколько ни обыскивай пассажиров, сколько ни ковыряйся в их чемоданах, если не знать наверняка, кто везет контрабанду, ни за что не вычислишь преступника. Здесь придется предупредить таможню в том случае, если Шошин будет пересекать границу.

И третий вариант, наиболее вероятный, — наркотики. Здесь выбор куда богаче. Шошина могут использовать как живой контейнер, если люди Вегаса промышляют героином. Живой контейнер может за одну ходку провезти до одного килограмма наркотика. Это около десяти миллионов чистого дохода. А если за месяц таких ходок пять-шесть? А если курьеров больше десятка? Не нужно быть великим математиком, чтобы посчитать чистую прибыль героинщиков. Если же Вегас работает с коксом, то и перевозки попроще, но тоже не лишены риска.

Третий вариант виделся Гурову самым вероятным, но и самым опасным для подсадной утки. Спрятанные в теле пакеты с наркотиком могут разорваться, их содержимое попадет в желудок и за считаные секунды разойдется по организму. Тогда Шошина не спасет ни ГЛОНАСС, ни сотрудники полиции. Это опасение Гуров высказал генералу.

— Придется рискнуть, — ответил на это Орлов. — Сам понимаешь, другим способом нам на Вегаса не выйти.

— Получается, мы заставляем Шошина крутить рулетку и надеяться, что пронесет? — озабоченно проговорил Гуров. — Это неправильно.

— Не паникуй раньше времени, мы еще не знаем, наркотики ли это, — напомнил Орлов.

— Об этом мы узнаем слишком поздно. Нужно его предупредить, — решительно заявил Гуров. — Нужно дать ему возможность выбора. Я с ним встречусь и скажу, что живым контейнером он работать не обязан. Как только он услышит такое предложение, может считать, что у него больше нет перед нами никаких обязательств.

— И что будет потом? Думаешь, люди Вегаса на бумажке пропишут способ перевозки наркотика? Положат записочку в шкафчик на вокзале, вот, мол, тебе, дорогой Шошин, инструкция. Можешь отнести ее в полицию, пусть нас посадят, — вспылил Орлов. — Раньше нужно было об этом беспокоиться, когда Шошин еще при тебе был. Теперь ты с ним и связаться-то не можешь.

— Я облажался, — признался Гуров. — Так обрадовался возможности взять Вегаса, что про риск для Шошина и не подумал. Просто не просчитал возможные риски. Дошло до меня только потом, когда перед экраном с красной точкой сидел. Вот, думаю, это ведь живой человек, а все, чем мы можем его подстраховать, это смотреть на красную точку и радоваться, что она все еще движется. Остановится — значит, человека больше нет. Это странно и страшно.

— Не паникуй раньше времени, — смягчился Орлов. — Твой Шошин пока в безопасности. Сколько бы он прожил, не выйди ты на него? Вот то-то. Расклад таков, каков он есть, и нечего здесь картины маслом писать. Все обойдется, я уверен.

— Мы еще можем его отозвать, — настаивал Гуров. — С вокзала. Он придет к камере хранения, мы организуем задержание. Люди Вегаса ничего не заподозрят.

— Ну да. Они же полные идиоты, — фыркнул генерал. — Именно поэтому никто ничего о них не знает, несмотря на то, что они отправили на тот свет больше сорока человек.

— Да, что правда, то правда. Вегас словно мифический персонаж. Все о нем слышали, но никто не видел, — вынужден был согласиться Гуров.

— Надеюсь, мы будем первыми, кто узнает его в лицо. А насчет вокзала забудь! Не хватало еще, чтобы Шошина из-за твоих опасений пристрелили на глазах у удивленной публики. Вот уж материал будет в утренние газеты, — предупредил Орлов. — Работай, Гуров. Занимайся текущими делами и жди. Посмотрим, как будут развиваться события. Снять Шошина с задания мы сможем в любой момент. Ну все, проваливай.

— Хочу кое о чем попросить тебя, Петя. Не как командира и начальника, а как друга, — Гуров застыл у двери. — Могу я это сделать?

— Сделать-то ты можешь, — догадываясь, о чем пойдет речь, произнес Орлов. — Только вот смогу ли я выполнить твою просьбу? Я все-таки генерал, Лева. И я твой начальник.

— Если я почувствую, что ситуация выходит из-под контроля, ты позволишь мне принять решение? — не обращая внимания на предупреждение, произнес Гуров. — Позволишь спасти ему жизнь?

— Если речь пойдет о жизни и смерти — позволю, — с минуту подумав, негромко ответил Орлов. — Но только в этом случае.

— Спасибо, Петя, — произнес Гуров и поспешил уйти.

Глава 11

Два дня прошло в томительном ожидании. В назначенный день полковник Гуров сидел в комнате охраны Курского вокзала. Главный монитор был настроен на прием сигнала с камеры слежения у ячеек камер хранения. Вопреки приказу генерала, Гуров все-таки поставил двух оперативников у входа и выхода из секции камер хранения. На случай возникновения непредвиденной ситуации. Им было приказано наблюдать и ни во что не вмешиваться вплоть до особого распоряжения.

Сам Гуров тоже не мог усидеть на месте, поэтому он заставил начальника охраны наладить монитор, чтобы можно было наблюдать за каждым входящим и выходящим из терминала. В двадцать два пятнадцать к ячейке под номером двадцать три пятнадцать подошел Шошин. Он огляделся по сторонам, вставил электронный ключ в прорезь замка и открыл дверцу. Заглянул внутрь, снова оглянулся по сторонам.

Наконец выудил из шкафчика дорожный рюкзак и пластиковый пакет. Сунул в ячейку ключ и захлопнул дверцу. С минуту постоял, разглядывая пластиковый пакет. Затем открыл его. Гурову было плохо видно, но, судя по всему, в пакете лежали паспорт и железнодорожный билет. Шошин изучил надпись на билете, забросил рюкзак на плечо и рванул к выходу. Он так спешил, что не стеснялся расталкивать локтями пассажиров.

Монотонный голос объявлял посадку на скорый поезд Москва — Баку, который отправлялся через пятнадцать минут. Гуров потряс за плечо задремавшего охранника.

— Какая камера показывает пассажирские платформы? — спросил Гуров.

— Пятая, восьмая, шестнадцатая, семнадцатая, — начал перечислять охранник.

— Стоп, притормози. Третий путь, какая из камер, — остановил его Гуров. — Включай скорее, выводи на главный монитор.

Охранник понял, что дело спешное, и защелкал по панели управления. Вскоре изображение на главном экране сменилось. Запоздавшие пассажиры спешили к своим вагонам. В этом потоке Гуров отыскал Шошина. Так и есть, он бежит на поезд, отбывающий в Азербайджан.

— Баку, Астара, Иран, — проговорил Гуров. — Все сходится. Черт, лучше бы я ошибался.

— Что случилось? — обеспокоился охранник. — Вызвать наряд?

— Ничего не надо, — ответил Гуров, наблюдая за тем, как Шошин предъявляет документы проводнику. — Все, что должно было случиться, уже случилось. Теперь мы знаем больше, только вот от этого нам ничуть не легче.

В этот момент зазвонил телефон. Гуров взял трубку, не отрывая взгляда от монитора. На связь вышел один из оперативников, капитан Онучкин.

— Товарищ полковник, похоже, я одного засек. Понаблюдать?

— Веди сколько сможешь, но чуть запахнет жареным, все бросай и уходи. Мы не можем подставить Шошина, — приказал Гуров.

— Есть, товарищ полковник. Хватова беру?

— Бери, если не засветишься.

Онучкин отключился. Гуров дождался, пока поезд отойдет от перрона, после чего прыгнул в машину Мейерхольда и велел гнать в Управление. Там он засел в техотделе у экрана с красной кнопкой. Система слежения работала исправно, поезд ехал быстро, красный огонек двигался вместе с ним.

Возле экрана Гуров просидел добрый час, не замечая ничего и никого вокруг. Обеспокоенный бездействием полковника, Ханин вынужден был напомнить о себе:

— Товарищ полковник, вам к генералу не пора? — осторожно осведомился он. — Поезд никуда не денется. Я буду сидеть здесь и наблюдать. Если вдруг что-то изменится, я вам сообщу.

— Надо проследить, чтобы он не сошел на какой-нибудь глухой станции, — машинально проговорил Гуров, мыслями находясь где-то далеко. — Мы не знаем, какое задание он получил. Черт, он и сам этого не знал, когда садился в поезд.

— Это ведь бакинский, так?

— Откуда ты знаешь? — встрепенулся Гуров.

— Мне ребята передали. Хватов. Отзвонился с вокзала, — удивленный реакцией полковника, поспешно ответил Ханин. — Вы же сами ему велели, как только что-то конкретное появится, сразу мне сообщить.

— Ах, да, точно, — спохватился Гуров. — Ну, и что, что бакинский?

— Он больше двух суток идет, есть ли смысл вам здесь сидеть? — ответил Ханин. — Мы справимся, не переживайте. У меня график составлен. Дежурить будем по восемь часов.

— Кто с тобой дежурит? — спросил Гуров.

— Дьяков и Полонский, — отчитался Ханин. — Ребята знающие, да я с ними инструктаж провел. Все под контролем.

— Хорошо, — Гуров встал. — Но если вдруг маячок уйдет с маршрута, сразу звоните. В любое время дня и ночи.

— Понял, товарищ полковник. Можете на нас положиться.

Гуров вышел и сразу направился к генералу. Вместе они проработали возможные варианты и сошлись на том, что Шошин повезет наркотики. Иранская граница ничего другого не предполагала. Генерал связался со службой наркоконтроля и попросил прислать человека, который занимается поставками иранского наркотика.

В Управление послали полковника Никонова, он прибыл через час после звонка. Гуров все это время сидел в кабинете Орлова и пытался составить план действий. Данных было слишком мало, пользы от его попыток еще меньше, но генерал его не останавливал. Он понимал, что Гурову нужно чем-то себя занять. Ждать вестей от Шошина предстояло не меньше недели. Орлов надеялся, что за это время Гуров успокоится и сможет действовать разумно. Сейчас же им не оставалось ничего другого, как толочь воду в ступе.

Полковник Никонов сразу перешел к делу. Пожав руки в знак приветствия, он попросил сообщить, в чем заключается суть приглашения.

— Все, что мне известно, — это то, что ваше ведомство ведет расследование, которое напрямую связано с моей деятельностью. Довольно туманное заявление...

Гуров ввел Никонова в курс дела, сообщив, что в данный момент его человек едет в Баку и о цели его поездки полковник может только догадываться.

— Вы считаете, что ваш Вегас занимается нелегальным ввозом наркотиков в Москву? — уточнил Никонов.

— Да, мы так считаем, — подтвердил Гуров.

— И использует для этой цели людей, чьи координаты изъяты из базы микрофинансовой организации?

— Вы хотите пересказать весь мой доклад в виде вопросов? — не склонный к долгим прелюдиям, огрызнулся Гуров.

— Простите, просто люблю точность, — не обиделся Никонов. — И еще я хочу помочь. Нет не так. Еще я могу помочь.

Последнюю фразу Никонов произнес с нажимом на слове «могу». Гуров скептически улыбнулся, но на этот раз промолчал.

— Поясните, — попросил генерал. — Помочь — в чем? В определении типажа поведения наркодилеров?

— Нет, его типаж мне хорошо знаком. Ваш Вегас — это наш Даллас, — спокойно произнес Никонов.

— Откуда такая уверенность? — Гуров держался настороженно, он боялся поверить в удачу.

— Способ действия, — ответил Никонов. — Потому я и задавал эти вопросы, хотел убедиться, что не ошибаюсь.

— Так вы о нем слышали? Боже, хоть один человек подтверждает его существование, — не сдержался Гуров. — Значит, он у вас на крючке?

— Не совсем так, он был у нас на крючке, но, видимо, что-то почувствовал, поэтому свернул свою деятельность чуть больше года назад, и больше мы о нем не слышали, — сообщил Никонов. — До сегодняшнего дня.

— Где он работал? — генерал взял инициативу в свои руки. — Расскажите все и как можно подробнее. Хочу убедиться, что ваше предположение основано на фактах.

— Как прикажете, товарищ генерал. Как я понял, временем мы располагаем, — произнес Никонов и перешел к докладу.

Полковник Никонов возглавлял подразделение наркоконтроля в Екатеринбурге. До недавнего времени там же промышлял Вегас. Он использовал ту же схему, что и в Москве. Совершал наезды на микрофинансовые организации, забирал у них списки должников и использовал их как курьеров. Людей он не считал и не щадил. За ним числилось по меньшей мере тридцать трупов с екатеринбургской земли. Выйти на него Никонову помогли владельцы микрофинансовых организаций. Екатеринбург — город большой, но не настолько, чтобы люди одной профессии не были в курсе проблем своих конкурентов, да и лохов, способных профукать нажитое тяжким трудом, в Екатеринбурге куда меньше, чем в столице. Как только ситуация стала угрожающей, владельцы заемных фирм объединились, обсудили ситуацию и пришли к выводу, что им придется привлечь органы, если они не хотят остаться ни с чем.

Так Никонов получил доступ ко всей информации. Его отдел как раз разрабатывал план, с помощью которого можно было прижать Далласа, так он звался в Екатеринбурге. Но кто-то из цепочки посвященных допустил утечку информации. Даллас свернул свою деятельность и залег на дно. Так думал Никонов до тех пор, пока от столичных силовиков не пришел сигнал. На рынок выбросили большую партию наркотика, точно такого, что возил Даллас. Никонов сразу выехал в столицу. Он только приступил к изучению вопроса, когда из Управления пришел запрос на специалиста по иранскому наркотрафику. Никонов сразу ухватился за эту новость и убедил столичное начальство отправить в Управление именно его.

— И вот я здесь, — завершил свой доклад полковник Никонов. — Все еще не доверяете моему чутью?

— Чем наркотик, ввозимый Вегасом, уж простите, буду называть его так, отличается от других поставок? — спросил Гуров.

— Это особый вид героина. В четыре раза мощнее того, что когда-либо поступал в Россию. И в десять раз дороже, — ответил Никонов. — Не спрашивайте меня, откуда у Вегаса такие связи, все равно не смогу ответить. Не потому, что не желаю, просто не знаю. Мне даже приметы его неизвестны, не то что связи.

— И все же вы уверены, что Вегас — это Даллас? — продолжал допытываться Гуров.

— А вы так не думаете? Неужели вы считаете, что два совершенно разных человека, не имея связи, придумали одинаковую схему и вышли на одного и того же поставщика?

— Сомнительно, — согласился Гуров и тут же задал новый вопрос: — Знаете, каким образом его курьеры перевозят наркотик через границу? Их используют как живые контейнеры?

— О, нет, Вегас так не рискует. После того как он исчез, мы задержали несколько его курьеров. Так и узнали способ.

— И каков же он? — В голосе Гурова слышалось нетерпение.

— Беспокоитесь за своего курьера? — догадался Никонов. — Расслабьтесь, способ вполне безвредный, по крайней мере для здоровья. Партию наркотиков всегда перевозят в ручной клади. В нашем случае он шел через Узбекистан, а их таможенники смотрят на такие вещи сквозь пальцы. В вашем случае — это Азербайджан. Там с таможней договориться еще легче, но это только на случай, если курьер попадется. На самом деле такого не случилось ни разу за время его деятельности в Екатеринбурге. Курьеры у него меняются постоянно, примелькаться не успевают, вот их и не досматривают толком. Схема проста, как уравнение с одним неизвестным, потому и работает.

— Значит, его курьеры не успевают примелькаться, — задумчиво произнес Гуров.

— Верно, не успевают, — подтвердил Никонов. — Пару-тройку ходок за год сделают, а потом их в расход. После того как вскрылась схема Вегаса, мы обнаружили дом, где он держал курьеров. Те понятия не имели, какая участь им была уготована, но, отработав списки пропавших без вести, нам удалось найти примерно треть из них. В разных городах и небольших населенных пунктах. Смерть от передозировки. Вегас отправлял их на тот свет тем самым наркотиком, который они для него возили.

— Это просто невероятно, — возмутился Орлов. — Но почему это дело не предали огласке? Почему позволили Вегасу спокойно обосноваться в Москве? Ведь если бы владельцы заемных фирм знали о том, что случилось в Екатеринбурге, они стали бы куда разговорчивее.

— Не думаю, — возразил Никонов. — Система «своя рубаха ближе к телу» работает безотказно. Все, чего бы мы добились, это того, что Вегас стал бы действовать осторожнее.

— Полковник Никонов прав, — поддержал коллегу Гуров. — Если кричать на каждом углу, что заемные фирмы — зло, клиентов у них меньше не станет. Так и с Вегасом.

— И что вы предлагаете, в свете последних событий? — перешел к конкретике генерал. — Как будем брать Вегаса?

— Начнем с его людей, но делать это нужно очень осторожно. Вегас хитер и изворотлив. Если не прижать его как следует, он не угомонится, — заявил Никонов. — А план разработать нам помогут ваши люди. Ведь вы сказали, что двое ваших парней пасут людей Вегаса. Посмотрим, с чем они вернутся. Ну, и на маячок есть надежда. С грузом они Шошину в одиночку разгуливать по Азербайджану не дадут. Скорее всего, будут сопровождать его до самой столицы. Тут мы их и возьмем. Проводники обычно мало на своей деятельности зарабатывают и охотно сдают клиентов. Нам это на руку. Главное, чтобы наши действия не засекли люди Вегаса, но об этом уже вы должны позаботиться. В этой области у вас приоритет.

За составлением плана прошел весь день. Никонов и Гуров работали слаженно, прорабатывая детали. Генерал Орлов подавал идеи, которые полковники либо одобряли, либо отметали как неэффективные. В итоге сложился вполне четкий план действий, с проработанными нюансами. Никто из собравшихся не знал, как будет действовать проводник, где будут встречать Шошина люди Вегаса, повезут ли его к хозяину или заберут товар прямо на вокзале, поэтому и вариантов операции получилось несколько.

Всю оставшуюся неделю Гуров и Никонов подбирали людей, годных для проведения операции, натаскивали их по всем вопросам, отрабатывали схемы действий. В общем, работы хватало. Трижды в день Гуров являлся в кабинет техников, чтобы понаблюдать за маячком. Он видел, как Шошин уехал из Баку, как переходил границу в Астаре, как перебрался в Серахс, небольшой пограничный город на границе с Туркменистаном. Там он пробыл сутки, после чего маячок пошел в обратном направлении.

Оба, и Гуров, и Никонов, недоумевали, почему Шошин не пошел в крупные города? Почему не Тегеран, не Кередж или какой-то из приграничных городков? На этот вопрос ответа не было. Радовало одно: с иранской стороны Шошин ушел живым, границу Азербайджана миновал без приключений, а это давало надежду, что и до Москвы он доберется невредимым.

Когда маячок пошел наконец по пути следования электропоезда Баку — Москва, в кабинете техников собрался настоящий аншлаг. Каждый хотел лично удостовериться, что план полковника Гурова сработал. К техникам забегали следователи и опера, дежурные и управленцы. Даже сам генерал Орлов не выдержал и зашел на пару минут полюбоваться на плывущий огонек.

А Гуров продолжал рутинную работу. Онучкин и Хватов поработали неплохо. Они довели «хвост» Шошина до многоквартирного дома возле станции метро «Озерная» и там устроили пост наблюдения. За истекшую неделю люди Вегаса появлялись в этом районе регулярно. Были там и Вертлявый, и Рябой, и тот человек, который пас Шошина. Онучкин и Хватов дали ему кличку Супермен, за его скорость: уж больно быстро он ходил. Не ходил, а бегал.

В компании с Суперменом дважды появлялся еще один член банды, толстяк с трясущимися щеками. Его Онучкин прозвал Гамбургером. Один раз за неделю с Вертлявым приходил Гребень, человек, наехавший на фирму Марочкина. Его Онучкин узнал по описанию, данному директором заемной фирмы. К концу недели у Гурова на столе лежал список членов банды с описанием внешности и особых примет. К списку прилагались рисунки, составленные с помощью специальной программы. Всего восемь человек.

Но Гуров был уверен — Вегаса среди них нет. Находится ли он в квартире у метро «Озерная», никто не знал. Никонов даже выдвинул предположение, что Вегасом является один из тех, кто засветился. Возможно, даже Гребень. Почему бы и нет? Выдумал грозного босса, чтобы пугать хозяев заемных фирм не своей персоной, а недосягаемым, и потому более страшным, гениальным и беспощадным бандитом Вегасом, и собирай сливки. Гурову версия понравилась, но поверить в нее он не мог, сколько ни пытался. Вегас существует, он это чувствовал. Осталось только найти его.

В день прибытия поезда Гуров расставил возле дома на «Озерной» целое подразделение. Они нужны были на случай, если Шошина удастся вызволить уже сегодня. Пока

Шошин не окажется в безопасности, дом на «Озерной» трогать нельзя, так решил Гуров. С этим придется повременить.

На вокзале тоже было полно людей Гурова, но в их задачу входило лишь наблюдение. Никто не знал, что будет делать Шошин, когда сойдет с поезда. Его проводника люди Гурова знали теперь в лицо. Поняв, что того невозможно будет отследить в толпе прибывающих и встречающих, Гурову в голову пришла гениальная идея: нужно вычислить его еще в пути.

Он связался с Астраханским управлением внутренних дел и попросил помощи. Те вошли в положение и отправили на бакинский поезд своего лучшего оперативника из уголовки. На то, чтобы вычислить, кто пасет Шошина, астраханскому оперу потребовалось всего три часа. Он не просто сумел его вычислить, но и заполучить вполне читаемый фотоснимок, который и переслали полковнику Гурову. Так что с этой стороны Гуров получил страховку. Проводником должны были заняться люди Никонова, эта сторона дела находилась в ведении наркоконтроля, и разбираться с проводником предстояло им.

Шошин сошел с поезда одним из первых. Проводник опустил подножку, и Шошин тут же спрыгнул на перрон. Несколько минут он стоял на месте, будто ждал, что его встретят, затем закинул рюкзак на плечо и зашагал к зданию вокзала. Проводник из Баку следовал за ним до станции метро, после чего развернулся и пошел обратно на вокзал. Люди Гурова наблюдали за передвижением Шошина с приличного расстояния. Они успели заметить, что бакинского проводника сменил Супермен. К Шошину он не приближался, держался на расстоянии в двадцать метров. Шошин выбрал направление и сел в электропоезд.

Человек Гурова едва успел заскочить в вагон той же электрички. Через некоторое время он связался с Гуровым и доложил: объект пересел на зеленую ветку. Гуров понял, что Шошин возвращается на конспиративную квартиру в Бирюлево. Местоположение этой квартиры ему было хорошо известно, так как Шошин прожил в ней двое суток, уже имея на руках маячок. Этого Гуров не ожидал, но среагировал мгновенно. Связался с Царицинским отделом, благо там было на кого положиться, и велел выслать наряд по указанному адресу. Только тихо, без сигналок и камуфляжа. Рядовую машину без опознавательных знаков и пару оперативников в гражданке. Опера из Царицинского отдела должны были успеть прибыть до Шошина.

Сам Гуров все еще оставался на вокзале, бегать по всему городу за Шошиным было глупо, а возвращаться в Управление — впустую тратить время. Но теперь ситуация изменилась.

Машина Мейерхольда ждала на привокзальной площади. Гуров запрыгнул на переднее сиденье и велел гнать в Бирюлево. За последние дни он так привык к присутствию водителя, что даже не задумывался о том, что давным-давно мог забрать из автосервиса собственный автомобиль.

— Поторопись, Леонид, за Шошина мы с тобой несем персональную ответственность, — проговорил Гуров. — Он сейчас идет туда, откуда начал этот путь. Не хотелось бы, чтобы там он и закончился.

Мейерхольд гнал машину, обходя всех, кто шел со скоростью ниже сорока, подрезал автомобили, вылетал на встречную полосу, но до Бирюлева домчал за максимально короткое время.

И все же Шошин успел войти в дом. Об этом Гурову сообщили оперативники из Царицинского отдела. Они наблюдали за домом, когда появился Шошин. Человек, который следовал за ним, в дом не пошел. Остановился у поворота во двор, постоял минут пять и ушел.

— Думаю, в доме Шошина ждали, — предположил Гуров. — Это значит, что они еще там.

— Что будем делать, товарищ полковник? — спросил один из оперов.

— Пока не знаю, — признался Гуров. — Если бы можно было выяснить, что там происходит. Хотя бы узнать, кто внутри, и не грозит ли Шошину опасность, можно было бы действовать.

361

— Так давайте прощупаем, — предложил опер. — Я пойду, постучусь, представлюсь каким-нибудь там слесарем. По стандартной схеме.

— Люди Вегаса не дураки, они тебя вмиг раскусят. Ты же мент до мозга костей, — заметил Гуров. — Нет, тебя отправлять нельзя.

— Меня можно, — внезапно заявил Мейерхольд. — Меня они за мента точно не примут. Скорее, за продавца подержанной литературы или что-то в этом роде.

— Нет, Леонид, это слишком опасно, — Гуров категорично отклонил предложение Мейерхольда.

— А по мне, так он вполне подойдет, — вмешался царицинский опер. — Посмотрите на него: он же типичный коммивояжер.

— Кто-кто? — переспросил Мейерхольд.

— Коммивояжер, — повторил опер. — Разъездной продавец.

— Ладно, выбора нет, — вдруг сдался Гуров. — Парни, у вас в машине ящик с инструментами есть?

— Должен быть, — ответил все тот же опер. — А вам зачем?

— Дадим Леониду в руки, так будет правдоподобнее, — ответил Гуров. — Тащите свой, а ты, Леонид, доставай свой. Пойдешь гаечными ключами торговать.

В подъезд вошли неслышно. Оперативники заняли места этажом выше и ниже того, что занимали люди Вегаса. Гуров рискнул встать на площадке между этажами. Закатал рукава рубашки, взъерошил волосы, задымил сигаретой, надеясь, что сойдет за соседа, вышедшего на площадку покурить.

Мейерхольд с пластиковыми чемоданами в каждой руке замер перед дверью. Он волновался, как никогда в жизни. Ладони его вспотели, грозя выронить тяжелый груз. Сделав несколько глубоких вдохов, он на секунду выпустил из рук один чемодан и вдавил кнопку звонка. Звук разлетелся по квартире, Мейерхольд поспешно схватил чемодан, натянул на лицо дежурную улыбку и приготовился исполнять роль назойливого продавца.

— Кто там? — услышал он грубый окрик.

— Доброго времени суток, господа. Ваша машина стоит у подъезда? — начал Мейерхольд.

— Какая еще машина? — немного доброжелательнее спросил голос из-за двери.

— Чудесная машина, просто замечательная, — запел Мейерхольд. — Вы наверняка заботитесь о своем четырехколесном друге? Уверен, что я прав, а значит, сегодня у вас удачный день. Волшебный набор гаечных ключей и все, что нужно для ремонта автомобиля, по совершенно смехотворной цене. Вы только взгляните на них, и уже через минуту не сможете себе представить, как обходились без восхитительного набора раньше.

Мейерхольд шпарил как по писаному. Лицо его излучало доброжелательность и полную открытость. Беспокойство насчет того, что Мейерхольд не справится, тут же улетучилось. Но не это было главной заботой полковника.

Больше всего Гуров боялся, что осторожность не позволит людям Вегаса открыть дверь даже простому торгашу. Но, видимо, это качество Вегас им привить не успел или не посчитал нужным, так как через секунду замки защелкали, дверь распахнулась, и на пороге появился один из людей Вегаса. Это был толстяк по кличке Гамбургер.

— Ну, покажи, что там у тебя, — дружелюбно предложил он Мейерхольду.

— Прекрасное решение, — искренне обрадовался Мейерхольд. — Вот, взгляните, уникальный товар. Набор гаечных ключей в комплекте с насосом. При покупке двух наборов вы получаете в подарок отличные перчатки для ремонта.

Говоря это, Мейерхольд плюхнул один из ящиков на порог квартиры, блокируя тем самым дверь. Содержимое второго ящика он демонстрировал толстяку, удерживая товар на весу прямо перед лицом Гамбургера. Тот придирчиво оглядывал инструмент, а Мейерхольд изо всех сил пытался рассмотреть, что происходит в квартире.

— Отличный набор, кремниевое напыление увеличивает срок эксплуатации в четыре раза по сравнению с обычным, — заливал Мейерхольд. Приподнявшись на носочки, он умудрился заглянуть в глубь квартиры. — Пригласите своего друга, пусть и он посмотрит. Принимать решение о покупке всегда лучше, посоветовавшись с другом.

— Да они же у тебя не новые! — воскликнул Гамбургер, щупая один из ключей. — Ты что, барахлом торгуешь?

— Ни в коем случае, этот товар, хоть и ношеный, но ничуть не хуже нового. Проверенный на пользователе, так сказать. Вы на руку примерьте, как легко он ложится в ладонь. Представьте, как легко будет им пользоваться, — Мейерхольд с нужного тона не сбился. Вытянув шею, он крикнул в глубину квартиры: — Молодой человек, вот вы наверняка знаете толк в инструментах. Взгляните и подтвердите своему другу мою правоту.

— Синай, ты совсем сдурел? — донеслось из квартиры. — Захлопни дверь. Забыл, что босс велел?

— Уникально низкая цена, — поняв, что через секунду его выпрут из квартиры, в которую он еще даже не попал, торопливо заговорил Мейерхольд. — Всего одна тысяча рублей. Берете оба комплекта — экономите еще три сотни. Не спешите отказываться, такого предложения вы больше нигде не получите. Подобные наборы идут от четырех тысяч даже в интернет-магазинах.

Последние слова задержали Гамбургера. До этого он с сожалением вернул ключ в пластиковый чемодан и уже взялся за дверную ручку, но дешевизна предложения победила.

— Второй покажи, — понизив голос, попросил он.

— Как скажете, любой каприз за ваши деньги.

Мейерхольд умудрился вложить в банальную фразу столько дружелюбия, что Гуров, будь ситуация иная, наверняка расхохотался бы. Сейчас же он, лениво облокотившись на стену, делал осторожные затяжки.

А Мейерхольд бесцеремонно впихнул открытый чемодан в руки Гамбургера, поднял второй образец и распахнул перед покупателем.

— Как же я по-твоему оценивать буду? — сердито буркнул Гамбургер. — Мне, вообще-то, руки нужны.

— Ах, да, простите великодушно, — принялся расшаркиваться Мейерхольд. — Не волнуйтесь, сейчас я все исправлю.

Он опустил открытый чемодан на пол прихожей, заставляя Гамбургера податься назад, забрал из его рук первый образец и сменил его на второй. Теперь дверь оказалась блокирована полностью. Человек из квартиры снова подал голос:

— Тебе сказано, гони этого чудака! — рявкнул он. — Босс узнает, нам обоим не поздоровится.

— Он не узнает, — отмахнулся любитель халявы Гамбургер. — Если ты не настучишь.

— Ты меня стукачом назвал, падла? — огрызнулся второй бандит.

— Да заткнись ты, Дробот. Никому дела нет до твоих переживаний, — отмахнулся Гамбургер. — Пару минут всего. Ведь стоящая вещь.

Гуров услышал все, что было нужно. Оторвавшись от стены, он начал подниматься по лестнице, на ходу вступая в разговор:

— Дай-ка и мне взглянуть, — протянул он руку, обращаясь к Мейерхольду. — Два покупателя всегда лучше одного.

— Эй, мужик, проходи мимо, — грубо осадил его Гамбургер. — Товар куплен, или непонятно?

— Может, я цену больше дам, — ощетинился Гуров. — Думаешь, ты один здесь халяву любишь?

— Да пошел ты, — бросил Гамбургер, захлопывая крышку чемодана.

Больше он сказать ничего не успел. Гуров свистнул, подавая знак операм, и в два прыжка оказался перед Гамбургером. Мейерхольд едва успел отскочить назад. Гуров выкинул вперед кулак, тот впечатался в расслабленный подбородок Гамбургера. Хрустнула кость, Гамбургер взвизгнул и обмяк.

А из комнаты на Гурова уже летел второй. Его Лев еще не видел, но впечатление он производил серьезное. Бицепсы под футболкой играли нешуточно, кулаки — что молоты. И эта махина на всех парах неслась на Гурова.

— Спокойно, парень, спокойно, — вполголоса проговорил Гуров. В последний момент, когда казалось, что столкновение неизбежно, Гуров плавно ушел в сторону, одновременно с этим запуская согнутую в колене ногу в область живота бегущего. Тот налетел на колено, охнул, пролетел еще пару метров и растянулся на полу. Ноги его остались в квартире, туловище вылетело на лестничную площадку. Один из оперативников оседлал его сверху, завел руки за спину и защелкнул на запястьях наручники.

Гуров и второй опер уже проверяли квартиру. Мейерхольд следил за Гамбургером, который начал приходить в сознание.

Кроме Шошина, запертого в ванной комнате, в квартире никого не оказалось. Гуров велел затащить бандитов в комнату. Опера рассадили их на диване, сами устроились в дверях. Гуров занял стул, установив его напротив дивана.

И сразу перешел к делу:

— Итак, граждане бандиты, времени у нас в обрез, — заявил он. — Первый, кто начнет говорить, получит персональный иммунитет полковника Гурова. Это, кстати, я. Меня же интересует Вегас, он же Даллас. Для усиления стимула сообщу некоторые подробности. За Вегасом тянется длиннющий хвост, я бы сказал, колонна трупов из Екатеринбурга. В Москве он тоже успел поднабрать убитыми и пропавшими без вести целую армию. Ему хватит на сто пожизненных. Так что не советую выгораживать босса, ничем хорошим это для вас не кончится.

— О чем ты, начальник? — растягивая гласные, протянул Дробот. — Мы мирные граждане, никого не трогаем. Сидим тут с друзьями в картишки режемся.

— Дробот не понял серьезности ситуации, — Гуров обращался к операм. — И моего нетерпения не уловил. Что ж, придется объяснить более доступно. Никита, зайди к нам.

В комнату вошел Шошин. Лицо его осунулось, кожа потемнела, но глаза светились торжеством победы. Дробот зло зыркнул на Шошина и с угрозой прошипел:

— Лучше бы тебе помолчать, парень.

— Не выйдет, — оборвал его Гуров. — Никита Шошин —

наш человек, разве до тебя еще не дошло? Как, думаешь, мы вышли на вашу хату? Никита, принеси товар, пригласим понятых и будем оформлять незаконное хранение. Сколько там герыча?

— Пара кило наберется, — довольно ответил Шошин.

— Отлично, так и запишем.

— Подождите, — прошамкал опухшими губами Гамбургер, челюсть его едва держалась, от этого слова звучали искаженно, но понять было можно. — Вам нужен Вегас, я скажу, где его найти.

— Синай, заткни пасть, — рыкнул Дробот.

— Да пошел ты, — огрызнулся Гамбургер, прозвучало это как «а осел ты», но никто из присутствующих даже не думал улыбаться. Наступил решающий момент, операм было не до веселья, бандитам тем более. — Все кончено. С Вегасом покончено. Хочешь идти паровозом, чалится на нарах, пока он прожигает заработанные нами деньги где-нибудь на Канарах? Лично я — пас.

— Не заткнешься — сам окажешься на Канарах, только на местных, — предупредил Дробот. — Думаешь, они тебя отпустят, если ты Вегаса сдашь?

— Да мне плевать, — отозвался Синай. — Лишь бы не одному за всех чалиться.

— Дискуссия завораживающая, но время не ждет, — Гуров прервал диалог бандитов. — С этой минуты говорим коротко, четко и только по существу. Синай, где Вегас?

— На Никулинской, по Мичуринскому проспекту, — прошамкал Синай. — У него там хата.

— Это у метро «Озерная»?

— Вы и это знаете? — удивился Синай.

— Сейчас он там?

— Да.

— Товар у вас, почему вы не на Никулинской?

— Мы до вечера туда соваться не можем, на случай, если этот где-то проколется, — Синай кивнул на Шошина. — Потом я должен остаться здесь, поглядывать за клиентом, а Дробот повезет товар Вегасу. Вернее, должен был повезти.

— При форс-мажоре что? — торопил Гуров.

— Товар уничтожить, курьера в расход, самим залечь на дно, — пробубнил Синай.

— У Вегаса есть место, куда он может уйти, чтобы шумиху переждать?

— Есть, но где именно, не знаю.

— Как часто вы должны с ним связываться?

— Каждый час.

— Сколько времени прошло после последнего сеанса?

— Минут десять, не больше. Перед тем как этот ваш продавец в дверь позвонил, я как раз закончил разговор.

— Говорил с Вегасом?

— С Гребнем, он такими делами заведует. Вегас только речи толкает и планы составляет, в рутинные дела не впрягается.

Гуров бросил взгляд на часы. Итак, в его распоряжении пятьдесят минут. Успеет добраться до «Озерной»? Можно попытаться.

— Синай, что случится, если вы не выйдете на связь? — мысленно составляя план, поинтересовался Гуров.

— Вегас даст сигнал к отходу. С Никулинской все уйдут, — начал Синай.

— Все, дальше можешь не продолжать, — остановил его Гуров. — Жаль, что я сломал тебе челюсть. Знай я, какой ты ценный свидетель, действовал бы аккуратнее.

Гуров вызвал одного из оперов в коридор, провел короткий инструктаж, как действовать дальше, велел вызвать экспертов из отдела, найти понятых и оформлять изъятие героина. Сам же забрал Мейерхольда и помчался на Никулинскую.

Глава 12

До Никулинской Мейерхольд гнал, как скипидаром намазанный. Выставил на крышу мигалку, врубил сирену и мчался, игнорируя все правила дорожного движения. Автомобилисты жались к обочине, чтобы не попасть в мясорубку при столкновении с сумасшедшей полицейской машиной. Гуров вызвонил Онучкина, тот выслушал приказ полковника, сверился с часами и подтвердил задачу: ровно в двенадцать начать штурм квартиры на Никулинской.

Созвонившись с Управлением, Гуров с радостью узнал, что азербайджанского проводника взяли, и он готов давать показания. Это вселяло надежду. Уже двое из банды Вегаса согласились сотрудничать. Самое сложное теперь — взять самого Вегаса. Гуров молился, чтобы время остановилось, чтобы он успел доехать до Никулинской раньше, чем придет время очередного сеанса связи с Синаем и Дроботом. Слабая надежда на то, что царицынским операм удастся склонить Дробота к сотрудничеству, оставалась, но делать ставку на это Гуров не решался.

«Если в квартире на Никулинской Вегаса не окажется, мы его не найдем, — размышлял Гуров. — Он заляжет на такое дно, откуда его не достать. Денег у Вегаса хватит на десять жизней безбедного существования, наверняка все активы у него в руках. Жаль, не было времени выяснить этот вопрос у Синая».

И все же, как ни гнал Мейерхольд, как ни молился Гуров, к началу операции они опоздали. Во двор въехали уже без мигалки и сирены и сразу поняли, что данная предосторожность уже не актуальна. Парни в камуфляже выводили из подъезда бандитов, одного за другим. Гуров выскочил из машины, подбежал к Онучкину:

— Вегаса взяли?

— Его там не было, — сообщил Онучкин. — Семерых замели, но Вегаса среди них нет.

— А товар? А деньги? Все на месте? — выспрашивал Гуров.

— Ребята еще работают, но, похоже, они все подчистили. Лихо работают, аж завидно, — прокомментировал Онучкин.

— Подъезд осмотрели? Возможно, кто-то ушел по крыше или в соседней квартире затихарился, — продолжал выяснять Гуров.

— Ребята еще работают, — как заведенный ответил Онучкин.

— Да что ты все заладил: работают, работают. Плохо работают! — в сердцах выкрикнул Гуров. — Мне Вегас нужен, а не эта шантрапа.

— Всем нужен Вегас, но раз его нет, то нет, — Онучкин устал, и от этого не был настроен слушать критику в свой адрес. — Хотите проверить крышу, так и скажите. Хватова возьму и пойду.

— Ладно, не грузись, сам проверю, — отмахнулся Гуров.

Онучкин пожал плечами и вернулся к бойцам. Гуров постарался успокоиться и сосредоточиться на первоочередных задачах. Итак, Вегаса в квартире не было. Так ли это? Синай был уверен, что босс вместе со всеми на Никулинской. Тогда почему его не взяли?

Гуров попытался поставить себя на место Вегаса. Вот он сидит в квартире, битком набитой бандитами. Ждет звонка от охранников курьера. На курьере висит два кило героина, и курьер этот еще проверку «на вшивость» не прошел. Как бы он, Гуров, подстраховался на случай провала? Вариантов два: либо скрылся в одной из соседних квартир, либо попытался прорваться на крышу.

Нет, оба эти варианта слишком банальны. Долго в квартире не просидишь, подъезд прошерстят от чердака до подвала. А крыша... Слишком мало времени, чтобы туда добраться незамеченным. Штурм начался точно по расписанию, как только стрелки сошлись на цифре «двенадцать». Это значит, что Вегас не успел понять, что у Синая и Дробота не все гладко.

«Думай, Гуров, думай, — подгонял он сам себя. — Должен быть другой вариант».

Размышляя, он начал обходить дом по периметру. Обогнув угол, оказался на той стороне, что выходила на шоссе. Машинально подняв голову вверх, он увидел, как кто-то спускается по балконам, цепляясь за толстую трубу, что шла через все балконы до первого этажа. Человек был уже на уровне второго этажа.

Гуров на секунду замер. Вот оно! Стоит пробежать каких-то двадцать метров, и Вегас у него в руках. Гуров рванул с места, и тут человек его заметил. Не раздумывая, он спрыгнул вниз, прокатился по траве и вскочил на ноги.

— Стой! — закричал Гуров. — Стой, Вегас, стрелять буду!

Но Вегас не остановился. Он рванул к шоссе, где на обочине был припаркован внедорожник — шикарный «Ленд Крузер».

«Не успеть, — понял Гуров. — Мне ни за что не успеть».

В машине сидел водитель. Как только Вегас нырнул на заднее сиденье, «Ленд Крузер» рванул с места и помчался по Мичуринскому проспекту.

Гуров бросился обратно во двор. На ходу он выкрикивал приказ Мейерхольду:

— Леня, заводи машину! Вегас уходит. На Мичуринский, живо.

Мейерхольд повернул ключ, подхватил Гурова и выскочил на шоссе, минуты на две отстав от беглеца. Он крутил баранку, давил на педаль газа, наращивая скорость, а Гуров уже включил рацию и передавал ориентировку на машину Вегаса:

— Внимание! Всем постам! Преследую автомобиль марки «Ленд Крузер», темно-синего цвета. В машине преступник, он вооружен и очень опасен. Всем постам! Задержать автомобиль «Ленд Крузер»...

Покончив с сообщением, он выхватил из бардачка карту Москвы и принялся разглаживать ее на коленях.

— Леня, он попытается покинуть город. Что у нас по Мичуринскому? Куда он может пойти?

— Если бы ему по Озерной пойти, так сразу на МКАД вышел бы, а так крутиться придется, — не раздумывая, ответил Мейерхольд.

— Куда бы ты пошел? — настаивал Гуров.

— Я бы погнал до Лобачевского, здесь движение потише. По Лобачевского до Ленинского, там повернул и гнал бы до самого выезда, — ответил Мейерхольд.

— Значит, так и поступим, — заключил Гуров. — Впереди их не видно, значит, ушли далеко. Остается двигаться наудачу.

До Ленинского проспекта домчались быстро. Гуров держал рацию наготове, но посты молчали, а «Ленд Крузер» впереди не появлялся. По Ленинскому движение застопорилось, развить приличную скорость никак не удавалось. Тогда Мейерхольд снова выставил на крышу мигалку, врубил сирену и, наплевав на правила, погнал по встречке.

Машину Вегаса они нагнали только на последней развилке перед Кольцевой. Гуров высунулся из машины и произвел три выстрела, целясь по колесам. Все пули ушли в пустоту: «Ленд Крузер» крепко стоял на дороге.

МКАД переехали, почти не заметив. Впереди шла сто первая трасса и располагался поселок румянцево. Там был пост ДПС. Гуров набрал номер дежурки.

— Акимкин, срочно передай румянцевскому посту ДПС, чтобы выставляли кордон. На них идет «Ленд Крузер». Его нужно остановить во что бы то ни стало. Приказ понял?

— Так точно, товарищ полковник.

— Действуй, живо!

Машина шла на предельной скорости, но Вегасу все равно снова удалось оторваться. Поворот на Дудкино они прошли, и Вегас туда не свернул, так что теперь ему была открыта одна дорога — к посту ДПС. Еще до того, как он показался, Гуров услышал звуки выстрелов. «Все-таки не обошлось без заварушки, — промелькнуло в голове полковника. — Только бы они его не угрохали».

Но Вегас остался жив. Он сумел прорваться метров на сто дальше поста, когда автоматная очередь дежурного сотрудника ДПС прошла оба задних колеса. Машина подскочила вверх, пошла юзом и через минуту уже лежала на крыше, врезавшись в металлическое ограждение. Возле машины выстроились четыре бойца с автоматами.

Мейерхольд эффектно затормозил в метре от перевернутого «Ленд Крузера», Гуров выскочил из салона.

— Пассажир жив? — бросил он на ходу.

— Оба живы, — доложил дежурный офицер. — Вылезать не хотят. Мы предлагали.

— Вынимайте их оттуда, — приказал Гуров. — И вызовите конвойную, преступников лучше перевозить по всем правилам.

Бойцы выволокли водителя. Тот вяло сопротивлялся. По фотороботу Гуров узнал в нем Гребня.

— Привет, Гребень, что, босса прокатить решил? — усмехнулся Гуров. — Неудачное время выбрал.

— Я требую адвоката, — с ходу заявил бандит.

— Ты сперва со мной познакомься, имя-отчество свое назови, адрес регистрации предъяви, а уж потом о правах разговор затевай, — наставительно проговорил Гуров. — И начальничка своего научи, что со следствием лучше сотрудничать. Хотя ему уже никакое чистосердечное не поможет.

Вегаса вытаскивали втроем. Он так упирался, будто от этого зависела его жизнь. Гурову даже смешно стало: чего ради так за автомобильные стойки цепляться, если ты уже в полной заднице? Внешне Вегас оказался совершенно непримечательным: среднего телосложения, среднего роста, среднего возраста. Соломенные волосы, приплюснутый нос, острые скулы. Вот разве — глаза. Глядя в них, казалось, что они живут отдельной от всего тела жизнью. Сейчас в них горела такая ненависть, что, будь Гуров из соломы, он непременно загорелся бы.

Полчаса спустя пришел «воронок». Гуров погрузил задержанных в будку, сам сел на место охранника. Мейерхольду велел возвращаться в Управление одному.

По дороге Гуров с задержанными не разговаривал. Просто наслаждался тем, что оба они за решеткой. История, начавшаяся как банальная разборка на почве ревности, вылилась в разоблачение банды убийц и наркоторговцев. Этим стоило гордиться.

Доставив задержанных в СИЗО, Гуров пошел с докладом к генералу. Тот сообщил, что всех членов банды Вегаса поместили на Лубянку. Всех, кроме самого Вегаса. Его еще предстояло допросить. Проводник Вегаса сдал и весь маршрут поставки героина расписал. В этот самый момент полковник Никонов утрясал вопрос с азербайджанской и иранской полицией, Орлов был уверен: этот путь для ввоза наркотиков теперь заказан.

Закончив доклад, Гуров снова отправился в СИЗО.

В допросную привели Гребня, так распорядился Гуров. Он хотел получить представление о правой руке Вегаса, прежде чем переходить к допросу главаря. Гребень выделывался ровно три минуты. Как только Гуров начал перечислять статьи, по которым пойдет Гребень в случае, если захочет взять организацию банды и пути наркотрафика на себя, он тут же заявил, что козлом отпущения становиться не собирается.

Как ни странно, ни один из членов банды Вегаса, включая самого главаря, ни разу не были на зоне. Ни одной ходки, даже по малолетке. Каким образом Вегасу удалось уговорить всех этих людей встать под его знамена, Гуров понятия не имел. Гребень рассказал только о том, как сам попал в банду. С Вегасом, настоящее имя которого было Быстров Александр, он учился в школе, в богом забытом поселке на юге страны.

Тот всегда был задирой и, несмотря на неказистую внешность, имел успех у девушек и пользовался уважением у парней. После школы Вегас не пошел получать профессию, как все его сверстники, а отправился за длинным рублем на Север. Вернулся оттуда совсем другим человеком. Наглым, напористым и каким-то урковатым. То ли у бывалых поднабрался, то ли специально такой стиль общения выбрал.

Пару-тройку раз они встретились в местном кафе. Во время этих встреч Вегас, тогда он называл себя странной кличкой Круп, вел себя панибратски, сорил деньгами и всячески давал понять, что жизнь, которую ведет Гребень, его недостойна. На четвертый раз Гребень сам нашел Вегаса. Он заразился той бравадой и наглостью, что исходили от бывшего одноклассника, и теперь мечтал только об одном: стать таким, как Вегас. Глупо иметь такие желания в двадцать пять лет, но Гребню на это было наплевать, так достала его скучная жизнь в захолустье.

И тогда Вегас предложил сколотить банду. Мол, чем промышлять, он уже давно придумал, деньги рекой потекут. Год Гребень и Вегас потратили на то, чтобы собрать банду, людей вербовал всегда Вегас, Гребень только за дисциплиной следил. После все вместе переехали в Челябинск. Там прошел первый пробный заход с заемными фирмами и их должниками. Денег тогда «подняли» не особо много, а вот опыта набрались прилично. После был Екатеринбург. Теперь Москва. Сидеть Гребню не хотелось, он раз двести повторил, что сам никогда никого не убивал. Все, что входило в его обязанности, — держать в узде парней Вегаса да играть роль его правой руки при наездах на директоров фирм.

Разобравшись с Гребнем, Гуров велел привести Вегаса. Оказавшись в допросной, Вегас сдулся, но все еще старался держать марку. Он прекрасно понимал, что ему грозит за организацию банды, за убийство такого количества людей и за налаженный канал перевозки наркоты. Сотрудничать с полицией ему резона не было. Тем не менее попытаться Гуров должен был.

— Гражданин Быстров, вы осознаете серьезность ситуации? — задал он первый вопрос Вегасу. — Быть может, вы желаете что-то сказать, прежде чем я передам дело прокурору?

— Послушайте, гражданин начальник, вы кажетесь умным человеком, так зачем этот разговор? — с вызовом глядя на Гурова, проговорил Вегас.

— Считаете себя неуязвимым? — Гуров печально улыбнулся. — Напрасно. Ваши люди вовсю дают признательные показания. По всем эпизодам. И по Челябинску, и по Екатеринбургу, и по Москве. Вы совершили просчет, собрав банду из тех, кто не хлебал баланду. Те держались бы за вас до конца, а эти, кто в зоне не был, боятся тюрьмы куда сильнее, чем осуждения будущих сокамерников. Им незнакомы суровые законы тюрьмы. Впрочем, как и вам.

— И что с того? Вы ведь понимаете, что хороший адвокат камня на камне не оставит от этих показаний, — заявил Вегас. — До моих денег вам не добраться, а с ними я действительно неуязвим. Что у вас есть на меня, кроме навета кучки бандитов? Кто-то из потерпевших узнает меня в лицо? Или у вас есть отпечатки моих пальцев на оружии, из которого убиты те, кого вы приписываете в мои жертвы? А может, у вас есть основания квалифицировать смерть нескольких десятков отчаявшихся должников как убийство? Так докажите.

Гуров понимал, что слова Вегаса не лишены смысла. Его ведь даже на квартире с бандой не накрыли. Он нигде не засветился, разве что проводник из Азербайджана или иранские поставщики покажут именно на Вегаса. Да, ситуация не из приятных. Доказательства найдутся, Гуров не сомневался, но сколько времени на это уйдет? И не сумеет ли адвокат Вегаса повернуть все так, будто члены банды нашли козла отпущения и вешают все на невинного человека? Свои мысли Гуров старательно скрывал, чтобы не давать Вегасу лишней надежды.

— Вашему адвокату будет сложно доказать, что на фасаде здания, в котором производили задержание банды наркоторговцев и убийц, вы оказались случайно, — заметил Гуров.

— На фасаде? Так это ерунда, — Вегас воодушевился. — Я отдыхал в этом доме с девицей. Когда началась пальба и крики, я просто ушел тем способом, который показался мне самым безопасным. Дело в том, что девица имеет ревнивого мужа-боксера, мне светиться там резона не было. А что по стеночке — так боялся под шальную пулю попасть. Ведь как оно бывает: полиция сначала стреляет, а потом уж начинает разбираться, в бандита пуля попала или в добропорядочного гражданина.

— И совершенно случайно вы попали в машину к члену банды, а потом он так же случайно попытался вывезти вас из города, — напомнил Гуров.

— Выбора не было. Я увидел вооруженного человека и прыгнул в первую попавшуюся машину. Водителем оказался бандит? Не повезло, вот и все.

— Хотите ломать комедию, дело ваше, — сдался Гуров. — Подписывать я вас ничего заставлять не буду. Этим займутся другие люди, но поверьте, вашу причастность к организации банды и перевозке наркотиков мы докажем.

— Так мы беседуем без протокола? — удивился Вегас. — Что же вы сразу не сказали.

— А что бы это изменило? — переспросил Гуров.

— Есть у меня маленький недостаток. Так, пустячок, но сейчас он просто не дает мне покоя, — начал Вегас. — Дело в том, что я ужасно любопытный. Удовлетворите мое любопытство, и я расскажу вам, как вышел на изготовителей героина в Серахсе.

— Без протокола? Зачем это мне? — Гуров сделал вид, что предложение Вегаса его не интересует.

— Затем, чтобы закрыть другой наркотрафик, который идет через Узбекистан. Не думаете же вы, что он теперь простаивает?

— Годится, — подумав, согласился Гуров. — Задавайте свои вопросы.

— Как вы вышли на Шошина, если он все время был под наблюдением? — Вегас весь превратился в слух.

— Очень просто. Я ждал его в квартире. Надо было устанавливать слежку сразу после первой встречи. Впрочем, это вас все равно не спасло бы. Мы вышли на него через списки Марочкина. Если бы не он, то следующий из списка пошел бы в Иран с маячком.

— Маячок? Так вот в чем дело! Квартира в Бирюлеве — тоже маячок?

— Верно.

— А проводник?

— Тут совсем просто. Его срисовал оперативник, подсевший в поезд в Астрахани. Всего не предусмотришь, не так ли, Вегас?

— Да, всего не предусмотришь, — Вегас задумчиво покачал головой. — Но попытаться стоит.

— Так что с Узбекистаном?

— Записывайте, — объявил Вегас и начал диктовать имена и фамилии, а также перевалочные пункты и точное местонахождение всех участников контрабанды наркотиков через Узбекистан. Главным лицом Вегас назвал человека, с которым познакомился в Сургуте, это он натолкнул Вегаса на мысль организовать команду для перевозки наркотиков. Он же договаривался с местными воротилами, чтобы те позволили торговать героином на их земле.

По сути, получалось, что Вегас всего лишь одно звено в цепи налаженной торговли. Крепкое, не лишенное своеобразия, но всего лишь звено. Человек из Сургута дал Вегасу работу, все остальное его не касалось. Как выполнять эту работу, придумал уже сам Вегас. Гуров подозревал, что, узнай босс Вегаса, каким варварским образом он вербует курьеров, давно бы избавился от зарвавшегося подонка. Но Вегас оказался осторожен, и если бы не случайность, вряд ли он скоро бы попался.

Закончив допрос, Гуров отправил Вегаса в камеру, передал информацию насчет человека из Сургута полковнику Никонову, а сам поехал в госпиталь к Крячко. Его работа над делом Рауфа Гулиева была завершена, и теперь он мог вздохнуть свободно.

Полковник Крячко встретил друга на пороге палаты.

— Гуров, зря ехал, меня выписали, — радостно сообщил он.

— Вот и отлично. На улице ждет Мейерхольд, так что домой поедешь с помпой. А я по дороге расскажу, как мы брали Вегаса.

— Так вы его взяли? Вот паршивцы, теперь вся слава мимо меня пройдет. Я так надеялся, что успею поучаствовать, — Крячко даже расстроился.

— Не переживай, коллега, на твой век преступников хватит, — пошутил Гуров.

Он забрал из рук Крячко сумку с личными вещами, вместе они спустились на первый этаж и вышли во двор. Ласковое солнце припекало не так нещадно, как неделю назад, ветерок холодил спину. Забираться в душную кабину автомобиля совершенно не хотелось. Два дня назад у Мейерхольда сломался кондиционер, а за всеми этими погонями и арестами времени на починку совершенно не оставалось.

— Слушайте, а поехали на пруды? — предложил вдруг Мейерхольд. — Машина на ходу, магазины открыты, да и товарищу полковнику полезно свежим воздухом подышать. Сколько он в застенках промаялся.

— И то верно, поехали, Гуров. Отметим счастливое окончание расследования, — подхватил идею Крячко. — Ведь все же хорошо закончилось?

— Ладно, черт с вами, поехали, — согласился Гуров.

Пятнадцать минут на опустошение магазина, час на дорогу, и вот они уже сидят на мягкой траве возле лениво журчащего ручья, впадающего в живописный пруд.

Мейерхольд суетится над припасами, Крячко балагурит без остановки, а Гуров просто валяется на траве и ни о чем не думает. Идиллия, да и только.

Крячко все-таки заставил Гурова рассказать про задержание во всех подробностях. Вдосталь насмеялся над тем, как профессионально Мейерхольд навязывал совершенно ненужный товар людям Вегаса.

— Ты где так намострячился, Леня? Признайся, до того, как поступить к нам в Управление, ты таскался по подъездам с дешевым пылесосом и втюхивал его бедным горожанам по цене новенькой «Тойоты», — шутил Крячко.

— Рекламу смотрю, — смущенно признался Мейерхольд. — Знаете, есть такие каналы, «Магазин на диване». Там круглые сутки что-то рекламируют.

— И ты смотришь эту чушь? — Крячко брезгливо сморщил нос. — Может, и покупаешь?

— Нет, не покупаю, но смотрю, — не стал отпираться Мейерхольд. — А что такого? Меня это успокаивает. Вот что сейчас показывают по телевизору? Убийства, ограбления, недоимки да повышение налогов. Разве под такие передачи отдохнешь? Разве расслабишься? А здесь всегда позитив. Голоса жизнерадостные, и никакой чернухи.

— В чем-то ты прав, мой друг, — вынужден был согласиться Крячко. — Вот следующие две недели по телику, какой канал ни включи, про Вегаса и его жертв рассказывать будут. И обязательно полицию ругать: мол, как могли допустить такое, общественность требует наказать виновных. А как иначе? Людям всегда нужен кто-то, кто виноват. Вон и Вегас не захотел полным негодяем выглядеть. Взял и сдал большую шишку, верно, Гуров? Ведь тот делец из Сургута наверняка большая шишка?

— Полагаю, таких Вегасов у него с десяток наберется. Кто-то возит наркоту через Азербайджан, кто-то через Узбекистан, но все стекается в Москву. А денежки — в Сургут. А он чист и при бабосах.

— Как думаешь, прокурор предложит Вегасу сделку? — Крячко задал вопрос, который беспокоил Гурова с того самого момента, как Вегас заговорил о Сургуте.

— Скорее всего, — пожал плечами Гуров. — А куда ему деваться? На сургутского дельца ему без помощи Вегаса не выйти. Хитрый стервец, все предусмотрел. Он так и заявил на прощание: «Не все можно предусмотреть, но можно попытаться». И похоже, его попытка удалась.

— Хотите сказать, прокурор снимет с Вегаса все обвинения? Позволит ему выйти сухим из воды? — Мейерхольд от возмущения аж куском подавился. — Но это же чистой воды безумие. На совести Вегаса столько загубленных жизней!

— Таковы реалии этого мира, — философски заметил Крячко. — Хочешь поймать крупную рыбу — запусти в пруд мальков.

После этой новости настроение у всех испортилось. Посидев минут десять, начали собираться. Мейерхольд развез полковников по домам, после чего поехал домой и сам. Ему было грустно оттого, что расследование закончилось. Больше Гуров в его помощи не нуждался. Крячко вернулся, машину починили. Сегодняшний день был не только последним днем расследования, но и последним днем их совместной работы.

Пять дней спустя Мейерхольд случайно встретил полковника Гурова на парковке. Оба встрече обрадовались. Обнялись, как близкие родственники, попытали друг друга формальными вопросами типа «Как ты?» да «Что нового?». Повспоминали смешные эпизоды, случившиеся за время расследования. Перед тем как разбежаться по своим делам, Мейерхольд решился задать вопрос:

— Что с Вегасом? Отпустил его прокурор?

Гуров посмотрел на Мейерхольда долгим взглядом, но ответил не сразу.